LE THÉÂTRE DU NOUVEAU LANGAGE

TOME I

Essai sur le drame de la parole

Dépôt légal : 1er trimestre de 1973
Bibliothèque nationale du Québec

ISBN-7753-8500-X

GILBERT TARRAB

Professeur à l'Université de Montréal

LE THÉÂTRE DU NOUVEAU LANGAGE
TOME I
Essai sur le drame de la parole

PRÉFACE

de

FERNAND DUMONT

Directeur de l'Institut supérieur des
Sciences humaines
de l'Université Laval

LE CERCLE DU LIVRE DE FRANCE
8955 boulevard Saint-Laurent, Montréal 354

DU MÊME AUTEUR

ROMAN

«Les désabusés » (roman), Éd. du Scorpion, Paris, 1962, (200 p.).

ENQUÊTES

« La route des grandes vacances », résultats d'une recherche psycho-sociologique, éditée par l'Institut National d'Éducation Populaire, Marly-le-Roi, France, 1968 (250 p.).

« Mythes et symboles en Dynamique de Groupe », Éd. Aquila, Montréal et Bordas, Paris, 1971, (200 p.).

ESSAIS

« Ionesco à cœur ouvert » (essai), Cercle du Livre de France, Montréal, 1970, (120 p.).

« Introduction à la pratique du test de Rorschach », Presses de l'Université de Montréal, 1970, (275 p.).

ARTICLES ET ÉTUDES SCIENTIFIQUES

« La contestation du père d'après une illustration ethnologique », in Revue *Interprétation*, Montréal, vol. 3, no 1 et 2, pp. 35-47 (janvier-juin 1969). Cet article est le texte prononcé au cours du Colloque sur le « Père », organisé par la revue « Interprétation ».

« La nouvelle architecture scénique », in *Le théâtre au Canada*, vol. 6, no 3. Cet article est le texte d'une conférence prononcée lors du Colloque sur le « lieu théâtral » en juin 1967, organisé par le Centre du Théâtre Canadien, à l'occasion de l'ouverture de « Expo-67 ».

« Le théâtre nouveau et la nouvelle architecture théâtrale », in *Cahiers Renaud-Barrault*, Paris, déc. 1968 (20 p.).

« Les différents types de psychodrames », in *Bulletin de psychologie*, Paris, no 285, tome XXIII, 13-16, 1969-70, (pp. 915-923).

« L'art permutationnel », *Sociologie et Sociétés*, Presses de l'Université de Montréal, vol. 2, no 2, novembre 1970.

« La sociologie du théâtre et de la littérature, d'après Lucien Goldmann », *Sociologie et Sociétés*, Presses de l'Université de Montréal, vol. 3, no 1, mai 1971.

À PARAÎTRE

« Le théâtre du Nouveau Langage », Tome II : « Théâtre et Contestation », le Cercle du Livre de France, Montréal.

Pour Elca,
Pour Serge, Yves-Maurice et François

PRÉFACE

Le livre de Gilbert Tarrab entremêle principes méthodologiques, citations et commentaires dans un effort pour saisir le sens multiforme du théâtre et du langage contemporains. Cela nous vaut un ouvrage passionnant, copieux, pas très linéaire dans son cheminement et qui incite constamment aux annotations marginales. Je m'abandonnerai sans réticences à cette invite.

On comprend que le sociologue et aussi bien le philosophe s'attachent au théâtre comme à la fascination même de leur objet. De tous les arts, le théâtre est sans doute le plus significatif. La musique nous porte à un absolu de la communication mais en faisant l'économie de la parole. La chanson. le poème et le roman supposent le langage, mais ne les accueillons-nous pas, le plus souvent, comme s'ils ne concernaient que la conscience privée ? Le théâtre ne joint pas seulement l'action à la parole ; il se veut rassemblement concret d'un auditoire, de ces autres acteurs que nous sommes et qu'il faut malheureusement appeler un *public*. Nous nous sentons plus partagés que jamais entre la recherche éperdue de notre intimité et l'ambition également passionnée de tenir des rôles sociaux. Le théâtre pousse à l'extrême ce déchirement : en nous mettant carrément en *scène*, il mène le procès de nos rôles et il dénonce ce moi qui prétend y présider sans les fonder.

Si le théâtre contemporain se veut la dénonciation et la caricature du bavardage, c'est parce que la communication verbale est, dans notre monde, terriblement dévaluée. Notre civilisation comporte une grande dépense de mots et de phrases. Surtout, elle exige trop du langage ; elle y met obstinément cette recherche du fond des êtres, ce besoin de pénétrer les arcanes de la subjectivité qui sont, par une sorte de retournement, à la source de cette « ère du soupçon » qui est la nôtre. Pour trop parler, pour trop exiger de la parole, nous éprouvons une terrible angoisse à affirmer. Par ailleurs, cet impérialisme de la parole a comme éteint nos facultés d'accueillir d'autres signes que ceux du langage verbal. D'où cette protestation qui se répand un peu partout et qui, par delà le langage ou en deçà, veut libérer la sensation ou les objets.

Mais si la parole est ainsi menacée, si elle est brisée, c'est peut-être qu'elle recommence. Il me semble que la littérature actuelle, qui ne peut manquer de *réfléter* les processus de désintégration de nos sociétés, n'en est pas moins une sorte d'au-delà : un reflet oui, mais déjà aussi la préfiguration d'un salut du langage. À beaucoup d'indices, le théâtre et le roman contemporains représentent une tentative de refaire la densité du langage, de le recharger du poids des sensations. Il y a là, bien sûr, le danger d'une fuite dans la magie mais aussi la chance d'une parole qui pourrait redevenir plénitude. L'ambiguïté et la chance sont perceptibles dans cette déclaration de Jacques Borel que cite M. Tarrab : « Les mots comptaient plus pour moi que ce qu'ils traduisaient, ils n'étaient pas tant signes, que sens, images, figures, objets de délectation ou de répugnance mais, de toute façon, fruits naturels du monde, aussi sensibles, aussi aimables qu'un fruit en effet, une herbe, une joue ; c'est leur aspect, leur consonance, qui décidaient pour moi de leur valeur ou de leur sens ; et lorsque, au hasard d'une lecture, je rencontrais un mot nouveau, je n'en vérifiais jamais la signification précise : je laissais l'apparence pour ainsi dire physique du vocable, sa sonorité, qui parfois m'enchantaient, parfois provoquaient en moi je ne sais quelle mystérieuse antipathie, me dicter une image, ou ébranler en moi une image, une sensation anciennes, qui pouvaient fort bien être sans rapport aucun avec ce mot, mais qui resurgiraient désormais avec lui et qui l'incarneraient en quelque sorte à mes yeux ». C'est dans le prolongement de cette vue sur les mots que je considérerais d'abord l'insistance sur les choses que l'on constate dans le théâtre. L'objet y perd son rôle fonctionnel, ce qui en faisait un *accessoire*. « Une chaise, écrit Rosette Lamont, de part le fait qu'elle se trouve placée sur une scène, devient parole. Cette conversation muette, nous devons savoir l'écouter, comme nous avons appris à entendre dans les mots qu'on profère le sens caché du monologue intérieur ».

Mais l'objet comme le mot sont aussi considérés autrement dans la littérature et dans nos vies. Dans l'objet, dans le mot, la conscience se délègue et s'enfouit : le théâtre contemporain aime à les étaler, à les faire proliférer comme si l'homme s'y défaisait ainsi que ces poupées crevées dont ne s'échappent plus que des grains dérisoires. Cette perte du sujet revêt diverses formes ; dans chaque cas, c'est une prise de vue différente sur l'*Objet* qui nous est suggérée. On pense d'abord à la production industrielle, à l'usine où les hommes genèrent des objets absurdes comme la Roberta d'Ionesco pond des œufs. On songe aussi à cette multiplication des objets dont l'homme s'entoure et s'encombre dans le théâtre de Ionesco ; les meubles, les œufs, les tasses de café s'accumulent dans une fantasmagorie de notre quotidienneté. Mais c'est aussi bien dans le fond de lui-même que l'homme est rongé par le cancer des objets, comme pour ce cadavre de l'amour qu'*Amédée* porte en lui et qui se nourrit, ou plutôt se détruit, de sa vie. Par sa polyvalence, l'Objet finit par figurer paradoxalement l'absence : qu'il y ait trop d'objets, c'est comme s'il y avait trop de sujets. La conscience se défait dans sa production de l'univers.

Que l'on puisse discerner, dans tout cela, quelque trait profond de la société capitaliste contemporaine, il est aisé de le reconnaître avec M. Tarrab. « L'homme, écrit ce dernier, est évalué en termes d'objets ». Sans doute ; mais il y a davantage. Le capitalisme est tout autant l'aboutissant de nos rêves que leur commencement. Quelque vice historique est à l'origine de la déréliction de l'objet dans nos civilisations et que le théâtre cerne mieux encore, il me semble, que nos sociologies un peu trop abruptes.

On en arrive vite ainsi à la question de méthode. Là-dessus, M. Tarrab me semble un peu trop allusif. Je ne ferai guère mieux en disant que, pour ma part, si l'on veut considérer sociologiquement (ou philosophiquement) l'œuvre littéraire, il importe de marquer nettement qu'elle *exprime* de deux façons. Elle est d'abord une sorte de redondance. Je préfère ce terme à celui trop simpliste de *reflet* qu'utilisent les marxistes de stricte observance. Redondance : en ce sens que le langage du théâtre, par exemple, répète celui de la plus vaste société mais pourtant en le mettant en scène, de sorte que la répétition, en créant distance, n'est pas vaine. Mais l'œuvre va plus loin, elle exprime autre chose encore : elle nait, et cela n'aura jamais été plus évident qu'aujourd'hui, d'un vide de la culture quotidienne qu'elle vient en quelque sorte remplir. Les objets et les paroles du théâtre contemporain ne sont plus alors la répétition de nos objets et de nos paroles mais leur contrepartie. On peut les étudier à partir du trou béant qui les permet, à partir de nos structures sociales ; on ne saurait les cerner en parcourant simplement ce contour extérieur. Les œuvres ont autre chose à nous dire que ce que la société dit déjà : elles occupent une place que la société a faite, mais elles nous apprennent aussi ce qu'il faudrait faire de nos sociétés.

Humble est sans doute la leçon qui nous est alors offerte. Elle est cependant à la mesure du temps désespéré où nous sommes et sa portée va aussi loin que les plus ambitieux engagements politiques. Opposant les « contes de fées » aux « pièces à thèses », Ionesco préfère en définitive les premiers. Car s'il voit en nous des « marionnettes douloureuses », il n'en affirme pas moins : « l'existence du monde me semble non pas absurde mais incroyable. » Qui refusera de lui donner raison ? Si assaillis que nous soyions par les objets et les mots, nous pressentons, dans ce que l'un a appelé un peu trop vite « le théâtre de l'absurde », quelque recommencement possible de l'homme, de sa faculté d'accueil. Une morale timide à force de renaître sur les grands déserts atomiques, et dont Beckett transcrit la pauvre parole dans *En attendant Godot* :

> « J'ouvre.
> *Un temps.*
> J'ai peur d'ouvrir.
> Mais je dois ouvrir.
> Donc j'ouvre ».

Ouvrir, c'est consentir à l'attirance de la plaine et du hasard où l'homme contemporain ne souffre pas en vain de ses périls, où il lui reste encore à faire et à interroger.

Fernand DUMONT
Directeur de l'Institut supérieur
des sciences humaines,
Université Laval

« Je dis que la scène est un lieu physique et concret qui demande qu'on le remplisse, et qu'on lui fasse parler SON LANGAGE CONCRET... Je dis que ce langage concret, destiné AUX SENS et indépendant de la PAROLE, doit satisfaire *d'abord* les sens, qu'il y a une poésie POUR les sens comme il y en a une pour le langage, et que ce langage physique et concret auquel je fais allusion n'est vraiment théâtral que dans la mesure où les pensées qu'il exprime ÉCHAPPENT AU LANGAGE ARTICULÉ ».

Antonin ARTAUD
« Le théâtre et son double », p. 45.
(in : « La mise en scène et la métaphysique »)
(Tome IV des « Œuvres Complètes »)

« Dans le théâtre Oriental à tendances métaphysiques, opposé au théâtre Occidental à tendances psychologiques, tout cet amas compact de gestes, de signes, d'attitudes, de sonorités, qui constitue le langage de la réalisation et de la scène, ce langage qui développe toutes ses conséquences *physiques et poétiques* sur TOUS LES PLANS DE LA CONSCIENCE et dans tous les sens, entraîne nécessairement la pensée à prendre des attitudes profondes qui sont ce que l'on pourrait appeler de la métaphysique en activité ».

A. ARTAUD (op. cit., p. 54)

« Faire la métaphysique du langage articulé, c'est faire servir le langage à exprimer ce qu'il n'exprime pas d'habitude : c'est s'en servir d'une *façon nouvelle,* exceptionnelle et inaccoutumée, c'est lui rendre ses possibilités d'ébranlement PHYSI-QUE, c'est le diviser et le répartir activement dans l'espace, c'est prendre les intonations d'une manière CONCRÈTE absolue et leur restituer le pouvoir qu'elles auraient de déchirer et de manifester réellement quelque chose, c'est se retourner contre le langage et ses sources bassement utilitaires, on pourrait dire ALIMENTAIRES, contre ses origines de bête traquée, c'est enfin considérer le langage sous la forme de l'INCANTATION ».

A. ARTAUD (op. cit., p. 56)

« Le théâtre à succès — et à plus forte raison s'il s'agit d'un théâtre qui se recommande seulement par ses mérites passagers, *sensibles au seul public du temps* — est un irremplaçable document sociologique ».

Maurice DESCOTES: « Le public de théâtre et
son histoire », p. 351.

INTRODUCTION

CHAPITRE PREMIER

ESSAI DE CONCEPTUALISATION: Qu'est-ce qu'un «nouveau langage», au théâtre?

Nous essayerons de montrer, dans ce premier chapitre, que l'utilisation de la locution « théâtre d'avant-garde » [1] est impropre, quel que soit le genre de pièce étiqueté de la sorte, quel que soit l'auteur affublé de ce titre («c'est un auteur d'avant-garde», entend-on dire souvent). Nous tâcherons de montrer que, pas plus d'avant-garde, il n'y a d'arrière-garde, au théâtre ; et que, dans le fond, s'il y a rénovation dramatique, c'est sur le plan du *langage* uniquement : en ce sens, on peut parler d'un théâtre que nous appellerons du NOUVEAU LANGAGE, car, comme on le verra dans nos illustrations d'auteurs, le concept « langage » sera utilisé ici dans son appellation la plus large, celle donnée par Ionesco dans « Notes et contre-notes » : « Tout est langage au théâtre : les mots, les gestes, les objets, les décors ; l'action elle-même, car tout sert à exprimer, à signifier. Tout n'est QUE langage. Un langage essayant de révéler l'a-histoire, peut-être d'intégrer celle-ci dans l'histoire » (p. 116).

Le théâtre nouveau, pour nous, sera donc un LANGAGE NOUVEAU : beaucoup plus que la parole (les dialogues), le langage nouveau au théâtre comprendra les décors, les jeux de lumière, les gestes et la pantomime, et — surtout pour Ionesco — les objets et accessoires. Il y a chez Ionesco, et dans certai-

---

(1) Proposée particulièrement par Léonard C. PRONKO, puisqu'il a accepté que son ouvrage « The experimental theatre in France » soit traduit en français sous le titre : « Théâtre d'Avant-Garde » (Denoël, 1963, Traduction de M. J. LEFÈVRE).

nes de ses pièces («Les chaises», «Amédée, ou Comment s'en débarrasser», «Le nouveau locataire», «L'avenir est dans les œufs»), une telle prolifération d'objets que ceux-ci, bien plus que les dialogues, bien plus que les mots prononcés au cours de la pièce, constituent le véritable LANGAGE THÉÂTRAL : c'est PAR LES OBJETS que se réalise la communication entre la scène et la salle, ce sont les objets qui «parlent» au spectateur. [1] Ainsi, pour Ionesco, comme pour Antonin Artaud, le langage au théâtre n'est plus qu'une «incantation». «Les objets sont la concrétisation de la solitude exprimée dans les mots» (Ionesco, dans «Étrave», décembre 1959). Les mots deviennent dès lors des objets, ce ne sont plus que des accessoires de théâtre, au même titre qu'un décor, qu'un éclairage particulier, que le «geste» de l'acteur : tous ces accessoires de théâtre (considérés, à parts égales, comme des MOYENS DE COMMUNICATION) s'agencent entre eux, à dose plus ou moins équilibrée, pour former ce que nous appellerons «le théâtre du nouveau langage».

On voit qu'on est très loin ici de la définition du concept «langage», trouvée dans le «Larousse» : «Le langage, c'est l'emploi de la parole pour exprimer les idées». Il ne s'agit plus, dans ce «langage nouveau», d'employer seulement la parole, ni même d'exprimer toujours des idées : ce serait plutôt une tentative de redéfinition du terme «langage», par l'utilisation de tous les moyens mis à notre disposition par les

---

(1) Voir l'article que nous avons publié dans la revue montréalaise : «Socialisme 65» (no 6 ; printemps 65, p. 23-32) : «Les mots deviennent ainsi des «accessoires de théâtre», au même titre que les objets concrets sur la scène, qui tiennent lieu de langage. Comme dans le théâtre oriental (surtout chinois), les accessoires, signes et gestes, les éclairages et la musique de scène sont devenus aussi importants, sinon davantage, que le mot prononcé. Celui-ci est restreint à sa fonction de son, et il se situe dans l'ensemble de la création au même niveau que les objets. Les objets sont là, et ils «parlent», peut-être plus que les mots». (p. 24)

techniques modernes les plus diverses, qui seraient autant de
« langages neufs », si toutefois nous entendons par « langage », une possibilité de communication de sensibilité (celle de
l'auteur et du spectacle entier, pris comme une entité) à sensibilité (celle du spectateur). L'intégration de ces techniques
au spectacle (techniques audiovisuelles : acoustique, projections cinématographiques ou de diapositives durant le déroul-
lement de la pièce, les éclairages ; techniques du mimodrame :
geste, mime, pantomime, etc.) servira à exprimer, non plus
des « idées », mais une *réalité* ou une *sur-réalité* — quelle
qu'elle soit et à quelque niveau où elle se situe — que les
spectateurs percevront, non plus par l'intellect, mais par l'épiderme : on pourrait, si l'on veut, appeler ce théâtre, un « théâtre épidermique » (comme nous le proposions dans l'article
mentionné plus haut, paru dans la revue « Socialisme 65 »,
p. 32).

Mais, toute réflexion faite, nous préférons à cette appellation, jugée trop ambiguë et en quelque sorte, en porte à faux,
celle suggérée par le dramaturge canadien-français Jacques
Languirand, quand il nous disait qu'à son sens, on ne devait
plus parler, pour ce qui concerne la nouvelle dramaturgie, de
« pièces de théâtre », mais de « textes pour spectacle » : « Le
texte de théâtre », nous disait-il [1], « est un instrument de
travail, tout comme la musique de scène, les chœurs, les décors, les lumières, le dispositif sonore, les costumes, tout enfin,
tout ce qui fait partie intégrante du *spectacle*. Voilà pourquoi
je parle de « textes » de spectacle au pluriel : car il ne s'agit
plus du simple texte parlé (les dialogues), mais de tous les
autres textes non-parlés, mais néanmoins prévus pour le *spectacle* et « ressentis » par le spectateur, à savoir : indications

(1) Voir dans « Le Devoir » (Montréal) du 30 octobre 1965 (p. 28),
les entretiens que nous avait accordés J. Languirand, sur ses opinions personnelles relatives au « théâtre nouveau ». Titre de l'article : « Languirand : pas d'étiquette ! ».

scéniques, éclairages, musique, objets, etc. : tout doit être prévu à l'avance par l'auteur, qui aura ainsi à travailler avec toute une équipe de techniciens (musicien, metteur en scène, éclairagiste, décorateur, que sais-je encore ?), et non plus, comme cela se faisait autrefois, de se contenter de tracer des phrases sur des bouts de papier »..

Et c'est ainsi, à la suite de ces cheminements, que nous en sommes arrivé à forger le concept de « théâtre du nouveau langage », concept qui englobe, nous semble-t-il, toutes les tendances modernes des dramaturges de ce théâtre qui se veut « total ». [1]

Résumons-nous, en faisant appel à Jean-Marie DOMENACH qui, dans une intéressante étude : [2] « Résurrection de la tragédie », analyse en profondeur le sens éminemment « *tragique* » des œuvres du théâtre du nouveau langage :

> « Oser parler de « tragédie » à propos de ces déchets d'humanité, de ce langage désossé, de cet univers dépouillé non seulement de grandeur, mais de signification ? (p. 996) [...] « Que voulez-vous, Monsieur ? C'est les mots, on n'a rien d'autre », dit un personnage de Beckett. Et Ionesco, en appelant sa première pièce une « tragédie du langage », avait trouvé la meilleure définition du théâtre du nihilisme... (p. 1009) [...] Cependant, le langage n'est plus un instrument de la plainte et de la mise en question : il est lui-même mis en question. Il est l'objet

---

(1) Martin ESSLIN, lui, dans un remarquable ouvrage réunissant tous les auteurs dramatiques du nouveau théâtre (de Ionesco à Pinter, en passant par Genet, Tardieu, Artaud, Beckett, Vian, etc.) intitule son livre : « Théâtre de l'Absurde » (Buchet-Chastel). Nous reviendrons ultérieurement sur cet épithète, que nous jugeons périmé, dépassé et incorrect, en ce qui concerne ces auteurs.

(2) Étude parue dans un numéro spécial de « Esprit » (No 5, mai 1965, p. 995-1015) entièrement consacré au théâtre moderne.

d'une bataille entre le BRUIT et le SENS (c'est nous qui soulignons), entre la parole mécanique et l'expression personnelle. L'homme est envahi par les mots mais il ne peut s'en délivrer, puisque finalement, tout ce qui lui reste comme preuve d'existence, comme gage de cohérence, d'identité, c'est la PAROLE : la parole qui le fait être lui-même, tout en le rendant autre. La parole à laquelle il s'accorde, dans un désespoir agonique : « Plus rien dire ... Mais je dois dire plus » [Winnie, dans « Oh les beaux jours » de Beckett]. On peut parler de *tragédie du langage* en ce sens que l'expression personnelle est prélevée sur un fonds commun et que, pour exprimer le plus intime, il faut encore user des mots des autres : tout, vocabulaire et syntaxe, nous est fourni par la société, clé en mains !

Si ce vieux problème philosophique prend avec Ionesco et Beckett un tour tragique, c'est que *notre langage*, amplifié et multiplié par les « mass media », bourré de sens par les propagandes, devient de moins en moins un instrument de communication et acquiert de plus en plus son autonomie, une sorte de personnalité monstrueuse et vorace : ça parle, si fort et si constamment, que si j'ouvre la bouche, je ne suis plus très sûr que ce soit moi qui parle, mais peut-être est-ce la mécanique à parler qui écoule ses mots à travers moi. Comme une marchandise. Nous voilà donc parvenus à la pointe extrême du nihilisme : ce n'est plus seulement le sens qui est mis en cause, c'est la possibilité de donner du sens, la faculté même de DIRE, aliénée, pourrie, et cependant intarissable » (p. 1010).

Si nous avons tenu à retranscrire in extenso une aussi longue citation, c'est qu'elle nous paraît non seulement capi·

tale pour son intérêt général, mais également fondamentale pour notre essai de conceptualisation du terme « nouveau langage » : « notre langage », nous dit Domenach, « devient de moins en moins un instrument de communication et acquiert de plus en plus son autonomie, une sorte de personnalité monstrueuse et vorace ».

Qu'est-ce à dire, sinon que le langage (tel qu'il est défini par le « Larousse », et par les conceptions traditionalistes de la psychologie) n'est plus à même d'assurer la communication indispensable dans la dialectique scène-salle du théâtre nouveau ? Il faut le dire encore et encore, au risque d'être taxé de répétition : le langage (au sens commun) n'est plus qu'un instrument autonome parmi les autres, ayant sa part (et seulement sa part) dans cet ensemble syncrétique que constitue une représentation théâtrale, et le plus souvent, il ne sert qu'à dévoiler la tragédie moderne en s'annihilant lui-même, en s'enlisant jusqu'à sa complète disparition : il est significatif que Winnie dans « Oh les beaux jours » (de Beckett) s'enfonce progressivement dans le sable au fur et à mesure qu'elle parle de plus en plus vite. C'est la personnalité « monstrueuse et vorace » du langage, dont parlait Domenach : *monstrueuse*, parce que tragique sans appel, dans sa prolifération objectale, et *vorace*, parce qu'elle se mange elle-même tout en détruisant systématiquement tout ce qu'elle touche, pour ne plus rien laisser de vivant : c'est la mort du langage-parole par autodestruction.

C'est un processus circulaire, cyclique : le langage prolifère (comme les champignons, dans « Amédée », comme les chaises dans « Les chaises », comme les œufs dans « L'avenir est dans les œufs ») [1], devient « objet », se vide de son sens, contamine tout ce qui l'entoure, et finit, telles certaines plantes rares, par s'autoconsommer. C'est alors le vide total, c'est

---

(1) Toutes ces pièces sont de Ionesco.

alors le tragique à l'heure moderne, le tragique nucléaire. Domenach dit très justement que ce « théâtre n'est pas vil, mais
entropique » (c'est-à-dire sans le paroxysme habituel du tragique antique, mais donnant lieu à un engloutissement des
personnages dans le temps, dans la société, dans les choses).
Pour employer une expression chère à Sartre, c'est la « chosification », c'est la « néantisation » du théâtre, devenu théâtre-
objet (Sartre dirait « Théâtre de l'en-soi »).

Dans le cadre de notre étude, nous ne nous étendrons pas
sur les conceptions traditionnelles du langage en psychologie,
en linguistique ou en sociologie anthropologique. Cela n'est
pas notre propos. Il serait bon, toutefois, de rappeler dans ses
grandes lignes, et d'une manière très schématique, les idées
essentielles de quelques auteurs qui se sont intéressés au problème du langage, et de voir dans quelle mesure nous pouvons
les adapter à notre sujet (car, après tout, le « nouveau langage
théâtral » participe du phénomène général du langage-commu-
nication) [1].

Kierkegaard, l'un des premiers, avait dénoncé la trahison
du langage-parole. Il montre que toute parole brise la distance
entre soi et ce que l'on contemple (la théorie de la « distanciation » brechtienne n'existait pas encore : Brecht a montré
qu'une certaine utilisation de la parole, au théâtre, — chœurs,

---

(1) Il n'est pas question non plus, d'entrer dans les analyses linguistiques
de Saussure, sur les relations entre signifiant et signifié, sur les systèmes d'expression et les relations d'expression, ni de parler du décryptage et de la théorie des communications, de la pensée pré-philo-
logique et pré-linguistique, de l'indice et de l'indiqué, de l'intention
signalisante et de la consécution naturelle, des systèmes symboliques
(symbolisant et symbolisé) et de la relation symbolique. Cela n'entre pas dans le cadre de notre recherche. Tout juste parlerons-nous
quelque peu du MOT, en tant que reflet des appartenances sociales,
et de la LANGUE, véhiculant son champ sémantique latent (Cf. à
ce sujet nos analyses dans le chapitre V, tome II, intitulé : « L'architecture scénique »).

chants, prise à partie du spectateur — pouvait introduire ce phénomène de distance entre soi et le spectacle : nous y reviendrons). Si les mystiques n'ont pas besoin de prière, si les amoureux demeurent côte à côte en silence, sans parler, c'est que toute intention d'expression par le langage-parlé (il y aurait donc un autre langage que celui de la parole) serait mensonge et trahison, pour Kierkergaard.

Bergson [1], lui, propose une solution intermédiaire ; tenter de briser la rigidité du langage, et de l'assouplir. Seul le langage des arts permettrait, pour Bergson, la communication avec le poète. Ainsi, la poésie, par ses métaphores et symboles, ferait davantage sentir au lecteur l'originalité des sentiments du poète : il en va de même pour la musique... et pour le théâtre. Le langage serait donc un MOYEN (parmi d'autres) pour faire réapparaître l'intuition bergsonienne. Cette thèse, bien qu'aujourd'hui dépassée, conserve pourtant une actualité particulière, en ce qui concerne le « théâtre nouveau » : il suffit de remplacer le terme « intuition » par un autre, qui serait propre au contexte de notre époque. Et nous revenons par ce biais, à ce que nous appellions un peu plus haut : « le théâtre épidermique ». C'est par l'épiderme (les sens et les nerfs, comme dit Artaud, l'ouïe, la vue et même l'odorat, dans quelques expériences particulières dont nous parlerons plus loin, dans le chapitre réservé aux happenings autogérés) que le spectateur est amené à participer à ce qui est devenu son spectacle, puisqu'il y prend une part active : dans certains cas, il en devient même un des acteurs principaux !

C'est par là que nous en revenons à Bergson, et du procès qu'il intente au langage-parole : pour lui, la vraie fonction du langage, c'est d'explorer le monde des objets, c'est une

---

[1] Cf. « Les deux sources de la morale et de la religion », « L'évolution créatrice », « La pensée et le mouvant », etc.

fonction de découpage et d'analyse. Il n'a aucune part pour connaître et exprimer ce que Bergson appelle la « vie intérieure », et ce que nous appelons « le sens profond » du spectacle joué pour et (dans certains cas) par les spectateurs-acteurs. Le langage est constitué par des concepts rigides et figés, et nous fait croire à l'invariabilité de nos sensations, à la fixité et à la constance de nos sentiments, auxquels nous donnons un NOM : il transforme ce qui est « mouvant » en quelque chose de figé, la vie intérieure, pour Bergson, étant caractérisée par la fusion intime de nos « états vécus ». En un mot, pour cet auteur, il y a incommensurabilité entre la structure (rigide, fixée une fois pour toutes) du langage, et la structure (dynamique, fluide) de la vie intérieure, il y a une dualité contradictoire entre le « moi profond » et le langage : « Il y a contradiction », écrit-il, « entre la fixité du langage et la mobilité de la vie intérieure, entre l'impersonnalité du langage et l'originalité de la vie intérieure, entre la pauvreté du langage et la richesse de la vie intérieure ».

Bref, le langage serait l'application de l'intelligence à la saisie du moi profond (dans la mesure où il y a interdépendance entre le langage et la pensée : l'homme parle parce qu'il pense, et il pense parce qu'il parle); ce serait, d'après lui, substituer à la « réalité vécue » une réalité morte, anonyme, impersonnelle, la réalité du langage-parlé, qui n'atteint que le moi superficiel, constitué par des « états impersonnels ». À la limite, pour Bergson, s'exprimer par le langage-parole, c'est s'aliéner.

On voit tout ce que cette théorie (sans doute dépassée sur le plan de la psychologie et de la philosophie) peut garder de richesse, en ce qui concerne les problèmes du « théâtre du nouveau langage ». Léonard C. PRONKO, dans son ouvrage :

« Théâtre d'Avant-Garde » [1] a très bien su adapter la thèse bergsonienne (dans l'analyse des pièces qu'il a examinées) au théâtre expérimental : « Le refus d'utiliser les MOTS comme instrument logique tend à restituer la pièce AU théâtre : comme une expérience théâtrale qui reflète ou révèle la vie, mais ne peut ni la *définir* ni *l'expliquer,* comme la philosophie, par exemple, pourrait tenter de le faire. Les mots ne peuvent ni résumer la vie [intérieure ?], ni réussir à donner la signification d'un poème ou d'un mythe, car cette signification est inhérente à la *structure de l'ensemble* et aux *rapports des composants entre eux* [...] C'est particulièrement vrai du drame d'avant-garde, puisqu'il est en grande partie non littéraire et dépend souvent des aspects *strictement théâtraux du drame* [2] » (p. 246).

Cette « dynamique » bergsonienne se retrouve donc (avec des nuances, bien sûr, et une adaptation appropriée) dans la dramaturgie contemporaine. Le génie dramaturgique consiste justement à *se servir* d'une langue toute faite pour la PLIER à l'expression de son propre génie. C'est ce qu'a pu réaliser Ionesco (entre autres). Mais plus on essaye de s'exprimer dans son originalité, moins on peut communiquer ce qu'on ressent et ce qu'on désire « faire sentir » aux spectateurs.

Le génie dramaturgique contemporain, c'est de pouvoir concilier sous une FORME heureuse le besoin d'expression et celui de la communication, bien qu'il semble exister un rapport inverse entre l'expression et la communication. Même

---

(1) Léonard C. PRONKO « Théâtre d'avant-garde », Paris, (Denoël, 1963). Titre original : « The experimental theatre in France » (publié en mars 1961, par University of California Press). La traduction de l'américain en français est de Marie-Jeanne LEFÈVRE. Ce qui est en *italique* et entre parenthèses, dans cette citation, est de nous.

(2) [C'est nous qui soulignons.]

quand il s'agit de communiquer l'incommunicable (nous pensons ici aux tentatives de Beckett, depuis « En attendant Godot » jusqu'à sa dernière pièce « Dis Joe », en passant par « Oh les beaux jours ») il y a un LIEN — qu'il s'agit de trouver — entre l'expression et la communication.

Sully Prudhomme n'a pu le trouver, ce lien, puisqu'il avoue : « Mes plus beaux poèmes sont ceux que je n'ai jamais écrits ».

Flaubert estime (à juste titre, en ce qui concerne le nouveau langage au théâtre) qu'il existe un rapport entre le « mot juste » et le « mot musical » ; la musique semble nécessaire à la littérature (et au théâtre), elle est recherche de RYTHME et de découpage dans le temps.

Le lien se fait donc ici par l'intermédiaire du « mot musical » (nous verrons plus loin que F. Billetdoux a été influencé par cet aspect).

Paul VALÉRY pense que la discipline de l'expression — dramatique ou autre — débarrasse l'écrivain des spectres qui le hantent : « Je ne peux être sûr de la beauté et de la valeur de mes pensées que si je les fais passer par le creuset du langage. »

Brice Parain (dont on connaît sans doute le seul essai dramatico-philosophique qu'il ait écrit : « Noir sur Blanc ». Il s'est arrêté d'écrire pour le théâtre depuis), pense à ce sujet que « les paroles sont l'avenir de notre présent, elles nous engagent plus qu'elles ne nous expriment ».[1] Mais il conclut son essai sur le langage en affirmant : « Plus nous sommes près du silence, plus nous sommes près de la liberté ».

Ionesco trouve ce lien dans ce qu'il appelle son « anti-théâtre » : c'est le délire verbal, c'est le langage vidé de toute

_____

(1) Cf. « Recherches sur la nature et les fonctions du langage », 1942.

intention, se réduisant à de pures sonorités sans aucun contenu cohérent, c'est la farce métaphysique, dans le sens où Pierre Henri SIMON employait ce terme, en disant que le nouveau roman ou le nouveau théâtre, était devenu une « métaphysique du langage et mise en question du monde ». [1]

Il est significatif que M. Paul RICŒUR, de passage à l'Université de Montréal, et à qui nous demandions, lors d'une causerie qu'il faisait à propos de l'apparition du langage dans les sociétés primitives (à propos de l'article de Lucien Sebag paru dans « Les Temps Modernes », Nº 226, mars 1965, sur le « Mythe : code et message »), ce qu'il pensait du psittacisme [2] et de ses différentes formes, nous ait répondu à ce sujet : « le psittacisme ? Mais c'est du Ionesco ! » C'est une boutade qui n'en est pas une, si on se donne la peine d'y réfléchir.

Quant à Beckett, auteur indubitablement tragique, c'est dans la *plastique théâtrale* (surtout dans les deux « Actes sans parole », « Comédie » et « Oh les beaux jours »), d'un théâtre de l'immobilité larvaire, d'un théâtre où le spectateur ressent au plus profond de lui-même — et voilà le « moi profond » de Bergson remis en pleine actualité — la morsure de la tragédie de l'homme d'aujourd'hui, « incapable de se connaître et incapable de supporter de ne pas se connaître » [3],

---

(1) Cf. « Le Monde » du 8-12-1965, p. 12, P. H. SIMON : « La vie littéraire ».
(2) Définition du « psittacisme », trouvée dans le « Larousse » : répétition machinale de mots qu'on ne comprend pas, à la façon des perroquets (en grec : « psittakos » veut dire : perroquet). Dans le « Vocabulaire de la psychologie » de Piéron, on trouve cette définition : « Répétition de mots, de phrases ou même de notions, qui n'ont pas été compris par le sujet. Fréquent dans la débilité mentale ».
(3) Richard N. COE : « Le dieu de S. Beckett » (Cahiers Renaud-Barrault, Nº 44, pp. 6-36).

c'est donc dans une longue et patiente recherche d'une plasti-que théâtrale qui lui soit propre que Beckett a trouvé le lien indispensable entre le besoin d'expression et celui de la com-munication.

Reste le « happening » et ses ersatz. Ici, le lien est trouvé dès le départ, puisqu'il est demandé aux spectateurs de créer le spectacle, qui sera LEUR spectacle. En fait, il y a « hap-pening » et « happening », et les méthodes diffèrent, non seu-lement avec chaque catégorie de participants (les membres d'un groupe en situation de psychodrame ne recherchent pas la même chose que ceux qui se trouvent en situation de « happening » autogéré), mais aussi avec le contexte où le « happening » se déroule. On peut dire qu'il y a autant de « happenings » que de « happeners ». Une explication s'im-pose : le terme « happening » vient du verbe « to happen » (arriver), et un « happening » est en principe un endroit (ce n'est pas forcément une salle de théâtre) où TOUT peut arriver.

Les « happeners » sont ceux (salle-scène, ou acteurs-spectateurs et spectateurs-acteurs) qui participent au « hap-pening ». À chaque catégorie de « happeners » correspond un « happening » différent (tout comme dans la situation psy-chodramatique). Nous avons réservé un chapitre spécial à ce genre de pratique théâtrale, nous n'insisterons donc pas là-dessus outre mesure ici. Nous voulons tout simplement mon-trer qu'en ce qui concerne le « lien » expression-communica-tion, il est inclus dans la définition même du terme « happen-ing ». Un exemple typique : la pièce de Jack GELBER : « The Connection » [1] (« La Connexion », ou l'intermédiaire, ce qui nous *relie* à l'autre). Dans cette pièce, c'est la drogue qui

---

(1) Jouée pour la première fois à New-York, en 1959, par le « Living Theatre », et à Paris, en 1961, au théâtre de Lutèce, à l'occasion des manifestations du « Théâtre des Nations ».

permet au drogué d'être « connecté » au fournisseur. Mais c'est aussi le *contact* sine qua non à établir dès le départ entre les acteurs et les spectateurs, entre des solitudes et des solitudes, pour surmonter cette impression de vide total qui régit le monde actuel. On cherche désespérément à « se connecter » les uns aux autres, en dépit de l'échec pressenti confusément d'une telle tentative (c'est, en quelque sorte, le rocher de Sisyphe, que CAMUS a si bien analysé dans son essai : « Le mythe de Sisyphe »). L'expression, dans ce cas, c'est la manière dont les protagonistes vont s'y prendre pour établir le contact. Et la communication, ici (liée très étroitement au processus d'*expression* dans les «happenings totaux» ou « happenings autogérés », à tel point qu'elles sont complètement confondues : la communication ne se fait plus que par l'expression et vice versa), rappelle celle utilisée par les techniques du « théâtre total » : priorité du geste sur la parole, projections cinématographiques intégrées à l'ensemble du spectacle, pas d'intrigue, utilisation systématique du masque (comme dans « Les Nègres », de Jean GENET, qui, sous certains aspects, peut être considérée comme une pièce-happening), utilisation du mime et du ballet, improvisation de l'acteur, présence du pseudo-metteur en scène sur le plateau, provocation continuelle du spectateur pour qu'il réagisse d'une façon ou d'une autre, réaction qui entraînera un nouveau thème d'improvisation de l'acteur (qui prend parfois le rôle du spectateur et regarde le spectateur jouer à son tour). En un mot, la cassure entre la scène et la salle devient inexistante et à la limite, comme cela se fait dans les « happenings » les plus expérimentaux, il n'y a plus de plateau du tout, il n'y a plus de scène, il n'y a plus de salle : il n'y a qu'un LIEU, qu'un ESPACE (n'importe lequel, une cave fait souvent l'affaire) où des gens se réunissent et essayent de s'exprimer autrement que par le langage parlé, la consigne étant d'essayer de « faire des choses » (c'est le terme habituellement usité) avec l'interdiction formelle d'utiliser la parole sous peine d'expulsion définitive. Comme le dit très justement Pierre DOM-MERGUES [1] : « De façon parfois gauche, mais toujours intéressante, le psychodrame s'est mis au service du drame ».

Ces analyses nous conduisent à la conclusion de cet essai de conceptualisation : les réflexions de Bergson sur le langage, réinterprétées et adaptées au « nouveau langage théâtral », constituent un champ très riche d'exploration. La parole seule est incapable, dans le théâtre expérimental moderne, d'assurer la nécessaire communication (par l'expression dramatique) dans la dialectique salle-scène. Plus, son abus démesuré conduirait au chaos le plus total, car le langage est surtout formé de symboles préfabriqués et fixés à tout jamais. Il ne peut, en aucun cas, révéler à lui seul toute la richesse et le foisonnement dynamique de la « vie intérieure » bergsonienne, qui est en perpétuel mouvement. Le théâtre se doit d'avoir son propre langage, ses propres moyens d'expression et de communication, qui n'ont rien en commun (ou si peu) avec ce que peut nous offrir la linguistique moderne. Il est une semiologie théâtrale que nulle « langue » ne saurait épuiser.

Il est extrêmement difficile de communiquer des états d'âme — des « états vécus », dirait Bergson — par le simple outil qu'est le langage, qui est tout à fait impropre à rendre compte de la complexité de la vie moderne.

Ionesco s'emploie de toutes ses forces à récuser la conception rationaliste selon laquelle le langage seul, le langage divorcé des autres semiotiques possibles et imaginables, peut communiquer l'expérience humaine d'une personne à une autre, d'un groupe de personnes (la scène) à un groupe d'autres personnes (la salle). Comme le dit Martin ESSLIN dans

---

(1) In « Esprit », No 5, mai 1965, « Le dépassement de la psychanalyse dans le nouveau théâtre américain » (p. 947).

son « Théâtre de l'Absurde », « l'accès de la sensibilité et de l'expression du poète à la conscience des autres êtres humains doit être tenté à un niveau plus fondamental, au niveau *pré ou sub-verbal* de l'expérience humaine » (op. cit., p. 185).

Le langage-parole doit être aujourd'hui transformé en simple matériau théâtral, si on le porte ... « à son paroxysme, pour donner au théâtre sa VRAIE MESURE, qui est démesure ; le verbe lui-même doit être tendu jusqu'à ses limites ultimes, le langage doit presque exploser, ou se DÉTRUIRE, dans son impossibilité de contenir des significations ». (Ionesco) [1].

Léonard C. PRONKO est également, à ce sujet, on ne peut plus clair : « L'objet concret a remplacé dans une certaine mesure le mot audible comme moyen de communication, car là où le langage a échoué, un NOUVEAU LANGAGE a été inventé à sa place » [2].

Une dernière question, posée au tout début de ce chapitre, et laissée en suspens jusqu'ici : pourquoi se refuser à l'appellation « théâtre d'avant-garde » introduite surtout par PRONKO, puisqu'il en a fait le titre de son ouvrage [3] et proposer à sa place celle de « théâtre du nouveau langage » ?

D'abord, parce que chaque époque, dans l'histoire, a sa propre avant-garde, tout aussi bien en matière de théâtre qu'en matière de peinture, littérature, poésie, sculpture, etc. Ainsi, Claudel a pu être appelé un auteur d'avant-garde, en son temps. Est-ce à dire que Claudel et Ionesco font partie de la même école théâtrale ? Certainement pas !

---

(1) Ionesco : « Notes et Contre-Notes », (Gallimard, 1962), p. 15.
(2) L. PRONKO : « Théâtre d'Avant-Garde » (Denoël, 1963), p. 246.
(3) Rappelons ici que c'est la traductrice (sans doute avec l'accord de l'auteur) qui a pris la liberté de l'intituler en français : « Théâtre d'Avant-Garde ». Le titre original américain en est : « The experimental theatre in France ».

Ensuite, parce que le terme « avant-garde » est très vague, peu précis, et que la conceptualisation en est incommode. À ce sujet, Jacques LANGUIRAND nous confiait, dans un entretien publié dans « Le Devoir », de Montréal [1] : « On dit généralement que je suis un dramaturge d'*avant-garde*. Or, l'avant-garde, ça n'existe pas. D'abord, avant-garde par rapport à quoi ? À la garde ? À l'arrière garde ? Non, décidément, je me refuse à cette étiquette ! » Si on en croit Ionesco, « l'avant-garde, ce sont les éléments précédant une force armée de terre, de mer, ou de l'air, pour préparer son entrée en action [. . .] Ce que l'on appelle le théâtre d'avant-garde, ou le nouveau théâtre [. . .] est un théâtre semblant avoir par son expression, sa recherche, sa difficulté, une qualité supérieure [2]. »

Bernard DORT estime également que « toute avant-garde est d'abord une *rupture* avec le gros de la troupe, un refus aussi de la discipline et de l'allure communes. Mais cette rupture, ce refus n'ont pas de sens *en soi* puisqu'ils peuvent aussi bien signifier un décrochage momentané, effectué dans l'intérêt même du gros de la troupe, la découverte de nouvelles perspectives ensuite récupérées et mises à profit *par* cette troupe, qu'une succession réelle : la conquête par quelques éléments détachés, d'une véritable autonomie » [3]. « Aussi, ne s'agit-il pas d'élaborer un langage TOTAL, mais de nous montrer les contradictions de notre pseudo-langage » (op. cit., p. 48).

On voit par là que l'expression « avant-garde » est incorrecte pour désigner *uniquement* les auteurs dramatiques du

---

(1) « Le Devoir », du 30 octobre 1965, p. 28.
(2) In « Théâtre dans le Monde », 1959, vol. III, no 3.
(3) In « Théâtre populaire », du 1er mai 1956, p. 41. Cf. l'article : « L'avant-garde en *suspens* ».

théâtre expérimental moderne. Car, d'après ces définitions, l'avant-garde théâtrale n'est pas un phénomène spécifique à notre époque : Aristophane, en son temps, était également considéré comme un auteur d'avant-garde, en rupture avec ce que Dort appelle « le gros de la troupe ».

Si donc, « il n'y a plus, à l'heure actuelle, de théâtre d'avant garde » [1] et si « l'on commence à se demander si un théâtre devenu si respectable, et sanctionné par la satire de la plume d'ANOUILH, mérite encore d'être appelé d'avant-garde » [2], il faut alors en prendre son parti et chercher une autre définition, pour désigner cette tendance dramaturgique qui nous intéresse.

Toutes nos analyses (non seulement sur le plan conceptuel, mais aussi sur le plan empirique), nous ont naturellement conduit à l'appellation qui nous semble être la plus appropriée, la plus exhaustive : « théâtre du nouveau langage ».

Nouveau langage des objets, accessoires, décors stylisés, mime, etc., mais surtout nouveau langage, à cause des techniques modernes mises à notre disposition par les progrès de la science, et qui ont été intégrées au phénomène théâtral : projection de films, jeux de lumière très raffinés, musique dodécaphonique, électronique, sièges mobiles des spectateurs, plateau tournant, multiplicité des scènes de jeu, etc., et qui constituent justement ce NOUVEAU LANGAGE THÉÂTRAL, qui ne pouvait voir le jour aux temps où la science n'était pas ce qu'elle est devenue aujourd'hui (alors que

---

(1) PILLEMENT Georges : « Anthologie du Théâtre français contemporain », vol. 1, p. 22. Ce premier volume a pour titre : « Le théâtre d'avant-garde » (paru en 1945, donc 5 ans avant la création des premières pièces de Ionesco et de Beckett).
(2) PRONKO, op. cit., p. 249.

l' « avant-garde » pouvait très bien exister à toutes les époques) [1].

C'est, en quelque sorte, une symbiose : les progrès de la science vont de pair avec ceux du théâtre, pour façonner un « nouveau langage », une nouvelle manière (épidermique, par « les sens et par les nerfs », dirait Artaud) de communiquer avec autrui. Ce sont les efforts conjugués de ces deux disciplines qui permettront — peut-être — l'éclosion d'un PUBLIC NOUVEAU.

C'est ce « nouveau langage théâtral » que nous nous proposons d'étudier à travers les œuvres de quelques-uns des auteurs essentiels de la dramaturgie expérimentale contemporaine dans les pages qui suivent.

* * *

---

(1) « L'époque est possédée par un besoin illimité de *concrétisation* et de *visualisation* » écrit Richard Alewyn en 1964 (dans : « L'Univers du baroque », cité par J. Duvignaud, in « Sociologie du Théâtre », p. 296). Et Gustave Le Bon : « Les foules, ne pouvant penser que par *images*, ne se laissent impressionner que par des *images* » (« Psychologie des foules », p. 51-52).

CHAPITRE DEUXIÈME

PERSPECTIVES D'ANALYSE

« Le genre dramatique est particulièrement propre à faire connaître l'état *moral* et *social* d'un temps ou d'un peuple. Il échappe, mieux que tout autre, aux caprices de l'individualité. Quand on compose une pièce de vers, on peut, jusqu'à un certain point, se soustraire à l'action de son siècle et peindre d'après sa fantaisie un monde imaginaire et quelquefois exceptionnel : mais ce que beaucoup d'hommes réunis doivent voir ENSEMBLE est nécessairement accommodé à leur manière de *sentir* ; l'auteur dramatique et le public sont en présence, en contact ; le second agit sur le premier, comme l'auditoire agit sur l'orateur. »

AMPÈRE, cité par Louis de Loménie in « Beaumarchais et son temps ».
(I, p. 190)

Il serait sans doute bon d'étudier les auteurs que nous avons décidé de considérer dans une perspective structuraliste. C'est-à-dire que pour nous, il ne s'agira pas de les analyser avec un point de vue seulement « littéraire », ou seulement « historique », mais aussi et surtout « socio-psychologique ». Nous donnerons du « structuralisme » (car il y a une multitude de structuralismes, comme l'a fait remarquer R. Barthes dans son ouvrage : « Critique et Vérité » (p. 19)), la définition suivante, inspirée — et inspirée seulement — des premiers formalistes russes des années 20 : nous partons de l'hypothèse — à confirmer ou à infirmer par l'analyse — que les structures des œuvres théâtrales du nouveau langage (comme celles d'ailleurs des œuvres romanesques du nouveau roman) ne sont en fait que le reflet des structures mentales des groupes sociaux, qui en constituent les assises.

La doctrine formaliste, rappelons-le, est à l'origine du mouvement structuraliste contemporain. Nous nous en inspirons seulement, en *l'adaptant* à notre étude, car l'école formaliste, en fait, n'explique pas les œuvres littéraires à partir de la vie sociale. Nous souscrivons plutôt à ce qu'écrit Lucien GOLDMANN, dans la préface qu'il a donnée pour la nouvelle édition (1966) de son ouvrage : « Sciences humaines et philosophie » (édité en 1952, pour la première fois) : « Des travaux récents, qui essaient de retrouver l'histoire et soulignent à juste titre le caractère a-historique du structuralisme non génétique et du fonctionnalisme, mais qui ne les mettent pas en question et reconnaissent leur validité dans l'étude des *expressions symboliques et des relations sociales* pour situer l'histoire dans une action abstraite et complètement étrangère à la *vie réelle des hommes,* nous paraissent, en dernière instance, tout aussi a-historiques. C'est ainsi qu'à un moment où tout ce qui est vraiment important sur le plan de la création littéraire et artistique, depuis le nouveau roman jusqu'aux films de Godard, Robbe-Grillet, Visconti, Antonioni et Resnais, est centré sur le caractère *inhumain* et *aculturel* du capitalisme d'organisation, sur la *difficulté de s'y adapter,* la sociologie contemporaine s'y intègre de plus en plus et en devient, sur le plan théorique, un élément constitutif et même souvent, explicitement ou implicitement, son **défenseur** » (p. 12). Et plus loin : « Il importe (pour le sociologue) de s'efforcer de connaître la SIGNIFICATION des principaux courants de la sociologie contemporaine, la nature de leur lien avec la *réalité sociale contemporaine,* le sens de leur action à l'intérieur de cette réalité et les *cadres sociaux* qui pourraient favoriser ou au contraire diminuer leur valeur positive en tant qu'instruments de connaissance » (p. 16).

Par conséquent, nous n'expliquerons pas les œuvres théâtrales du nouveau langage à partir de la biographie du dramaturge, mais à partir d'une analyse (aussi succincte qu'elle puisse être) de la vie sociale contemporaine. Et nous essayerons de voir dans quelle mesure la structure de l'œuvre entière d'un dramaturge, dans sa conception et son écriture scénique, dans son « nouveau langage », peut révéler du même coup (et en sous-jacent) la structure de la société dans laquelle il a été amené à écrire ce qu'il a écrit.

Revenons sur la notion de « structuralisme » : il nous faut rappeler ici ce que R. Barthes écrit dans « Critique et vérité » :

> « Voilà cent ans que l'on discute autour du mot «structure » ; il y a plusieurs structuralismes : génétique, phénoménologique, etc. ; il y a aussi un structuralisme « scolaire », qui consiste à donner le « plan » d'une œuvre. De quel structuralisme s'agit-il [...] [quand on parle] de la « structure » du roman [ou d'une pièce de théâtre] ? [...] Toute l'objectivité du critique tiendra donc, non au *choix du code,* mais à la *rigueur avec laquelle il appliquera à l'œuvre le modèle qu'il aura choisi* » (p. 19-20).

Par conséquent, il importe peu de savoir, en définitive, de « quel » structuralisme nous parlons, quand nous disons que notre démarche d'analyse sera structuraliste. Car les polémiques qui ont encore lieu aujourd'hui sur ce sujet sont loin d'être terminées. Et le problème loin d'être résolu.

Nous croyons cependant, à l'instar de Kurt Lewin qui écrivait que « rien n'est aussi pratique qu'une bonne théorie », que le structuralisme génétique (tel que l'a défini Goldmann dans « Pour une sociologie du roman ») est le plus apte à nous servir de « modèle », pour l'analyse des œuvres du théâtre du nouveau langage, œuvres qui sont en fait insérées dans un contexte culturel plus global, et qui représente un PHÉ-NOMÈNE SOCIAL D'ÉPOQUE.

Pour ne prendre qu'un seul exemple, nous nous demanderons en quoi le morcellement du langage-parole chez Ionesco, correspond au morcellement de la société qui l'entoure. Mieux, on se demandera si la « manière d'écrire » de Ionesco (la « syntaxe »), — par exemple, la construction même de ses pièces du point de vue strictement *formel* — n'a pas pour base (consciente ou inconsciente) une détermination rigoureuse pour la saisie de la réalité sociale de notre époque, dans ce qu'elle a de plus essentiel.

Dans un ouvrage fort intéressant, « Théorie de la littérature » (Seuil, 1965), dans lequel Tzvetan TODOROV a réuni les principaux textes des formalistes russes des années 20, et préfacé par Roman JAKOBSON, Todorov écrit dans sa présentation : « À l'intérieur de chaque classe hiérarchique, les formes et les fonctions constituent des systèmes (et non pas de simples ensembles de faits juxtaposés). Chaque système reflète un aspect homogène de la réalité, appelé par TYNIANOV : « série ». Ainsi, dans une époque, nous trouvons à côté de la série littéraire, une série musicale, théâtrale, etc... mais aussi une série de faits économiques, politiques et autres [...] Un tel point de départ permet d'intégrer la dimension historique à l'étude structurale de la littérature (ou toute autre activité sociale, dont le théâtre). C'est certainement dans cette esquisse de l'anthropologie sociale que les partisans actuels du structuralisme trouveront une correspondance entre leurs vues et celles des formalistes. » (pages 20-21)

Ainsi, nous aurons toujours l'idée qu'il y a analogie entre le langage théâtral et les autres formes d'activité sociale ; d'où la nécessité de voir comment le public réagissait face à ce

« nouveau théâtre », dans la mesure où « la complexité structurale de l'œuvre littéraire, théâtrale,... n'est que la forme supérieure d'expression propre à notre civilisation » (op. cit., p. 23).

Par ailleurs, « l'étude de l'évolution littéraire ne rejette pas la signification dominante des principaux facteurs sociaux, au contraire, ce n'est que dans ce cadre que la signification peut être éclaircie dans sa TOTALITÉ ; l'établissement direct d'une influence des principaux facteurs sociaux substitue l'étude de la modification des œuvres littéraires (et théâtrales) et de leur déformation à l'étude de l'évolution littéraire » (op. cit., article de J. Tynianov, 1927, p. 137). D'où la nécessité, lorsque nous analyserons le nouveau langage chez Ionesco, par exemple, d'étudier toute l'œuvre de Ionesco, puisque « l'étude isolée d'une œuvre ne nous donne pas la certitude de parler correctement de sa construction, voire de parler de la construction elle-même de l'œuvre » (op. cit., p. 125), et d'autre part, de rattacher l'œuvre théâtrale de Ionesco au courant littéraire de l'époque (le nouveau roman), puisque « l'étude des genres est impossible hors du *système* dans lequel et avec lequel ils sont en corrélation » (op. cit., p. 128), et que « la corrélation de la littérature avec la série sociale entraîne un allongement de l'œuvre » (op. cit., p. 129). On ne s'étonnera donc pas de voir analysés, dans cette étude, parallèlement à l'analyse du nouveau langage théâtral, quelques aspects des préoccupations majeures des auteurs du nouveau roman, puisque ces deux genres participent, d'une façon concomitante, au même phénomène social d'ensemble. Il est très important de ne pas perdre de vue que nous nous situons, tout le long de cette étude, dans la perspective structuraliste-génétique.

Nous nous proposons donc de procéder de la manière suivante (qui n'est peut-être pas la meilleure, mais qui offre le grand avantage de fournir une structure précise et sans aucune équivoque, dans le cadre d'une recherche de ce genre) : dans une *première partie,* que nous appellerons « Les piliers du Théâtre du Nouveau Langage », nous essayerons de cerner de plus près, à travers l'œuvre de chaque auteur étudié, à travers ses préfaces, ses essais explicatifs, les articles qui ont été écrits à son sujet, voire les études qui ont pu lui être consacrées, ses intentions profondes et sa méthode dramatique particulière qui lui a permis d'exprimer scéniquement le contenu de sa pensée [1]. On comprendra, dès lors, que, travaillant dans cette perspective, il nous a fallu nous méfier de nos propres interprétations en regard de ce nouveau théâtre, l'essentiel étant de cerner au plus près la pensée et les intentions de l'auteur étudié. D'où un certain abus de citations d'auteurs, dans cette première partie, mais que nous ne pouvions pas réduire, sans risquer du même coup de déformer et de mutiler leurs pensées : nous avons donc tenu à les conserver intactes, citant le contexte entier dans lequel elles s'inséraient, dans le seul souci d'éviter à tout prix les malentendus qui auraient pu surgir sans cela. Qu'on nous excuse donc, si parfois elles sont jugées trop longues ou si on sent qu'il y a des répétitions.

Dans une *deuxième partie,* que nous appellerons : « Théâtre et Contestation », nous tâcherons de suivre l'évo-

---

(1) L'analyse du contenu de ces textes sera d'ordre qualitatif. Comme l'écrit Madame Peyraut dans le « Traité de Psychologie Sociale », de R. DAVAL (Tome I, p. 466), « pour le spécialiste de l'analyse de contenu, c'est l'ensemble des textes, écrits ou parlés, qui sont *moyens,* la fin étant la découverte d'un *phénomène psychosocial* qu'on n'aurait pas atteint par d'autres voies, mais qui n'en est pas moins le véritable objet de l'intérêt. Les textes sont les porteurs, les véhicules du phénomène, ils ne sont pas fins en soi [...]. Les textes soumis à l'analyse de contenu ne parlent que par le *rapprochement des uns avec les autres,* par le dénombrement des mots, des phrases ou des *thèmes* analogues qui sont explicitement énoncés ou qui transparaissent pour peu qu'on y prête une systématique attention. Le sens des textes n'est alors que par le nombre des textes ».

lution de ce mouvement théâtral nouveau, qui vu le jour vers les années 50, dans des domaines aussi variés — de prime abord — que l'architecture scénique, l'architecture corporelle (et son intégration dans le théâtre du nouveau langage), le happening, et les relations que ce dernier phénomène entretient avec le psychodrame. C'est dire (puisque le happening date seulement de 1960) que nous essayerons de voir ce qu'est devenu, *aujourd'hui,* le théâtre du nouveau langage : quel aspect a-t-il pris, pendant ces quinze dernières années, et où se dirige-t-il, vers quelles formes de théâtralité est-il aujourd'hui engagé ?

Un dernier mot, en ce qui concerne les « perspectives d'analyse ». Il nous arrivera beaucoup de parler, dans les pages qui suivent, des « sociétés industrielles ». Comme il ne s'agit pas ici d'un volume d'économie politique, ni spécifiquement de sociologie, on comprendra aisément que nous avons tenu à éviter de pénétrer — fût-ce succinctement — dans l'analyse de cette question, d'autant plus que les sociologues eux-mêmes ne sont pas d'accord entre eux sur les formes que cette société revêt : M. Crozier parle en effet des sociétés « bureaucratiques » (Cf. « Le phénomène bureaucratique », Seuil), S. Mallet n'est pas d'accord avec la conception marxiste des classes sociales, dans les sociétés industrielles (la classe des « technocrates » constituant, pour lui, une nouvelle classe sociale), laquelle conception diffère encore de celle d'A. Touraine (« nous allons vers une société sans classes », dit-il, dans sa « Sociologie de l'action », qui est la caractéristique des sociétés post-industrielles [1]).

Disons tout simplement que nous prenons pour acquise

_____

(1) cf. « La société post-industrielle » (Denoël, Paris, 1969), où il écrit : « On constate une stratification sociale de la pratique des loisirs en même temps qu'une déstratification des loisirs eux-mêmes » (p. 295).

l'acception (sans doute pas la meilleure, c'est-à-dire la plus exhaustive, mais du moins la plus générale, la plus schématique, et sur laquelle tout le monde est d'accord !) fournie par Raymond ARON dans ses « Dix-huit leçons sur la société industrielle » [1]. Par-delà les *types* des sociétés industrielles à régime capitaliste ou socialiste, pour simplifier, Aron, en donne une définition simple, élémentaire (qu'il juge « superficielle » et qu'il tente d'approfondir dans la suite de ses analyses), et qui pourtant sera la nôtre, car — nous l'avons déjà dit — , dans ce travail, il est évidemment hors de propos d'entrer plus loin dans l'examen de cette question : « C'est une société où l'industrie, *la grande industrie,* serait la forme de production la plus caractéristique. Une société industrielle serait celle où la production s'opère dans des *entreprises,* comme celle de Renault ou de Citroën » (op. cit., p. 97).

Encore une fois, nous avons *volontairement* choisi une définition générale, car — comme on le verra dans le cours de ce travail — c'est surtout dans les CONSÉQUENCES du développement intensif de *toutes* les sociétés industrielles (de quelque régime politico-économique qu'elles s'apparentent) que nous essayerons d'établir des correspondances avec ce que nous avons appelé : le théâtre du nouveau langage (et par-delà le théâtre, *toutes* les formes culturelles et artistiques possédant, elles aussi, et dans leur propre registre, un LANGAGE NEUF d'expression). Et quand nous parlons des « conséquences » du développement intensif des sociétés industrielles, nous voulons dire : le machinisme industriel, le développement corrélatif des sciences pures et appliquées, la bombe atomique, les vaisseaux de l'espace (jouant un rôle capital dans l'éclatement de l'espace scénique, au théâtre :

---

(1) Pour plus de détails, cf. les deux ouvrages qui complètent la trilogie d'Aron : « La lutte des classes », et « Démocratie et Totalitarisme », aux Ed. Gallimard, dans la collection « Idées ».

voir le chapitre sur la nouvelle architecture scénique), les vols interplanétaires ... et la guerre thermonucléaire.

Cette question de méthodologie précisée, nous pouvons à présent entrer de plain-pied dans le corps du sujet qui nous préoccupe.

PREMIÈRE PARTIE

LES PILIERS DU THÉÂTRE DU NOUVEAU LANGAGE

« Une parodie du théâtre est encore plus théâtrale que du théâtre direct, puisqu'elle ne fait que grossir et ressortir caricaturalement ses lignes caractéristiques ».

Ionesco : « Cahiers des saisons » (1959).

« On voit tout de suite pourquoi les objets balzaciens étaient si rassurants : ils appartenaient à un monde dont l'homme était le maître [...] L'homme était la raison de toute chose, la clef de l'univers, et son maître naturel, de droit divin ».

Robbe-Grillet : « Pour un nouveau roman », p. 151.

CHAPITRE TROISIÈME

EUGÈNE IONESCO : SA PLACE DANS LE NOUVEAU THÉÂTRE ET LE NOUVEAU ROMAN.

Martin : Vous parlez pour ne rien dire.

Dupont : Comment, moi, je parle pour ne rien dire ?

Durand : Comment, vous osez dire que je parle pour ne rien dire ?

Martin : Excusez-moi, je n'ai pas voulu dire exactement que vous parlez pour ne rien dire, non, non, ce n'est pas tout à fait cela.

Dupont : Comment pouvez-vous dire que nous parlions pour ne rien dire, quand précisément, vous venez vous-même de dire que l'on parlait pour ne rien dire, alors qu'il est absolument impossible de parler pour ne rien dire, puisque chaque fois qu'on dit quelque chose, on parle et que, réciproquement, chaque fois qu'on parle, on dit.

Martin : Admettons que j'aie pu dire que j'ai dit que vous parliez pour ne rien dire, cela ne veut pas dire que vous parlez toujours pour ne rien dire. Il y a des fois cependant où l'on parle plus en ne disant rien et où l'on ne dit rien en parlant trop. Cela dépend des moments et cela dépend des gens. Mais que dites-vous, en somme, depuis déjà un bon moment ? RIEN, absolument rien. N'importe qui peut l'affirmer.

Extrait de « Scène à quatre » (pp. 283-284), pièce écrite en Italie, en 1959, parue dans « THÉÂTRE III », de IONESCO (Gallimard).

ŒUVRES DE IONESCO (par ordre de publication) : (Toutes ces œuvres ont été publiées chez Gallimard).

1) « La Cantatrice Chauve » (anti-pièce), création au Théâtre des Noctambules le 11 mai 1950 (mise en scène de Nicolas Bataille).

2) « La Leçon » (drame comique), création au théâtre de Poche, le 20 février 1951 (mise en scène de Marcel Cuvelier). [1]

3) « Jacques, ou la soumission » (comédie naturaliste), écrite en été 1950.

4) « Les chaises » (farce tragique), créée au Théâtre Lancry le 22 avril 1952 (mise en scène de Sylvain Dhomme).

5) « Victimes du Devoir » (pseudo-drame), créée au Théâtre du Quartier-Latin en février 1953 (mise en scène de Jacques Mauclair, décors de René Allio).

6) « Amédée, ou Comment s'en débarrasser », créée au Théâtre de Babylone le 14 avril 1954 (mise en scène de J.M. Serreau).

7) « L'impromptu de l'Alma, ou le Caméléon du Berger », créée au Studio des Champs-Elysées, le 20 février 1956 (mise en scène de Maurice Jacquemont).

8) « Le nouveau Locataire », créée au théâtre d'Aujourd'hui, le 10 septembre 1957 (mise en scène de

---

[1] « La Cantatrice Chauve » et « La Leçon » ont été filmées par Jean RAVEL : ces bandes sont destinées à la diffusion mondiale du répertoire français par le cinéma.

Robert Postec). Décors de Siné. D'abord créée en Finlande en 1955 (en suédois).

9) « Tueur sans gages », créée à Londres, en 1957.

10) « L'avenir est dans les œufs, ou Il faut de tout pour faire un monde », écrite en 1951 (suite de « Jacques, ou la soumission »).

11) « Le Maître », écrite en 1951.

12) « La jeune fille à marier », créée au Théâtre de la Huchette, le 1er septembre 1953 (mise en scène de Jacques Poliéri). Reprise en juin 1966 au Théâtre de Poche (mise en scène d'Antoine Bourseiller).

13) « Rhinocéros », créée le 22 janvier 1960, à l'Odéon-Théâtre de France (mise en scène de Jean-Louis Barrault).

14) « Le piéton de l'air », créée le 8 février 1963, à l'Odéon-Théâtre de France (mise en scène de Jean-Louis Barrault).

15) « Délire à deux » (... à tant qu'on veut), créée en avril 1962, au Studio des Champs-Elysées (mise en scène d'Antoine Bourseiller). Cette pièce faisait partie d'une trilogie (les deux autres pièces étant de François Billetdoux et de Jean Vauthier) intitulée : « Chemises de nuit ». Reprise le 28 février 66 au Théâtre de France.

16) « Le Tableau » (guignolade), créée en octobre 1955 au Théâtre de la Huchette (mise en scène de Robert Postec).

17) « Scène à quatre », écrite en 1959, en Italie, spécialement pour le Festival de Spoleto (elle fut jouée en français par des comédiens italiens).

18) « Les Salutations », écrite en 1950.

19) « La colère » (scénario de film), qui constitue l'un des 7 sketchs du film « Les 7 Péchés Capitaux » (1961).

20) « Le roi se meurt », créée le 15 décembre 1962, au Théâtre de l'Alliance française (mise en scène de Jacques Mauclair).

21) « La photo du colonel » (recueil de récits en prose), Editions Gallimard.

22) « La soif et la faim », créée à la Comédie-Française, le 28 février 1966 (mise en scène de Jean-Marie Serreau).

23) « Notes et Contre-Notes » (Gallimard, 1962) est un recueil où on peut trouver l'ensemble de ses articles, conférences, entretiens et quelques réflexions sur l'Art, en général (244 pages).

23bis) « Journal en miettes » (Mercure de France, Paris 1967) est une autobiographie.

23ter) « Présent passé passé présent » (Mercure de France, Paris, 1968) est une autobiographie.

24) « La lacune », créée le 28 février 1966 au Théâtre de France, avec la reprise de « Délire à deux ».

25) « Leçon de français pour Américain » et « Au pied du mur », créées en juin 1966 au Théâtre de Poche (mise en scène d'Antoine Bourseiller).

26) « L'épidémie dans la ville, ou Jeu de Massacre », créée en février 1970 au Schiespiel Haus de Dusseldorf (Allemagne Occidentale).

27) « Macbett », créée le 5 février 1972 au Théâtre Rive-Gauche (ex-Alliance Française) (mise en scène de Jacques Mauclair).

I — LA TRAGÉDIE DU LANGAGE ET L'HUMOUR DÉMYSTIFICATEUR

> « Si le théâtre rhétorique paraît périmé, ce n'est pas tellement pour des raisons d'ordre esthétique, mais plutôt à cause du discrédit où est tombé le langage ».
>
> Renée SAUREL
> (« Les Temps Modernes », février 1966, n° 237, page 1513)

On le voit tout de suite, par les diverses citations mises en exergue en tête de ce chapitre — et caractéristiques de presque toute son œuvre dramatique — : le grand problème de Ionesco, c'est le langage. Les gens parlent pour ne rien dire, mais ils parlent quand même : c'est par le MOT-OBJET que Ionesco a décidé de communiquer aux spectateurs la trame tragi-comique du monde actuel. Dès « La Cantatrice Chauve », sa première pièce, jouée pour la première fois en 1950 (et toujours représentée aujourd'hui au théâtre de la Huchette, où elle en est à sa 15e année, record jamais encore battu depuis « Patate », de Marcel Achard : il est bon de le rappeler, car cela constituera un indice de choix, quand on analysera les causes de ce grand succès public), il se produisit un choc — nous ne trouvons pas de terme plus approprié — dans le public parisien de l'époque. Il nous semble utile d'évoquer ici le témoignage de Jacques LEMARCHAND, critique dramatique au « Figaro Littéraire », qui confiait ses impressions au sortir de la salle des Noctambules, en 1950, où se jouait la pièce :

> « Je ne me souviens jamais sans plaisir des murmures de mécontentement, des indignations spontanées, des railleries, qui accueillirent l'apparition, en Mai 1950, sur la scène des Noctambules, de « La Cantatrice Chauve ». J'avais passé là une soirée extraordinaire-

ment plaisante, que les grognements et rires ironiques d'une partie des notables de l'assistance n'avaient fait que rendre plus délicieuse encore. Le propre du grognement est d'être peu explicite [...] Ce soir-là ce n'est pas une fois, mais dix fois, ou 15 ou 20 fois, que j'ai entendu ce bout de dialogue : « Mais enfin, pourquoi « La Cantatrice Chauve » ? Aucune cantatrice n'est apparue, me semble-t-il, ma bonne amie ? — Au moins, je ne l'ai pas remarquée. Et chauve ! Avez-vous vu que quelqu'un fût chauve ?... Et ce pompier ? Que vient faire là un pompier ? De qui se moque-t-on ? » Il était évident que les notables n'avaient pas « compris » ; on leur promettait une cantatrice chauve, on ne leur montrait pas de cantatrice chauve, ils se sentaient volés, ce qu'ils ne pardonnent pas : Ionesco le vit bien le lendemain » (Préface au Tome I du Théâtre de Ionesco, p. 9-12).

Lorsque, un peu plus tard, on représenta la deuxième pièce de Ionesco : « La Leçon », les notables avaient enfin compris que du moment qu'une pièce, ou anti-pièce de Ionesco, s'appelait « La Leçon », c'est qu'il était question de n'importe quoi, sauf d'enseignement... Aussi, furent-ils réellement atterrés, se sentirent-ils volés pour la seconde fois lorsque pendant une heure, au théâtre de Poche, ils assistèrent à **la leçon** qu'un professeur, intelligent aussi, et déductif, donna à une petite fille dénuée d'intelligence, d'ambition de comprendre et qui préfère la mort au savoir. C'était une vraie, une authentique leçon, une « répétition » même, une leçon particulière, exactement calquée, dénouement compris, sur toutes les leçons qu'ont sollicitées et reçues les gens qui veulent devenir intelligents : — « de quoi s'agit-il ? », demandait-on à la sortie. « Ben d'une leçon... » durent avouer les notables. Ce qui n'enleva rien à leur mauvaise humeur. Et comme il fallait absolument expliquer la chose, ils affirmèrent qu'il y a leçon et leçon, ce qui (les) calmèrent pour un temps ; mais pour un temps fort bref : « Les Chaises », puis « Victimes du Devoir », remirent tout en question : il y avait de vraies chaises dans « Les chaises » et pas de pompier brûlé vif dans « Victimes du Devoir » » (op. cit., p. 11).

Ce qu'il y a d'extrêmement intéressant dans ce témoignage, c'est de voir le public complètement désorienté, déboussolé, complètement perdu : on lui promettait une « Cantatrice Chauve », on ne lui montrait pas de cantatrice chauve, on lui promet ensuite une « Leçon » et des « Chaises » et il voit effectivement une leçon et des chaises : qu'est-ce à dire ? Pourquoi cette leçon, et que signifie cette prolifération de chaises, qui remplissent la scène, la salle, l'espace entier ?

Le grand public boude alors Ionesco pendant un certain temps, et en 1955, Jean-Jacques GAUTIER écrivait dans « Le Figaro » :

« Je ne crois pas que M. Ionesco soit un génie ou un poète ; je ne crois pas que M. Ionesco soit un auteur important ; je ne crois pas que M. Ionesco soit un homme de théâtre ; je ne crois pas que M. Ionesco soit un penseur ou un aliéné ; je ne crois pas que M. Ionesco ait quelque chose à dire. Je crois que M. Ionesco est un plaisantin (je ne veux pas croire le contraire, ce serait trop triste), un mystificateur, donc un fumiste ». Vers la même époque, Robert KEMP écrit dans « Le Monde » : « M. Ionesco est une menue curiosité du théâtre d'aujourd'hui ».

J.J. GAUTIER faisait remarquer que si Ionesco n'était pas un plaisantin, ce serait trop triste, et il ne pensait pas si bien dire, car Ionesco n'est pas un plaisantin, et ce qu'il a dit est non seulement triste, mais aussi et surtout tragique.

Avant d'analyser chacune des pièces de Ionesco, il nous faut souligner à gros traits ce phénomène d'époque : le théâtre connaît, en pleine moitié du XXe siècle (puisqu'on était en 1950), un tournant décisif. Il se produit une rupture totale [1] avec la conception du théâtre qui prévalait jusqu'ici, depuis le théâtre de vaudeville et de boulevard (la classique situation à trois : le mari, la femme et l'amant, avec toutes ses variantes) jusqu'au théâtre épique de Brecht, en passant par le théâtre dramatique de Sartre, Camus et Salacrou. « Le théâtre de Ionesco n'est pas un théâtre psychologique », écrit encore J. Lemarchand dans sa préface :

> « ce n'est pas un théâtre symboliste, ce n'est pas un théâtre social, ni poétique, ni surréaliste. C'est un théâtre qui n'a pas encore d'étiquette, qui ne figure encore sur aucun rayon de confection, c'est un théâtre SUR MESURE ; mais je sens bien que je perdrais la face si je ne donnais pas un nom à ce théâtre. Il est

---

[1] Les tentatives pour la création d'un « nouveau théâtre » avant 1950 sont nombreuses, on s'en doute : déjà, Roger VITRAC, avant la Deuxième Guerre mondiale, avait écrit : « Victor, ou les enfants au pouvoir », qui est l'une des premières tentatives pour aller vers une nouvelle conception du théâtre. D'ailleurs, cette pièce a été remontée il y a quelques années, à Paris, et en 1965 à Montréal, avec un grand succès public. Il existe également toutes les tentatives du théâtre surréaliste (qu'on peut considérer comme un « théâtre du nouveau langage »). Mais le fait est que ces tentatives sont demeurées isolées, et n'ont pas trouvé dans le grand public un intérêt suivi. Elles ne sont intéressantes que vues dans une perspective d'histoire littéraire. Tandis qu'en 1950, le théâtre a vraiment connu un bouleversement : les premières pièces de Ionesco ont été explosives, et le public, d'abord inquiet, a répondu par la suite en masse. « Les réactions du public n'ont pas eu d'influence sur moi. C'est le public qui a fini par s'habituer à moi, il me suit pour le moment », écrit Ionesco dans « Notes et contre-notes » (p. 104).

pour moi un THÉÂTRE D'AVENTURE (...) Il viole
constamment, je le sais, « la règle du jeu » ... Le
théâtre de Ionesco est assurément le plus étrange et
le plus spontané que nous ait révélé notre après-
guerre ... Il se refuse au ronronnement dramatique,
et avec tant de naturel qu'il n'y a même pas moyen
de voir « *provocation* » — ce qui arrangerait tout —
dans ce refus » (op. cit., p. 12. Cette préface fut
écrite en 1954.)

C'est donc un *phénomène social* qui s'est produit, une
espèce de consensus généralisé, tant dans le monde du théâtre
que dans celui du public. Ionesco avait apporté quelque chose
de nouveau dans le théâtre, dont il a fallu tenir compte. Il se
produisit une véritable destruction de l'écriture scénique, en
faveur d'une restructuration formelle toute neuve, allant de
pair avec une restructuration de la société industrielle contemporaine. Nous y reviendrons plus loin. Donc, un point
acquis : *ce phénomène social* des années 50 n'a aucune commune mesure avec les tentatives isolées d'avant-guerre. Toutefois, on peut d'ores et déjà se poser une question : cette
rupture, dont nous parlions un peu plus haut, qui a fait
place à un « théâtre d'aventure », comme l'appelait J. Lemarchand en 1954, est-ce une rupture totale avec un passé
théâtral, ou plutôt, une espèce de retour aux sources vives
du phénomène théâtral ? Seul Ionesco pourrait répondre à
cette question ; il l'a d'ailleurs fait dans ses « Notes et
contre-notes » [1] avec on ne peut plus de précision :

« C'est en soi-même que l'on retrouve les figures et
les schémas permanents, profonds, de la théâtralité
[...]. L'auteur nouveau est celui qui, contradictoire-

---

(1) Nous citerons beaucoup de passages de ce livre par la suite, car
c'est là que nous pourrons saisir quelles ont été les vraies intentions
de cet auteur.

ment, tâche de rejoindre ce qui est le plus ancien : langage et thèmes nouveaux, dans une composition dramatique qui se veut plus nette, plus dépouillée, plus purement théâtrale : refus du traditionalisme pour retrouver la TRADITION » (p. 33). Et un peu plus loin, Ionesco affirme : « L'avant-garde, c'est la liberté » (p. 35). Il s'explique : « Il y a un *langage de théâtre,* une démarche théâtrale, un chemin à défricher pour accéder à des réalités objectivement existantes : et ce chemin à défricher (ou retrouver) n'est autre que celui qui convient au théâtre, pour des réalités qui ne peuvent se révéler que théâtralement. C'est ce qu'il est convenu d'appeler du « travail de laboratoire » » (op. cit., p. 42).

Donc, pour Ionesco, d'une part, le théâtre doit posséder son langage propre (comme le préconisait Artaud), et d'autre part, paradoxalement, son théâtre est une « tragédie du langage » (tragédie qu'on retrouvera d'ailleurs chez ceux qu'on a pris l'habitude d'appeler les auteurs du nouveau roman) [1] : « Qu'est-ce que l'histoire de l'art, l'histoire de la littérature, sinon, en premier lieu, l'histoire de son expression, l'histoire de son langage ? L'expression est pour moi *fond et forme* à la fois. Aborder le problème de la littérature par l'étude de son expression, c'est aborder aussi son fond, atteindre son essence. Mais s'attaquer à un langage périmé, tenter de le tourner en dérision pour en montrer les limites, les insuffisances, tenter de le *faire éclater* [comme dans la citation mise en exergue de ce chapitre] car tout langage S'USE, SE SCLÉROSE, SE VIDE : tenter de le renouveler, de le réinventer, ou simplement de l'amplifier, c'est la fonction de tout

---

(1) Nous réservons d'ailleurs un chapitre spécial sur ce sujet : un essai de comparaison entre le théâtre du nouveau langage et le nouveau roman, afin d'en dégager les structures communes.

créateur, qui par cela même, atteint le cœur des choses, de la réalité, vivante, mouvante, toujours autre et la même, à la fois. » (op. cit., p. 85).

On ne peut pas ne pas penser ici à la définition que donne Lucien GOLDMANN du « structuralisme génétique » :

> « Les réalités humaines se présentent comme des processus à double face : *destructuration* (c'est Goldmann qui souligne) de structurations anciennes et *structuration* de totalités nouvelles aptes à créer des équilibres qui sauraient satisfaire aux nouvelles exigences des groupes sociaux qui les élaborent » (« Pour une sociologie du roman », p. 338).

C'est la démarche de base de Ionesco : il commence par déstructurer (il fait éclater le langage en ses composantes d'origine), et restructure, à l'aide d'un « nouveau langage » (on verra plus loin qu'il s'agit du langage des OBJETS), correspondant spécifiquement aux nouvelles réalités de la société industrielle contemporaine.

Mais, demanderions-nous là, avec Orson WELLES, « ne prouve-t-on pas la faillite de l'homme, en prouvant la faillite du langage ? »

Et Orson WELLES d'ajouter : « Ce n'est pas la politique qui est l'ennemie de l'art, c'est la neutralité, parce qu'elle nous enlève le sens du tragique ». Or, justement, Ionesco considère ses pièces comme des tragédies modernes, ou plutôt comme des « tragi-comédies modernes » : c'est en prouvant la faillite du langage que Ionesco rejoint du même coup la tragédie de la société industrielle contemporaine :

> « Je crois que la comédie, c'est une autre face du tragique. Mes personnages partent du comique, sont tragiques à un moment, et finissent dans le comique

ou le tragi-comique : c'est visible, je crois, dans « La leçon » (op. cit., p. 99).

Nous cernons ici un des grands thèmes de la pensée dramatique de Ionesco : il se veut auteur tragique, et pour communiquer son sens du tragique au public, il utilise une construction théâtrale comique. On a souvent taxé Ionesco d'auteur de vaudeville. Or, si l'on en croit Claude SIMON : « Le vaudeville n'est jamais que de la tragédie avortée, et la tragédie une farce sans humour » (« La route des Flandres », p. 198). Là où Ionesco rénove, c'est quand, sous des apparences de théâtre de vaudeville, il arrive à faire de la tragédie non-avortée. C'est par le comique, c'est en vidant les mots et le langage de leur contenu que Ionesco arrive à sensibiliser les spectateurs à la tragédie de leur existence moderne. On verra plus loin qu'à ce sujet, un auteur comme Samuel BECKETT utilisera une toute autre technique scénique, pour aboutir, non pas au même résultat (les spectateurs ne rient pas de la même façon devant une pièce de Ionesco que devant une pièce de Beckett : le premier est un rire de cirque, le second est tout en grimaces, étouffé, un rire jaune : Beckett touche peut-être plus profondément, et plus loin), mais à la même issue-sans-issue : aucune possibilité, aucune solution n'est entrevue pour améliorer la condition humaine de notre époque, prise dans ses propres filets : c'est le nihilisme total [1].

Dans un article très intéressant, intitulé : « La démystification par l'humour noir » (paru dans la revue « L'Avant-Scène », no. 191, p. 5-6), Ionesco nous entretient de la « sordide littérature de l'engagement », en pensant spécifiquement à Sartre :

---

[1] Nous pensons ici plus à Beckett qu'à Ionesco qui, dans « Tueurs sans gages » et « Rhinocéros » entrevoit une lueur d'espoir dans le personnage de Bérenger (c'est le même personnage dans les deux pièces).

« Les sartrismes nous engluent, nous figent, dans les cachots et les fers de cet engagement, qui devait être liberté », écrit-il. Il lui oppose l'humour-tragique : « L'humour fait prendre conscience avec une lucidité libre de la condition tragique ou dérisoire de l'homme ; il ne peut y avoir de vérité qu'en laissant à l'intelligence la plénitude de sa démarche, cette démarche ne pouvait être faite que par l'artiste qui, sans idées reçues, sans écran idéologique s'interposant entre lui et la réalité humaine, est seul en mesure d'avoir par cela même, un contact direct, donc authentique, avec cette réalité ». Un peu plus loin, Ionesco parle de notre condition humaine tragico-comique : « Les démystificateurs ne font que nous mystifier et nous enchaîner, et nous fournir un vocabulaire figé, un nouveau langage aveuglant et trompeur [...]. Le comique est seul en mesure de nous donner la force de supporter la tragédie de l'existence. L'atroce doit se marier à la plaisanterie, la douleur à la bouffonnerie, le dérisoire à la gravité. C'est une excellente gymnastique intellectuelle ».

Enfin, dans sa préface de « Notes et contrenotes », il dit aussi : « Il faut savoir se séparer de soi-même, des autres, regarder et RIRE, malgré tout, rire. J'espère que mon théâtre a plus d'humour que mes polémiques » (p. IX, in « Préface »).

II — NOUVEAU ROMAN ET NOUVEAU THÉÂTRE : LA CIVILISATION DE L'OBJET.

> « Le monde n'est ni signifiant ni absurde. Il est, tout simplement » (Robbe-Grillet : « Pour un nouveau roman », p. 21).

Il nous paraît indispensable, même dans le cadre d'une étude sur le théâtre nouveau, dans la mesure où nous avons adopté un point de vue structuraliste, d'établir ici un parallélisme entre ce « nouveau théâtre » et le « nouveau roman », s'il est vrai que les préoccupations majeures de ces deux genres culturels sont d'ordre FORMEL, avec un fond — c'est-à-dire un contenu — toujours le même, à quelques nuances près (préoccupations qui ne font que refléter celles de la société industrielle de laquelle ces auteurs sont issus), à savoir : l'impossibilité de communication entre les êtres, la « chosification » graduelle et intempestive des sentiments humains, dans un monde presque entièrement livré à une machinerie diabolique, et qui annihile toute possibilité de vrais rapports entre les individus — la connexion est déconnectée —, en un mot, la tentative désespérée dans les deux cas — nouveau roman et nouveau théâtre — de trouver un LANGAGE NEUF d'expression, langage qu'il s'agira de communiquer (parfois d'imposer) au grand public [1]. D'un autre côté, et ceci nous semble particulièrement important, nous nous demanderons à la suite de ces analyses, dans quelle mesure ces tentatives de trouver à tout prix un langage neuf

---

(1) « Où va le roman ? [...] Cette passion de décrire, c'est bien elle que l'on retrouve dans le nouveau roman d'aujourd'hui [...]. C'est un nouveau réalisme (au-delà du naturalisme, et de l'onirisme métaphysique) » (Robbe-Grillet : « Pour un nouveau roman », p. 15). Et plus loin : « L'histoire dira, dans quelques dizaines d'années, si les divers sursauts que l'on enregistre sont des signes de l'agonie, ou du renouveau » (p. 19).

d'expression, dans ces deux domaines littéraires, ne correspondent pas justement à une société en voie de décomposition, du point de vue de la « chosification progressive ». En d'autres termes, le problème que nous posons ici est le suivant : si Ionesco — et les auteurs du nouveau langage au théâtre — ont écrit ce qu'ils ont écrit depuis 1950, si Alain ROBBE-GRILLET, Claude SIMON, Nathalie SARRAUTE — et les auteurs du nouveau roman en général — s'acharnent depuis cette époque à détruire de fond en comble l'appareil littéraire classique et para-classique, y compris les œuvres de Sartre et de Camus, — qui s'inscrivent dans une certaine mesure, dans la grande perspective humaniste, — pour s'attaquer, tous ensemble, auteurs du nouveau théâtre et du nouveau roman, et presque à la même époque, à la cohérence même du personnage classique et de son langage (figé, neutre, ne correspondant plus à rien dans la réalité déchirée et décomposée d'aujourd'hui), de sorte que nous soit révélée, dans une brûlante et insoutenable lueur — qui est de l'ordre du TRAGIQUE — notre vérité prise dans sa quotidienneté, ce mouvement généralisé d'éclatement des anciennes structures pour l'élaboration d'un LANGAGE NOUVEAU (tant au théâtre que dans le roman) n'est-il pas le pendant d'un éclatement d'un autre genre, et qui est celui de la vision humaniste du monde occidental ? La France, pays traditionnel, a vu son théâtre évoluer petit à petit jusqu'à un sommet au-delà duquel on ne pouvait plus aller : à la limite, dit Jean ANOUILH dans « L'hurluberlu », le théâtre nouveau aboutirait au lever du rideau sur du noir, il ne se passerait absolument plus rien du tout, il n'y aurait ni acteurs, ni décors, ni musique, et deux heures après, le rideau tomberait, toujours dans le noir : c'est la vision apocalyptique du monde, vécue hic et nunc, poussée théâtralement à son extrémité la plus absolue (là où l' « en-soi » rejoindrait le « pour-soi », dirait Sartre, là où enfin, l'être du théâtre nouveau EST).

Et dans cet ordre d'idée, l'évolution actuelle de ce théâtre du nouveau langage aboutirait forcément à ce spectacle schizophrénique. Dans quelle mesure un tel spectacle n'est-il pas révélateur de la réalité sociale contemporaine, dans quelle mesure n'est-ce pas là « L'Opéra du monde » (titre d'une des dernières pièces d'AUDIBERTI) qui est représenté effectivement sur la scène ?

Comme le dit Tynianov dans son article :

> « L'étude de l'évolution littéraire [et théâtrale, ajouterions-nous] n'est possible que si nous la considérons comme une *série,* un système mis en corrélation avec d'autres séries ou systèmes et conditionné par eux. L'examen doit aller de la *fonction constructive* [1] à la fonction littéraire, de la fonction littéraire à la fonction verbale : l'étude évolutive doit aller de la série littéraire (ou théâtrale) aux séries corrélatives voisines » (Théorie de la littérature, p. 136).

S'il nous a paru donc intéressant d'aller voir comment le public réagissait à Montréal à ce genre de pièces (Ionesco, etc.), c'était précisément pour voir comment un public engoncé dans un contexte (un « système », dirait Tynianov) socio-économique complètement différent du contexte français, comment une société en révolution culturelle et économique et, par conséquent, pour laquelle le théâtre pouvait avoir une fonction précise, peut-être différente de celle qu'on lui donne à Paris, réinterprétait et s'assimilait ce théâtre du nouveau langage, dans une autre perspective ; en fait, elle l'a intériorisé et repris à son propre compte : Ionesco, vu par les

---

(1) « J'appelle *fonction constructive* d'un élément de l'œuvre littéraire comme système, sa possibilité d'entrer en corrélation avec les autres systèmes du même système [par exemple, théâtral] et par conséquent avec le système entier (socio-économique, politique, etc.) » (Théorie de la littérature, p. 123, article de Tynianov).

Canadiens français, a une toute autre signification que lors-qu'il est vu par des Parisiens. [1] Qui plus est, étudiants et ouvriers Canadiens français le comprennent presque de la même façon (avec bien sûr, des différences notoires quant à leur analyse d'une de ses pièces, mais les grands thèmes n'en demeurent pas moins semblables dans les deux classes), tan-dis qu'étudiants et ouvriers de la région parisienne le saisis-sent différemment : pour les uns (les étudiants), les œuvres de Ionesco — et les auteurs du nouveau langage au théâtre — restent *des jeux formels* très intéressants, certes, mais sans aucun *contenu social* évident, alors que pour les autres (cer-tains ouvriers, les syndicalistes en particulier), ces œuvres sont avant tout « expérimentales sociales » : c'est-à-dire que sous leur apparence d'abstraction et de formalisme, elles n'en constituent pas moins — et paradoxalement — le « véritable théâtre engagé du XXᵉ siècle » (c'est la réponse d'un syndi-caliste ouvrier), bien plus, en tout cas, que les écrits didac-tiques ou épiques de Bertolt Brecht, pour ne prendre que lui.

Si nous avons tenu à mentionner cette idée ici, c'est pour justifier, en quelque sorte, la nécessité de parler quelque peu du nouveau roman, en tant qu'il participe à un phéno-mène socio-culturel plus général, englobant nouveau roman et nouveau théâtre : *le monde-objet* prend le pied, dans la société industrielle, sur le *monde-sujet*. Comme l'écrit Lucien Goldmann [2] dans son chapitre réservé au nouveau roman :

> « Robbe-Grillet dit que si le nouveau roman décrit de manière différente les relations d'un jaloux avec sa femme, l'amant de celle-ci et les objets qui les entou-

---

(1) Cf. notre article : « Le théâtre ouvrier », in *Socialisme 65*, Montréal, Nᵒ 6, pp. 23-32.

(2) On peut lire à ce sujet une étude que nous avons publiée dans « Sociologie et Sociétés » (P.U.M., vol. 3, nᵒ 1, mai 1971) et inti-tulée : « La sociologie du théâtre et de la littérature d'après Lucien Goldmann » (pp. 15-24).

rent, ce n'est pas parce que l'auteur cherche à tout prix une forme originale, mais parce que la structure même dont participent tous ces éléments a changé de nature. En effet, la femme, et il faudrait ajouter l'amant et le jaloux lui-même, sont devenus OBJETS et, dans l'ensemble de cette structure et de toutes les structures essentielles de la société contemporaine, les sentiments humains (qui sont et ont toujours été l'expression des relations inter-humaines et des relations entre les hommes et le monde matériel, naturel ou manufacturé) expriment maintenant des relations dans lesquelles les objets ont une *permanence* et une autonomie que perdent progressivement les personnages (...). Sur le plan littéraire, la transformation essentielle porte en tout premier lieu — N. Sarraute et A. Robbe-Grillet viennent tous deux de nous le dire [1] — sur *l'unité structurale* personnage-objets, modifiée dans le sens d'une disparition plus ou moins radicale du personnage, et d'un renforcement corrélatif non moins considérable de *l'autonomie des objets* » (Pour une sociologie du roman, p. 286-288).

Si nous avons tenu à citer ce texte « in extenso », c'est qu'il nous semble majeur pour notre recherche sur le nouveau théâtre. En effet, les tendances qu'on voit se dessiner en ce qui concerne le nouveau roman sont presque identiques à celles qui prévalent dans le nouveau théâtre : ces deux genres participent tous les deux du même phénomène : les objets, dans le roman et le théâtre classiques, n'ont une importance que dans la mesure où ils ont des relations avec les individus.

(1) Il s'agissait d'une table ronde, organisée à Bruxelles, au cours de laquelle N. Sarraute et A. Robbe-Grillet avaient successivement parlé de leur conception du nouveau roman. Leurs interventions ont été publiées par la Revue de Sociologie de l'Université de Bruxelles (No 2, 1963).

Le nouveau roman et le nouveau théâtre créent un monde d'objets uniquement, sans relation aucune avec les individus. De plus, ces objets prennent le pas sur les individus : ce sont les objets qui régissent le monde, la scène, le roman ; les individus en dépendent. Ce n'est plus Dieu qui représente le Destin, la Fatalité, qui possède la vertu magique du « mana » des ethnologues, ce sont les objets. La relation s'inverse : ce sont les individus qui ne prennent une certaine importance (souvent minime — qu'on fasse donc une analyse de contenu de « La Jalousie », de Robbe-Grillet, et on verra la place qu'y tiennent les descriptions méthodiques d'objets, par rapport à celles des personnages ! [1]) que s'ils sont *vus* par les objets, ou s'ils sont en relations avec les objets. L'ancienne génération d'écrivains voyait la relation contraire : citons Pierre DRIEU LA ROCHELLE :

> « Quelquefois, il se disait qu'il aurait pu se passer des gens ; il savait pourtant que *les choses ne vivent que par les gens* et que jouer des choses est le dernier moyen de communiquer avec les gens : *à travers les choses* on échange des messages. Et c'était ainsi que lui, Constant, venait causer dans ce bistrot avec un type qui lui disait des paroles bleues, comme on n'en entend pas de bouche à oreille » (« Les chiens de paille », p. 63)

Alors que pour la nouvelle génération d'écrivains (le nouveau roman et le nouveau théâtre), c'est tout à fait l'opposé : c'est l'homme qui propose (mais propose-t-il toujours ?), et l'objet qui dispose. Mieux : l'homme *devient* objet, il ne « se fait » plus objet. Rappelons ici que c'est l'idée sartrienne de l'homme, se faisant objet aux yeux de

---

(1) Nous avons tenu, quant à nous, à analyser un des passages des plus significatifs du « *Voyeur* », de Robbe-Grillet (Cf. le point **V** de ce chapitre).

l'Autre (nous pensons surtout à sa pièce « Huis-clos », où les trois personnages sont tour à tour objets les uns pour les autres. Et c'est là que Sartre conclut : « L'enfer, c'est les autres »). Dans un ouvrage de Violette LEDUC, « La bâtarde », on peut lire dans la préface de Simone de Beauvoir :

> « Ni ermite, ni exilée, son malheur c'est de ne connaître avec personne un rapport de réciprocité : ou l'autre est pour elle un objet, ou *elle se fait objet pour lui.* Dans les dialogues qu'elle écrit, transparaît son impuissance à communiquer : les interlocuteurs parlent côte à côte et ne se répondent pas ; ils ont chacun LEUR LANGAGE, ils ne se comprennent pas. Même en amour, surtout en amour, l'échange est impossible » (p. 9).

D'autre part, pour Simone de Beauvoir, c'est par les objets qu'on peut communiquer avec autrui : « C'est seulement par ces objets que je fais exister au monde (mes actes, mes œuvres, ma vie), que je peux communiquer avec les autres. Si je ne fais rien exister, il n'y a ni communication, ni justification. Mon être n'entre en communication avec autrui que par ces objets où il s'engage » (« Pyrrhus et Cinéas », p. 96-98).

Cependant, dans « Le sang des autres », elle écrit : « Ce qu'elle disait, on ne pouvait pas le traduire par des mots ; c'était dit avec de la peinture et AUCUN AUTRE LANGAGE n'aurait su en exprimer le sens ; mais elle *parlait* » (p. 31).

De la même façon, le théâtre consiste aujourd'hui à DIRE autrement qu'avec des mots : une sensibilité nouvelle du public est née, les gens perçoivent autrement le monde qu'il y a 30 ans, et se perçoivent autrement dans le monde. Les auteurs du Nouveau Langage théâtral, « en avance d'une ou deux décennies sur leur temps, inventaient la sensibilité de demain et bousculaient les habitudes mentales du public » (G. Serreau : « Histoire du nouveau théâtre », p. 190).

La terminologie existentialiste sartrienne est ici dépassée : nous vivons dans un monde où les hommes sont DEVENUS (ils n'ont plus besoin de se faire) objets les uns pour les autres (comme dans la société industrielle qui les entoure, et dans laquelle un homme ne compte que par son *rendement* et par le profit qu'il peut apporter à l'entreprise qui l'engage). Le problème se pose de savoir comment — sous quelle FORME — faire passer cette idée au public (qu'il s'agisse du théâtre nouveau ou du roman nouveau). Et la question que nous nous posons est de savoir si le public perçoit cette idée de cette façon, ou s'il n'y voit pas autre chose. Pour ne citer qu'un exemple, Goldmann est le seul (ou à peu près) à avoir trouvé dans la pièce de Witold GOMBROWICZ, « Le Mariage » (jouée il y a quelques années à Paris, au théâtre Récamier, dans une mise en scène de Jorge Lavelli), une chronique de l'époque stalinienne dans les rapports de forces de séduction qui existaient dans la pièce. Le public — ainsi que les critiques dramatiques —, dans sa grosse (immense) majorité, n'y a trouvé que le prétexte d'une mise en scène expérimentale passionnante. Le problème, pour nous, n'est pas de savoir si Goldmann a raison d'y trouver une chronique de l'époque stalinienne (il a sans doute raison, si on se réfère à ce que dit Gombrowicz lui-même de sa pièce) mais bien plutôt d'étudier les réactions du public, face à cette pièce. En d'autres termes, nous voulons savoir — par nos enquêtes et nos discussions de groupe — si le public (et quel public ?) se conforme aux intentions de départ de l'auteur, ou s'il ne les interprète pas à sa façon, étant donné le contexte socio-culturel particulier — et cela englobe également sa profession — dans lequel il se trouve inséré.

Pour en revenir à la civilisation de l'objet, signalons que Henri RAYNAL, dans un ouvrage intitulé : « L'orgueil Anonyme » [1], parle, lui, de « l'impérialisme de l'objet », et par là, établit un parallèle fort judicieux entre l'impérialisme capitaliste de la société industrielle, et son homonyme en littérature et dans le théâtre, qui prennent vie (et forme) tous les deux sous l'aspect de l'objet dévorant tout sur son passage (les rapports d'objets à objets dans le monde industriel reflétant les mêmes rapports dans le nouveau théâtre — qu'on pense à la signification de la prolifération des objets, constante dans TOUTES les pièces de Ionesco et dans le nouveau roman — un seul exemple, dont nous avons déjà parlé : « La Jalousie », de Robbe-Grillet). C'est l'idée wéberienne de la « comptabilité rationnelle financière », développée dans « L'Éthique protestante, et l'Esprit du capitalisme ». L'art, la littérature, le théâtre, — nouveau, si nous transposons — sont des sous-produits culturels de la balance comptable, du profit et des coûts, du livre de comptes. Ce sont les « expressions culturelles », en quelque sorte, les « indicateurs » — l'objectivation exprimée dans le nouveau roman et le nouveau théâtre — , de tout ce que contient l'ACTE capitaliste industriel « entrepreneurial » [2]. Serait-il trop osé de formuler l'hypothèse que Max Weber, ainsi que les premiers formalistes russes (Eikhenbaum, Jakobson, Tynianov, Chklovski, Tomachevski, etc.), soient à la base du mouvement structuraliste contemporain ? La question reste posée : il n'est pas de notre ressort d'y répondre.

---

(1) On peut lire l'article que nous avons publié à son sujet dans « Le Devoir » (Montréal), en juillet 1965.
(2) C'est ainsi que nous préférons traduire la terre wébérien : « unternehmensgeist » (littéralement, « Esprit d'entreprise »).

En ce qui concerne le roman, nous n'avons pas analysé les attitudes du public, cela n'étant pas notre propos. Toutefois nous pensons devoir citer au moins quelques auteurs — les plus représentatifs du nouveau roman — qui traitent du problème de la « civilisation de l'objet ». Un texte des plus significatifs à ce sujet est celui de N. Sarraute qui, dans « Tropismes », donne aux objets non seulement une place primordiale dans son univers, mais aussi les humanise et les personnifie tant et si bien que l'homme-sujet devient véritablement un simple objet, tandis que les objets deviennent les seuls « sujets pensants » dans cette relation équivoque :

> « Les objets se méfiaient beaucoup de lui et depuis très longtemps déjà, depuis que tout petit, il les avait sollicités, qu'il avait essayé de se raccrocher à eux, de venir se coller à eux, de se réchauffer, ils avaient refusé de « marcher », de devenir ce qu'il voulait faire d'eux, de « poétiques souvenirs d'enfance ». Ils étaient bien matés, les objets, bien dressés, ils avaient le visage effacé, anonyme, des serviteurs stylés : ils connaissaient leur rôle et refusaient de lui répondre, de crainte de se voir donner congé [...]. Chauds, pleins, lourds d'une mystérieuse densité, des objets lui jetaient une parcelle — à lui aussi, bien qu'il fût inconnu et étranger — de leur rayonnement ; un coin de table, la porte d'un buffet, la paille d'une chaise sortaient de la pénombre, et consentaient à devenir pour lui, *miséricordieusement* pour lui aussi, puisqu'il se tenait là et attendait, un petit morceau de son enfance » (op. cit., p. 129-130).

Rappelons également que dans « Le planétarium », pendant plus de trente pages, N. Sarraute décrit une poignée de porte, vue sous tous ses angles, véritable matière en perpétuelle formation et déformation, découpée par le scalpel de son analyse. En dernière instance, ce n'est plus une poignée de porte, c'est encore une fois un objet-devenu-sujet, qui entretient avec les autres objets-devenus-sujets, les mêmes rapports existant dans la société industrielle, entre des sujets-devenus-objets et d'autres sujets-devenus-objets (qui ne sont plus, les uns pour les autres, que matière de supputation au calcul en termes de coût de production et de rentabilité possible).

Enfin, dans « Les fruits d'or », N. Sarraute appelle les écrivains traditionnels (nous entendons par là tous ceux, en bloc, qui ne font pas partie du nouveau roman), « les coupeurs de cheveux en quatre », qu'elle oppose aux « grands écrivains », ceux qui « font passer tout cela avec rien, avec du silence » (et par là, elle rejoint les grandes figures du théâtre du nouveau langage, en particulier Ionesco et Beckett) [1] :

> « Les coupeurs de cheveux en quatre n'auraient jamais réussi à faire passer tout cela... avec rien... du silence... des impondérables... des nuances, des diaprures ; les plus fines irisations rendues par le rapport subtil des mots... il n'y a aucune analyse. C'est fait avec rien. Et le lecteur [le spectateur de théâtre] sent tout, comprend. Ah, voyez-vous, ce sont des moments comme ceux-là, ces instants de vérité qui font les grands livres [et les grandes pièces] » (op. cit., p. 63).

Plus loin, elle écrit encore : « Nous, nous devons être aveugles, sourds, totalement inertes, durs, figés, *des objets disposés là,* des poupées bourrées de SON, avec des visages

---

(1) La limite d'une « pièce du silence » a été « Acte sans paroles » (1 et II) de S. Beckett, dans laquelle, comme son titre l'indique, rien n'est dit et tout est dit sans l'utilisation du langage parlé.

de porcelaine et des boules de verre à la place des yeux »
(p. 63).

Ce processus de décomposition des hommes en choses-
objets va de pair avec la recomposition des objets-mots en
êtres vivants, doués de sentiments. En d'autres termes, on
déstructure le monde des hommes et on restructure un monde
neuf, celui des objets : « Il faut retenir à tout prix les mots
qui se bousculent, qui veulent s'échapper, mais elle ne pourra
pas les contenir... elle les tire, elle les retient, pas comme
ça... doucement... elle va rogner leurs angles, moucheter
leurs points, bien les emmailloter : des grosses boules un peu
molles qui vont la bousculer gentiment, la chatouiller, juste
pour rire, bon gros rire, bonne grosse voix... » (p. 122).

Et encore : « Comme par un effet de succion, il tire de
ces mots qu'il lit toute leur sève, pompe leur sang, ils sont
vidés... des petites choses desséchées. Tous les mots maintenant sont comme durcis, vernis, trop brillants... on dirait
que de ce silence, de ces regards, un courant sort, une
substance coule, se répand... Comme sous l'effet de la
galvanoplastie, tout se recouvre d'une couche de métal clin-
quant » (op. cit., p. 161).

Enfin, l'auteur rejoint Ionesco, en ce qui concerne la
tragi-comédie du monde contemporain : « Tout le monde
trouve que c'est un livre si triste, tragique, mais moi, si vous
saviez comme j'ai pu rire... Un grand comique. *Comique et
tragique à la fois.* C'est le propre de toutes les grandes
œuvres » (op. cit., p. 126-127).

Trois ouvrages de Claude SIMON vont, avec des variantes, dans le même sens, mais avec toutefois une idée de
plus : l'impossibilité du langage à s'exprimer, la réduction
du mot prononcé au SON — en cela aussi, il rejoint Iones-

co, en particulier — , le langage vidé de toute substance.
Ainsi, dans « L'herbe », écrit-il :

> « Les paroles ne lui parvenant même pas, ou du moins
> ne parvenant même pas à se transformer (les mots,
> les signes verbaux et sonores) en quelque phrase qui
> signifiât pour elle autre chose qu'un bruit, un son ... »
> (op. cit., p. 250), « ce ne sont là que des paroles,
> des mots, pour s'abuser, s'étourdir ... » (p. 210),
> « elle se rappellera cela : pas exactement le dialogue,
> pas exactement les mots dits ou redits, répétés ou
> ressassés, mais les deux voix se répondant, alternant,
> se mariant, se fondant dans sa mémoire, en une sorte
> de bloc unique, indivisible, questions et réponses
> soudées dans cette espèce d'implacable et absurde
> enchaînement de tout dialogue, de toute parole »
> (p. 155), « ... c'est seulement au-dessus de deux que
> cesse la solitude, c'est-à-dire la liberté, chacun d'eux
> eût probablement pu dire sans retenue ce qu'il pensait
> à chacun des deux autres pris séparément, mais pas
> réunis » (p. 89).

Dans un deuxième ouvrage, « Le Vent », Claude Simon
écrit, toujours à ce sujet (encore une fois, il nous semble
indispensable de citer un auteur dans plusieurs de ses écrits,
pour en dégager la « structure » ou plutôt *l'unité structurale,*
et pour montrer que son « obsession » n'est guère isolée,
mais rejoint en fait non seulement celles du « système»
littéraire d'une époque donnée, mais aussi celles des « systèmes » ou « séries » voisins — dont le théâtre — et de là,
procédant d'une certaine façon par *affinités structurales,* elle
rejoint en dernière analyse la structure de la société industrielle occidentale) :

> « À travers la porte vitrée, aucun bruit ne lui par-
> vient, et de ce fait, la scène ayant ce on ne sait quoi

d'insolite, d'angoissant et d'absurde, comme lorsqu'une panne de son prive tout à coup de la parole les personnages d'un film [1] et qu'on les voit néanmoins continuer à s'agiter et vivre, leurs bouches s'ouvrant et se refermant sur du silence cependant qu'au fur et à mesure, l'expression des visages se modifie, change, se détend, s'éclaire ou s'altère tour à tour inexplicablement comme sous l'effet de stupéfiants ou de corrodants, comme si les lèvres en s'écartant laissaient s'échapper avec le souffle, l'air invisible, quelque chose de plus fort que des coups, de plus dur que la matière : LES MOTS » (op. cit., p. 165), « ... comme si voix et personne faisaient deux, chacune se mettant à vivre d'une vie indépendante, autonome, la première courant pour ainsi dire sur sa lancée, mettant bout à bout mots et phrases suivant une syntaxe, un ordre machinal, et d'ailleurs sans importance — l'important étant la non-cessation du SON, du BRUIT ... » (op. cit., p. 151).

Enfin, dans «La Route des Flandres», qui valut à Claude Simon le Prix Goncourt, et d'être connu dans le monde entier, il écrit : « ... l'incantatoire *magie du langage* des mots [2] inventés dans l'espoir de rendre comestible — comme ces pâtes vaguement sucrées sous lesquelles on dissimule aux enfants les médicaments amers — l'*innommable réalité* ... »

---

(1) Ce procédé a été usité dans le « nouveau cinéma », mais intentionnellement par les auteurs. Il ne s'agissait pas d'une « panne ».

(2) On pense nécessairement ici, au « Théâtre magique » d'Artaud (il parle du « pouvoir incantatoire du mot »), et aux analyses de Mauss et Durkheim sur le principe sacré du « mana » (terme polynésien, étendu par les ethnographes, et qui est devenu un concept ethnographique), dans la pensée primitive. Voir à ce sujet l'article de Mauss — paru en 1930 : « Esquisse d'une théorie générale de la magie », et reproduit dans « Sociologie et anthropologie » (recueil de tous ses articles).

(op. cit., p. 184), « ... des paroles que prononçaient nos lèvres pour nous abuser nous-même, vivre une VIE DE SONS sans plus de réalité, sans plus de consistance que ce rideau ... » (p. 274). — « Qu'est-ce que tu as ? — Rien je n'ai rien. Je n'ai surtout pas envie d'aligner des mots et des mots et encore des mots » (p. 36).

« Le vieil homme continuant à parler à un fauteuil vide, (...) la voix solitaire s'obstinant, *porteuse de mots inutiles et vides* » (p. 37). « Je le vis, palabrant ou plutôt se taisant, c'est-à-dire *échangeant du silence* comme d'autres échangent des paroles, c'est-à-dire une certaine espèce de silence qu'ils étaient les seuls à comprendre et qui était sans doute pour eux plus éloquente que tous les discours » (p. 44).

Cette « magie du mot-objet », comme le dit si bien Claude SIMON, est devenue tellement un *phénomène social* à notre époque, qu'il n'est pas jusqu'à Jacques BOREL, prix Goncourt 1965, qui ne l'ait exprimé, à sa façon :

> « Les mots comptaient plus pour moi que ce qu'ils traduisaient, ils n'étaient pas tant signes, que SONS, IMAGES, figures, objets de délectation ou de répugnance mais, de toute façon, fruits naturels du monde, aussi sensibles, aussi aimables qu'un fruit en effet, une herbe, une joue ; c'est leur aspect, leur CONSO-NANCE, qui décidaient pour moi de leur valeur ou de leur sens ; et lorsque, au hasard d'une lecture, je rencontrais un mot nouveau, je n'en vérifiais jamais la signification précise : je laissais l'apparence pour ainsi dire PHYSIQUE du vocable, sa SONORITÉ, qui parfois m'enchantaient, parfois provoquaient en moi je ne sais quelle mystérieuse antipathie, me dicter une image, ou ébranler en moi une image, une SEN-SATION anciennes, qui pouvaient fort bien être *sans*

rapport aucun avec ce mot, mais qui resurgiraient désormais avec lui et qui l'incarneraient en quelque sorte à mes yeux » (Jacques BOREL : « L'adoration », p. 162).

Et plus loin, plus explicite encore : « Resté en arrière, un mot imprévu continuait à me fasciner : changé en une espèce d'OBJET CONCRET, VIVANT, il se tenait entre nous, presque VISIBLE ; ... » (op. cit., p. 232).

C'est dire d'une manière on ne peut plus claire ce qui fait l'objet des analyses des auteurs du nouveau roman et surtout du nouveau théâtre, dont le grand problème sera de « faire parler » les objets sur scène d'une part, et de « rendre visuel » le mot-transformé-en-objet au spectateur, d'autre part.

Il serait bon, à présent, et pour bien montrer la différence essentielle qui réside entre ces auteurs et leurs prédécesseurs, de citer un passage de « Saint-Genet, comédien et martyr », où Sartre se prononce vis-à-vis du langage [1] qui, pour lui, est un outil indispensable à la communication (alors que nous avons vu que, pour les auteurs du nouveau roman, le langage-parole constituait plutôt un handicap à toute vraie communication) :

> « Le langage est nature quand je le découvre en moi et hors de moi avec ses résistances et ses lois qui m'échappent : les mots ont des affinités et des coutumes que je dois observer, apprendre ; il est OUTIL dès que je parle ou que j'écoute un interlocuteur ; enfin, il arrive aux mots de manifester une indépendance surprenante, de s'épouser, au mépris de toutes

---

[1] Voir aussi « Les mots », de Sartre, où il donne d'une façon plus détaillée, son point de vue à ce sujet.

lois, et de produire ainsi des calembours et des oracles à l'intérieur du langage ; ainsi, le verbe est-il miraculeux » (op. cit.).

Il est remarquable qu'au moment où Sartre semble d'accord pour trouver que les mots peuvent manifester une étonnante indépendance, ce ne soit que pour « produire des calembours, à l'intérieur du langage », limitant ainsi les nouvelles résonances du nouveau langage, au sein de la société industrielle contemporaine. Pour Robbe-Grillet, au contraire, et pour ne prendre que lui, c'est, en quelque sorte, l'objet-mot qui devient « miraculeux », dans la mesure où, dans « La Jalousie », par exemple, il n'est pas possible de distinguer entre le sentiment psychologique de la jalousie et la désignation de l'objet « jalousie » (au sens de store, de ce treillis de bois, au travers duquel on voit sans être vu). Le sentiment devient ainsi l'objet, et l'objet sentiment : il y a compénétration, et on ne sait jamais, dans cet ouvrage, quand il s'agit du sentiment ou de la chose. D'ailleurs, la présence même du mari jaloux n'est jamais soulignée que par la présence d'un objet : un troisième fauteuil sur la terrasse, un troisième couvert sur la table. L'auteur ne parle jamais de lui, on ne sait même pas s'il existe vraiment, en chair et en os. Il n'existe que PAR et DANS et À TRAVERS les objets usuels : sans ces objets, qui seuls nous indiquent sa présence fantomatique dans la maison, le lecteur n'aurait jamais pensé qu'il y avait un troisième personnage (celui du mari) dans le roman.

C'est donc grâce aux objets, *et à eux seuls,* qu'il se fait « être » (être-objet, au même titre que les autres objets du roman, tel le fauteuil, le verre, le couvert), qu'il se fait « présence » (mais c'est plutôt une présence-absence). Comme le dit Goldmann, ce qui importe, « c'est la structure d'un monde dans lequel les objets ont acquis une réalité propre, autonome : dans lequel les hommes, loin de maîtriser ces objets, leur sont assimilés ; et dans lequel les sentiments n'existent que dans la mesure où ils peuvent encore se manifester à travers la réification » (Pour une sociologie du roman, p. 318). Nous reviendrons un peu plus loin sur le concept de « réification », introduit par Lukacs, et dont Goldmann s'inspire.

On voit très bien, dès lors, ce qui oppose l'« ancienne génération » à la nouvelle ; pour la première (dont Sartre est l'un des plus brillants représentants), le langage est un instrument irremplaçable pour les relations entre les êtres, et lorsqu'il arrive « aux mots de manifester une indépendance surprenante », c'est uniquement pour produire des « calembours et des oracles », mais toujours « à l'intérieur du langage ». Pour la nouvelle génération d'écrivains, les mots sont des obstacles majeurs à la communication : et, pour employer une terminologie sartrienne, il y a « facticité » dès lors qu'on ouvre la bouche pour s'exprimer. Claude Simon parle de « l'incantatoire magie du langage et des mots, inventés dans l'espoir de rendre comestible l'innommable réalité » (s'agirait-il de la réalité sociale, rongée par la civilisation industrielle de l'objet ?), Ionesco démystifie le langage, en le faisant éclater, au point de devenir du « psittacisme ». Et c'est là que la chose devient tragique : en réduisant le langage à des borborygmes, les personnages des premières pièces de Ionesco rejoignent (d'une manière visuelle sur la scène) les hantises et les obsessions des personnages-objets des auteurs du nouveau roman.

Il se produit, en quelque sorte, une « catharsis » : le théâtre du nouveau langage ne fait que projeter sur scène les méandres de la pensée des personnages-objets du nouveau roman [1] (puisque nous avons vu que les objets, dans le nouveau roman, sont doués de pensée, plus : ils sont humanisés : l'objet possède une personnalité propre, parfois au détriment du sujet-homme, comme chez N. Sarraute).

On comprend, à présent, notre insistance sur les relations entre le nouveau roman et le nouveau théâtre : les techniques théâtrales modernes — Ionesco parle d' « extérioriser l'angoisse de ses personnages dans les objets, de faire parler les décors, de visualiser l'action scénique, de donner des images concrètes de la frayeur, ou du regret, du remords, de l'aliénation, de jouer avec les mots, et non pas de les envoyer promener, peut-être en les dénaturant, d'amplifier le langage théâtral » (Notes et contre-notes, p. 86) — permettent en effet de « voir » (de « visualiser », dit Ionesco) sur scène les obesssions et les drames (posés par l'actuel état de la civilisation industrielle) que les auteurs du nouveau roman exposent dans leurs ouvrages.

Donc, ces deux modes d'expressions — nouveau théâtre et nouveau roman — vont actuellement de pair, et peuvent s'intégrer dans un ensemble syncrétique plus vaste. C'est l'amalgame roman-théâtre tragico-comique de la démystification du langage que nous étudions en fait, quand nous parlons de la civilisation de l'objet. Le nouveau théâtre fait VOIR aux spectateurs ce qu'ils peuvent seulement imaginer en lisant les auteurs du nouveau roman : le nouveau théâtre se propose de montrer « de visu » comment aujourd'hui l'objet peut signifier l'homme.

C'est là que réside, à nos yeux, la grande rénovation apportée par ce que nous avons appelé : « La civilisation de

---

(1) Voir également les réflexions de S. de Beauvoir sur le nouveau roman, dans « La force des choses », p. 649-650. Nous ne pouvons malheureusement pas nous y attarder.

l'objet » (ou la primauté de l'objet-objet par rapport au sujet-objet, l'homme). Goldmann en tire des conclusions peut-être hâtives — car non validées par l'expérimentation —, mais qu'il est important de signaler, ne serait-ce que pour leur aspect structural : « Les deux périodes ultérieures de la société capitaliste occidentale, la période impérialiste — qui se situe à peu près entre 1912 et 1945 — et la période du capitalisme d'organisation contemporaine, se définissent sur le plan structurel [1], la première par la disparition progressive de l'individu en tant que réalité essentielle, et corrélativement, par *l'indépendance croissante des objets,* la deuxième par la constitution de ce monde des objets — dans lequel l'humain a perdu toute réalité essentielle, aussi bien en tant qu'individu qu'en tant que communauté — en univers autonome, ayant sa propre structuration qui seule permet encore quelquefois, et difficilement, à l'humain de s'exprimer » (Pour une sociologie du roman, p. 297).

Donc, pour Goldmann, l'apparition du nouveau roman et d'un théâtre centré sur l'absence et l'impossibilité de communication, en créant de nouvelles FORMES au théâtre et dans le roman, va parallèlement avec l'apparition d'une nouvelle période de l'histoire de l'économie [2], développant à

---

(1) Rappelons ici que Goldmann se place du point de vue du « structuralisme génétique ».

(2) Pour J. ARDOINO, « à partir du moment où certains seuils économiques ont été atteints et franchis, les problèmes humains qui, bien sûr, existaient déjà, potentiellement, mais sommeillaient encore, *hibernaient* en quelque sorte, du fait de contraintes économiques impérieuses, s'affirment désormais inexorablement » (Propos actuels sur l'éducation, Gauthier-Villars, Paris, p. 4). Ces problèmes humains sont pour nous indissociables du problème du *pouvoir,* et c'est précisément dans la mesure où les citoyens ne participent *en fait* à aucune forme de pouvoir (au niveau décisionnel) qu'ils ont engendré chez les auteurs étudiés un théâtre de l'absence, un théâtre de l' « absurde », mais contesté de l'intérieur dans ses textures lexicales.

toute allure un capitalisme d'organisation et une société de consommation, remplaçant par là une idéologie individualiste et libérale :

> « Il me semble qu'aux deux dernières périodes de l'histoire de l'économie et de la réification [1] dans les sociétés occidentales, correspondent effectivement deux grandes périodes dans l'histoire des formes romanesques : celle que je caractériserai volontiers par la dissolution du personnage et dans laquelle se situent des œuvres extrêmement importantes, telles celle de Joyce, Kafka, Musil, « La Nausée » de Sartre, « L'Étranger » de Camus : la seconde, qui commence seulement à trouver son expression littéraire et dont Robbe-Grillet est un des représentants les plus authentiques et les plus brillants, étant précisément celle qui marque l'apparition d'un univers autonome d'objets ayant sa propre structure [2] et ses propres lois, et à

---

(1) Ce terme, emprunté à Georg Lukacs (« Théorie du Roman ») n'est que l'exacte réplique de la théorie marxienne du « fétichisme de la marchandise » : Marx analyse les grandes transformations provenant, dans la structure de la vie sociale, du développement de l'économie et situe ces transformations sur le plan du couple : « individu-objet », tout en soulignant le transfert progressif du coefficient de réalité, d'autonomie et d'activité du premier élément du couple au second. (Cf. « Le *capital* », Livre I, section I, chap. I ; IV : « le caractère fétiche de la marchandise et son secret » in « Oeuvres de K. Marx », Gallimard, La Pléiade, p. 604-619 et p. 630, où Marx parle de la « Magie de l'argent » (Chap. II : « Des échanges ») et, toujours dans ce même ouvrage, la p. 416 (in « Critique de l'économie politique ». Section I, B IV : « Les métaux précieux », p. 414-418).

(2) L'hypothèse essentielle de Goldmann est que le caractère collectif de la création littéraire provient du fait que les structures de l'univers de l'œuvre sont homologues aux structures mentales de certains groupes sociaux : les hommes tendent à élaborer des catégories mentales, qui puissent répondre au plus grand nombre de problèmes qui se posent à eux. Cet ensemble de catégories mentales constituent une *structure*. Ainsi, dans la mesure où la science

travers lequel seul peut encore s'exprimer dans une certaine mesure la réalité humaine » (op. cit., p. 298) [1].

Notre sujet n'étant pas d'établir une comparaison génétique entre l'histoire de l'économie et l'histoire de la littérature, nous ne nous étendrons donc pas outre mesure sur ce point. Nous conserverons cependant l'idée énoncée par Goldmann antérieurement, lorsque nous essayerons, dans notre deuxième tome, d'expliquer le happening en fonction du système socioculturel auquel les « *happeners* » appartiennent.

Nous rappellerons simplement ceci : J. ARDOINO, dans son ouvrage, déjà cité, fait observer : « tant au niveau de la pédagogie qu'à celui de la politique dans la société globale, les institutionnalistes [2] nous ramènent *au problème du pouvoir* qu'ils posent structuralement, à son niveau sociologique le plus profond en rejoignant ainsi les Rogériens qui soulevaient, eux, dans le cadre des interrelations, le problème de *l'autorité* » (Propos actuels sur l'éducation, p. 330).

Pour ramener le débat à notre domaine propre, et bien qu'Ardoino ne partage guère « la nostalgie (de M. Lobrot) d'un monde d'où le « phénomène-pouvoir soit exclu » (op. cit., p. 331), et même s'il semble « qu'on ne puisse se débar-

---

est un effort pour dégager des relations nécessaires entre les phénomènes, les tentatives de mettre en relation les œuvres culturelles avec les groupes sociaux en tant que sujets créateurs s'avèrent beaucoup plus opératoires que tous les essais de considérer l'individu comme le véritable sujet de la création.

(1) En disloquant les formes romanesques et théâtrales classiques, le nouveau roman et le nouveau théâtre prétendraient donc réaliser sur le plan culturel, ce que fait la société capitaliste sur le plan du réel, et donc dénoncer celle-ci.

(2) cf. G. Lapassade : « *Groupes, organisations, institutions* » (1967) et M. Lobrot : « *La pédagogie institutionnelle* » (1966), tous deux parus chez Gauthier-Villars (Paris).

rasser du pouvoir », comme le dit R. ENRIQUEZ (cité par Ardoino p. 131), il n'en reste pas moins que le théâtre de la contestation, — structuralement analogue dans sa *forme* (et le fond qu'elle suscite) à celle qu'a revêtu la société techno-bureaucratico-monopolistique, et offrant des accointances structurelles homologues avec cette dernière — pose implicitement le problème essentiel : celui du *pouvoir*.

Si les hommes, dans le théâtre de Ionesco (et nous verrons que l'homme beckettien en est proche, vu sous cet angle) sont devenus des hommes-objets, c'est en grande partie dû à leur réification, c'est-à-dire leur dépolitisation, leur déshumanisation progressive, et surtout leur absence de participation active à la vie sociale et politique. Ce phénomène est concrétisé dans les faits par leur manque de participation effective aux *pouvoirs décisionnels* (sous toutes leurs formes) menant le destin de l'humanité.

III — IONESCO ET LE SENS DU TRAGIQUE

> « J'ai essayé de noyer le comique dans le tra-
> gique, le tragique dans le comique, d'opposer le
> comique au tragique pour les réunir dans une
> synthèse théâtrale nouvelle. »
>
> (Ionesco, in « Réalités », novembre 1957)

Le nouveau théâtre, comme le nouveau roman, d'après
l'écrivain italien Alberto MORAVIA, « n'apportent aucune
forme de sensibilité nouvelle : c'est plutôt une *redécouverte
ascétique du langage. Il y a une crise de la linguistique.*
L'image se substitue à la parole, qui est usée, fatiguée... »
(« La mort du roman traditionnel », article paru dans « Le
Figaro Littéraire » du 6-1-1966, p. 14.)

On doit donc retrouver le sens du tragique en remontant
aux sources de la tragédie, pour Ionesco, en redécouvrant
ascétiquement un langage neuf, mieux adapté à l'époque
moderne en déconfiture. [1]

---

(1) Pour Ionesco, l'époque contemporaine est véritablement « cauche-
mardesque », et la vie d'aujourd'hui, pénible, « insupportable comme un mauvais rêve ». « Regardez autour de vous ; guerres, ca-
tastrophes et désastres, haines et persécutions, confusion, la mort
qui nous guette, on parle et on ne se comprend pas, nous nous
débattons, comme nous pouvons, dans un monde qui semble atteint
de grande fièvre ; l'homme n'est-il pas, comme on l'a dit, l'animal
malade, n'avons-nous pas l'impression que le réel est faux, qu'il
ne nous convient pas ? Que ce monde n'est pas notre vrai monde ?
Autrement, non seulement nous ne voudrions rien changer mais
nous n'aurions même pas conscience de son imperfection, du mal
[...]. Nous sommes faits pour tout comprendre, nous ne comprenons que très peu, et nous ne nous comprenons pas ; nous sommes
faits pour vivre ensemble et nous nous entredéchirons ; [...] C'est
horrible et ce n'est pas sérieux. Quel crédit puis-je accorder à ce
monde qui n'a aucune solidité, qui « fiche le camp » ? [...] Il
s'agit, bien sûr, d'une réalité SOCIALE (...). D'ailleurs en un sens,
tout est social » (entretien accordé aux « Cahiers Libres de la Jeunesse », no 2, 15 mars 1960, p. 12.) [C'est nous qui soulignons.]

Essayons de définir ici le concept de « tragédie ». Robbe-Grillet en donne une définition qui, nous semble-t-il, reflète très justement la quasi-totalité des préoccupations actuelles en la matière :

> « La tragédie peut être définie ici comme une tentative de récupération de la distance qui existe entre l'homme et les choses en tant que *valeur nouvelle* ; ce serait en somme une épreuve, où la victoire consisterait à être vaincu : la tragédie apparaît donc comme la dernière invention de l'humanisme pour ne rien laisser échapper : puisque l'accord entre l'homme et les choses a fini par être dénoncé, l'humaniste sauve son empire en instaurant aussitôt une nouvelle forme de solidarité, le divorce lui-même devenant une voie majeure pour la rédemption » (Robbe-Grillet : « Pour un nouveau roman », p. 66).

Nous retiendrons de cette définition deux idées : d'une part, la tragédie est une épreuve où la victoire consisterait à être vaincu (Ionesco et Beckett sont bien obligés d'utiliser une certaine forme du langage qui est à leur disposition pour montrer sa faillite), et d'autre part, le divorce entre l'homme et les choses, bien que dénoncé, devient la voie majeure pour la rédemption, pour l'humaniste qui cherche à tout prix à sauver son empire délabré. Et c'est là où Robbe-Grillet rejoint Ionesco, dans la mesure où ce dernier refuse, lui aussi, d'être considéré comme un humaniste.

Nous avons vu antérieurement que son sens du tragique était étroitement lié à son sens du comique, de sorte que son théâtre est en fin de compte, un théâtre comique de la tragédie moderne. Dans une de ses pièces favorites, *Victimes du devoir*, c'est sa propre conception du théâtre qu'il nous livre à travers le personnage de Nicolas d'Eu :

« Le théâtre actuel ne correspond pas au style culturel de notre époque, il n'est pas en accord avec l'ensemble des manifestations de l'esprit de notre temps ...

Nous abandonnerons le principe de l'identité et de l'unité des caractères ... »

« Quant à l'action et à la causalité, n'en parlons plus ... Plus de drame ni de tragédie : le tragique se fait comique, le comique est tragique, et la vie devient gaie ... Je ne veux pas écrire. Inutile. Nous avons Ionesco, et Ionesco, cela suffit ! (« Victimes du Devoir », Tome 1 du « Théâtre » de Ionesco, p. 224.) Et dans « L'Avant-Scène », il écrit, dans le même sens : « Le rire est seul à ne respecter aucun tabou, à ne pas permettre l'identification de nouveaux tabous anti-tabous : le comique est seul en mesure de nous donner la force de supporter la tragédie de l'existence » (op. cit., n° 191, du 15-2-1959, p. 6).

Il est donc entendu que, pour cet auteur, le tragique et le comique sont indissociables. Mais, il se veut également un auteur « classique » :

« Je me suis aperçu finalement que je ne voulais pas vraiment faire de l'anti-théâtre, mais du théâtre. J'espère avoir retrouvé, intuitivement, en moi-même, les schèmes mentaux permanents du théâtre. »

Nous dirions, en structuraliste, que Ionesco a élaboré des catégories mentales correspondant au système, à la série, ou à la structure du Théâtre, partant d'une certaine « réalité sociale », constituant une autre *structure*, un autre système, une autre série, que nous avons mis en corrélation avec la structure du théâtre, chez Ionesco ; et de là, avec le système entier des auteurs du nouveau théâtre dont le morcellement du langage est le dénominateur commun. C'est d'ailleurs par là que nous nous séparons des formalistes russes, pour lesquels « la nouvelle forme n'apparaît pas pour exprimer un contenu nouveau, mais pour remplacer l'ancienne forme qui a déjà perdu son caractère esthétique » (« Théorie de la littérature », article de B. Eikhenbaum, p. 50).

« Finalement, je suis pour le classicisme », continue Ionesco, « c'est cela, l'avant-garde : découverte d'*archétypes* oubliés, immuables, renouvelés dans l'expression. Tout vrai créateur est classique. Le petit-bourgeois est celui qui a oublié l'archétype pour se perdre dans le stéréotype ; l'archétype est toujours jeune. J'essaye de retrouver la TRADITION, qui n'est pas académique. C'est même son contraire. Je puis dire que mon théâtre est un théâtre de la dérision. Ce n'est pas une « certaine société » qui me paraît dérisoire. C'est l'homme. Vous voyez bien qu'il y a des thèmes éternels » (Notes et contre-notes, p. 110-111).

Qu'on nous permette d'être sceptique sur la teneur de ces propos. Ionesco pense que c'est l'Homme de tous les temps, l'homme archétypique qu'il offre à son public. Pourquoi alors cette prolifération d'objets dans toutes ses pièces, pourquoi avoir pris tant de mal à vouloir décortiquer le langage, le déstructurer, pour ensuite restructurer un monde neuf avec les objets comme acteurs principaux ? Cela ne révèle-t-il pas les obsessions de la société industrielle contemporaine ? C'est au public de répondre à cette série de questions.

Pour en revenir à Ionesco, le sens du tragique va aujourd'hui de pair (et de façon concomitante) avec le sens de la dérision :

« Prendre conscience de ce qui est atroce et en rire,

c'est devenir maître de ce qui est atroce » (op. cit.,
p. 122).

Pour lui, l'homme de tous les temps et de toutes les sociétés
est dérisoire. Mais c'est une dérision qui est tragique : c'est
de thèmes éternels qu'il envisage de nous entretenir, et non
de l'homme pris dans une certaine société particulière :

> « Hors de l'univers, je regarde et je vois des images,
> des êtres qui se meuvent, dans un temps sans temps,
> dans un espace sans espace, émettant des sons qui
> sont une sorte de langage que je ne comprends plus,
> que je n'enregistre plus. « Qu'est-ce que cela ? », je
> me demande, « Qu'est-ce que cela veut dire ? », et de
> cet état d'esprit que je sais être le plus fondamenta-
> lement mien naît dans l'insolite, tantôt un sentiment
> de dérision de tout, de comique, tantôt un sentiment
> déchirant, de l'extrême éphémérité, précarité du mon-
> de, comme si tout cela était et n'était pas à la fois,
> entre l'être et le non-être : et c'est de là que provien-
> nent mes *farces tragiques,* « Les Chaises », par exem-
> ple, dans laquelle il y a des personnages dont je ne
> saurais dire moi-même s'ils existent ou s'ils n'existent
> pas, si le réel est plus vrai que l'irréel ou le con-
> traire » (op. cit., p. 115).

Que Ionesco se rassure donc ! Ses personnages — et notamment ceux des *Chaises* — existent réellement, et ils sont
autour de nous, nous les voyons quotidiennement, ils sont
pétris de chair et de sang, mais ils sont réifiés. Ou plutôt, ils
ne sont que l'exacte réplique littéraire et dramatique des
structures aliénantes, répressives et oppressives à la fois, de
la société industrielle avancée, et bientôt post-industrielle en
ce qui concerne l'Amérique du Nord. Nous renvoyons le lecteur à l'analyse détaillée de la pièce, que nous ferons au
point VII.

« Phénomène étrange de notre époque que ce théâtre comique qui vient remplacer la tragédie, qui vole au tragique son bien », disait de son côté Rosette LA-MONT à propos de Beckett (« La farce métaphysique de Beckett », in « Configuration critique », n° 8, 1964, p. 99-116).

Ce que R. LAMONT écrit du théâtre de Beckett pourrait tout aussi bien s'appliquer au théâtre de Ionesco ; nous aurons l'occasion d'y revenir à maintes reprises. Dans son chapitre intitulé : « Le langage des choses », elle fait observer que :

> « Précédant la parole, il y a la « *chose* ». C'est au théâtre que les objets se détachent sous le double éclairage des lumières et du regard rivé des spectateurs. Sur scène, les choses acquièrent une extraordinaire éloquence et *nous font parfois oublier les personnages qui viennent comme des intrus* envahir un espace parfait et éternel. Le nô japonais, théâtre abstrait et poétique, utilise à la perfection ce langage symbolique, comme une *conversation sous-jacente* ou parallèle à celle des répliques.

Notre théâtre a négligé pendant des siècles ce langage des CHOSES, et c'est l'énorme trouvaille des contemporains que d'avoir ressuscité cette langue morte. Longtemps, une chaise ne se trouvait sur scène que pour fournir un siège à un acteur, pour les « commodités de la conversation », comme disaient les précieux. Le théâtre d'avant-garde a su redonner à l'objet sa VALEUR.

> Une chaise, de par le fait qu'elle se trouve placée sur une scène, DEVIENT PAROLE. Cette *conversation muette*, nous devons savoir l'écouter comme nous avons appris à *entendre* sous les mots qu'on profère,

le SENS CACHÉ du monologue intérieur » (op. cit.,
p. 111).

Et elle ajoute :

> « Chez Beckett, dans les romans comme au théâtre, il
> y a une *réhabilitation de l'objet*, phénomène courant
> dans la nouvelle littérature, que ce soit le roman de
> Robbe-Grillet, Butor, Sarraute, ou le théâtre de Genet,
> Adamov, Ionesco, ou bien même la poésie de Ponge
> et de Char » (op. cit., p. 111).

Autrement dit, et ceci est tout aussi vrai du théâtre de
Ionesco que de celui de Beckett, dans une certaine mesure,
les personnages sont désacralisés, détrônés, en quelque sorte.
Les objets qui les remplacent et se substituent à eux, de manière insidieuse et par le biais, n'ont plus cette fonction *utilitaire*, « bassement utilitaire », comme dit Artaud, les objets
ne sont plus là pour « servir » à quelque chose, ou pour qu'on
se serve d'eux, ou pour donner une contenance aux acteurs-
omnipotents, les soutenant de leurs poids, se rendant utiles
par leur rôle de supports envers une action qui ne les concer-
nerait pas. Non, les objets sont présentifiés à un degré tel
qu'ils changent de *nature* dans le théâtre de Ionesco et de
Beckett : ils deviennent tout à coup *sujets*, ils deviennent « signifiants », ils disent des choses avec leur *langage propre*, et
ils les disent si bien qu'ils finissent par complètement écraser,
voire annihiler, le langage des hommes, qui nous apparaît dès
lors comme tout à fait dérisoire, mieux : un langage dont le
système codé aurait soudainement explosé, de sorte que le
mot n'est plus rattaché sémiologiquement à l'ensemble qui le
constitue. [1]

---

[1] « Le signe sémiologique est lui aussi, comme son modèle, composé
d'un signifiant et d'un signifié » (R. Barthes : *Eléments de sémiolo-
gie*, p. 113).

En d'autres termes, les objets ayant réussi à réifier les rapports humains puisqu'ils sont parvenus à en réifier le langage, nous sommes dès lors en présence de ce que Roland Barthes appelle « le tragique de l'écriture » : « Il y a donc une impasse de l'écriture, *et c'est l'impasse de la société même :* les écrivains d'aujourd'hui le sentent : pour eux, la recherche d'un non-style, ou d'un style oral, d'un degré zéro ou d'un degré parlé de l'écriture (nous dirions : d'un degré *objectivé* de l'écriture), c'est en somme l'anticipation d'un état absolument homogène de la société » (*Le degré zéro de l'écriture,* p. 75).

R. Lamont écrit encore :

> « Le langage des choses durera plus longtemps que celui de l'homme. Dans l'univers de Beckett, les objets *prennent vie* et les êtres s'immobilisent, et se changent parfois en OBJETS » (op. cit., p. 114).

Cette dernière citation est particulièrement vraie pour le théâtre de Ionesco, pris dans son ensemble (tout au moins, jusqu'à « Tueurs sans gages »). Et cette mutation des hommes en *objets manufacturés,* échangeables (comme des marchandises), produits en série, est, à proprement parler, un phénomène TRAGIQUE.

Quoi qu'il en soit, il s'agit là, pour R. Lamont, d'un phénomène spécifique à notre époque : c'est bien d'un « nouveau langage » (celui des OBJETS) dont on nous entretient ici.

D'ailleurs, même Ionesco, qui avoue se contredire souvent, le reconnaît :

> « Renouveler le langage, c'est renouveler la conception, la vision du monde. La révolution, c'est changer la mentalité » (op. cit., p. 85).

> « Je ne nie pas que le théâtre change avec le langage et *avec les mœurs* » (p. 106).

De quelles mœurs s'agit-il, sinon des mœurs sociales d'une époque ?

Pourtant, chez Ionesco, le théâtre comique ne vient pas « remplacer » la tragédie, le théâtre comique EST tragique : c'est de la tragédie de l'homme moderne qu'il s'agit, du début à la fin de ses pièces.

Du moins, telle est l'*intention* de Ionesco, il l'a maintes fois répétée dans les textes de « Notes et contre-notes » que nous citions plus haut. La manière dont le public réagit à ces pièces est un tout autre problème, que nous réservons pour un travail ultérieur.

Pour résumer ce point, nous dirons avec Jean-Marie DOMENACH [1] que « dans la tragédie classique, ce sont des *pleins* qui s'affrontent : des passions, des valeurs, des présences. Dans l'anté-tragédie contemporaine, ce sont des *creux* [2] : des absences, des non-valeurs, des non-sens ».

C'est ainsi qu'on peut finalement dire du théâtre de Ionesco que, non seulement c'est un théâtre de la tragédie du langage, mais aussi un théâtre de la tragédie (ou de la fatalité) en creux. Il est significatif — nous y reviendrons — que Ionesco ait appelé sa première pièce (« La cantatrice chauve ») une « tragédie du langage », ou une « anti-pièce », la seconde (« La leçon ») un « drame *comique* », la troisième (« Jacques, ou la soumission ») une « *comédie* naturaliste »,

---

(1) J. M. Domenach : « Résurrection de la tragédie » in « *Esprit* » no 5 (mai 65) page 1007. C'est nous qui soulignons.
(2) « Le monde du « nouveau théâtre » est un univers EN CREUX, une caverne qui plonge dans le mur des apparences : le regard (et l'esprit) se projettent au loin vers un point focal imaginaire où convergent toutes les figures et tous les personnages qui montent sur la scène. C'est le cosmos qui se recompose et s'organise. Profondeurs symboliques et mythologiques : les dieux de la terre, du ciel et des eaux peuplent les fonds mystérieux du théâtre », écrit de son côté Jean DUVIGNAUD (Sociologie du théâtre, p. 305.)

la quatrième (« Les chaises ») une « *farce tragique* », et la cinquième (« Victimes du devoir ») « un pseudo-*drame* » : la tragédie et la comédie, non seulement voisinent, mais fusionnent dans toutes ces appellations. Et c'est d'ailleurs par là qu'il rejoint Beckett (bien que chez ce dernier, il y ait une certaine dissociation entre le tragique et le comique : si chez Ionesco, on rit à gorge déployée, chez Beckett, le rire souvent s'étrangle et s'étouffe pour donner lieu à des sanglots) :

> « Beckett est essentiellement tragique, tragique parce que justement, chez lui, c'est la totalité de la condition humaine qui entre en jeu, et non pas l'homme de telle ou telle société [1], ni l'homme vu à travers et aliéné par une certaine idéologie », écrit Ionesco, commentant Beckett, dans « Notes et contre-notes » (op. cit., p. 114).

La tragédie est donc tout le temps présente, chez les auteurs du nouveau langage ; cependant ce n'est pas du tragique XVIIe siècle qu'elle a resurgi, mais de la farce, de la parodie et de la dérision : en ce sens, elle rejoint les « thèmes éternels de la vraie tradition » (comme le dit Ionesco), et non le traditionalisme sclérosé et desséché des académismes :

> « L'avant-garde n'est que l'expression actuelle, historique, d'une actualité inactuelle, d'une réalité transhistorique. Ce qu'on appelle « *Avant-garde* » n'est intéressant que si c'est un retour aux sources, si cela rejoint une tradition vivante [...]. Oui, c'est le roi Salomon qui est mon chef de file ; et Job, ce contemporain de Beckett », écrit-il aussi dans « Les lettres françaises » d'avril 1958.

---

(1) Comme il l'avait dit à son propre sujet, un peu plus haut.

Nous aurons d'ailleurs l'occasion de revenir sur le thème de Job, « *contemporain de Beckett* », quand nous parlerons de la représentation expérimentale de la pièce : « Job, ou l'anneau d'or », de Raymond BANTZE, au théâtre Mouffetard de Paris [1].

_____

(1) Cf. Chap. V, point II.

IV — LA CRISE DU LANGAGE ET LA PROLIFÉRATION DE L'OBJET CHEZ IONESCO : La faillite du mot.

> *Nietzsche :* « Quelle belle folie que la parole ! »
> *Spengler :* « Langage et vérité finissent par s'exclure... Plus une communication est profonde, plus elle arrive à renoncer pour cette raison au signe... le plus pur symbole d'entente que la langue ait encore donné, c'est un vieux couple paysan assis le soir devant la ferme et *s'entretenant en silence.* »
>
> *Ionesco :* « Je ne fais de l'anti-théâtre que dans la mesure où le théâtre que l'on voit habituellement est pris pour du théâtre » (« Théâtre et anti-théâtrale », 1955).

Si on en croît François BILLETDOUX [1], il faudrait faire passer à travers un texte tout ce qui n'y est pas : « Ce qu'il y a dans les mots ne compte pas. C'est un moyen de transmission, une *musique*. L'expression idéale est d'ailleurs la musique. Il n'est pas question de supprimer les mots mais ce n'est pas eux que l'on doit entendre. Il faut écouter par là (*il montre sa nuque*). Il n'y a pas de communication au niveau des mots. Les phrases ne sont qu'une suite de petits vases qui, chacun, laissent échapper des fumées. On peut les respirer comme on veut. Il ne faut jamais prendre un mot au mot ».

Ainsi, Billetdoux semble apprécier les accents qui donnent aux mots des prolongements infinis, une « *autre musique* », mais à aucun moment, il le dit lui-même, il ne s'est agi de supprimer complètement le langage-parole au théâtre.

---

(1) Dans un entretien (« 75 personnages à l'Ambigu ») accordé à « *L'Express* » du 12 mars 1964 (n° 665, p. 28). Billetdoux est un des auteurs dramatiques du théâtre du nouveau langage. Ses principales pièces sont : « Comment va le monde, Môssieur ? Il tourne Môssieur... » et « Il faut passer par les nuages ».

Les mots, cela reste pour lui essentiel, dans la mesure où ils forment une espèce de « musique de scène ».

Par contre, certains auteurs (nous pensons ici aux auteurs extrémistes — comme Marc'o, en France [1] — des happenings : mais peut-on encore parler dans ce cas d' « auteurs » ?) vont jusqu'à dénier au mot la fonction même de « musique » : ils veulent tant démystifier le langage qu'ils ne lui accordent même plus droit de cité sur les « planches ». Le mot est ainsi totalement banni de la scène, la condition de base, sine qua non, étant qu'on peut tout faire, sauf parler. On va, dans certains cas, jusqu'à apposer un bout de sparadrap sur la bouche des acteurs et des spectateurs pour bien faire comprendre à ceux qui ne le savaient pas encore, cette convention tacite du happening.

Il y a donc, c'est indéniable, une « crise du langage » dans le théâtre du nouveau langage : comment s'exprimer, comment faire sentir aux spectateurs le sens du tragique moderne, sans utiliser la parole ? [2] On pourrait, à la grande rigueur, imaginer un film sans paroles [3], car les images peuvent se passer des mots, quand elles sont esthétiquement nécessaires et suffisantes. Mais cette beauté plastique qu'on peut concevoir au cinéma, peut-on la concevoir dans le théâtre ou le roman ? Un livre tout blanc, sans caractère d'imprimerie aucun, par exemple ? Une pièce de théâtre sans acteurs, sans décors ? Cela est impossible, cela est impensable.

Rappelons ici que même dans les deux « Actes sans paroles », de Beckett, il y avait un acteur qui mimait une

---

(1) On pourrait citer aussi Jean-Jacques LEBEL, bien que le terme d' « *auteur* » ne lui convienne pas du tout.

(2) Nous reviendrons dans un autre chapitre sur le sens du « happening sans parole ». Pour l'instant, nous nous intéressons au théâtre proprement dit.

(3) Le film japonais de Schindo : « *L'île nue* » en est une éclatante démonstration. Ainsi que le « *Film* » de S. Beckett.

situation sur la scène : l'homme, face à un univers hostile, est propulsé dans un espace hors-espace, dans lequel seul un palmier (et son ombre) rappelle une quelconque existence végétale ; et une bouteille d'eau qu'il ne pourra pas atteindre, malgré tous ses efforts pour y parvenir.

La présence d'un acteur a été jusqu'ici indispensable au théâtre, sauf en ce qui concerne la pièce de Jean TARDIEU (qui a donné cette belle définition du langage-parole : un « dialogue en débris »), « Une voix sans personne », où il n'y a vraiment aucun acteur sur la scène : c'est la tentative-limite d'un *théâtre d'objets,* où seules des lumières balayent l'espace scénique et jouent sur des objets-accessoires. Jacques PO-LIERI, qui en avait assuré la mise en scène, s'était par ailleurs servi d'une musique électronique et sérielle, des graphismes d'Hartung et des peintures projetées de Vieira da Silva : c'est la véritable civilisation de l'objet, poussée à l'extrême limite, où littéralement seuls les objets (lumière, musique, accessoires et peintures projetées) ont la « *parole*».

Signalons aussi que Roger VITRAC [1], dès 1924, imaginait la possibilité d'un théâtre sans paroles :

« *L'auteur* : La vie est ainsi faite. Vos paroles rendent tout impossible, mon ami.

Patrice : Alors, faites un théâtre sans paroles.

L'auteur : Mais monsieur, ai-je eu quelquefois l'intention de faire autrement ? »

Ces quelques répliques, extraites de « Les mystères de l'amour », de Vitrac (« Théâtre II », Gallimard, p. 56),

---

[1] Rappelons que sa pièce : « Victor, ou les Enfants au pouvoir » (certains historiens du théâtre affirment qu'elle a directement influencé le théâtre de Ionesco) fut jouée pour la première fois en 1928, au « Théâtre Alfred Jarry », dirigé par Artaud.

montrent bien que la tentation d'un théâtre sans paroles n'est guère un phénomène récent. Mais cette tentation en est restée au stade de tentation seulement, car, si l'on exclut la courte pièce de Tardieu et éventuellement, d'autres essais de ce genre qui peuvent nous avoir échappé, un théâtre sans paroles est voué à un échec certain, du point de vue « public ». À la limite, ce serait l'image qu'en donnait Anouilh dans « *L'hurluberlu* », dont nous avons parlé antérieurement.

Mais ce qui est possible, par contre, c'est d'imaginer au théâtre un rapprochement formel entre des *formes* (les objets, chez Ionesco, l'engloutissement physique, chez Beckett, les gestes, chez d'autres auteurs), en vue d'atteindre, par-delà le donné empirique, ces formes accessibles au seul « tact physiognomonique » [1] (c'est une expression empruntée à Spengler) et de sentir entre elles des rapports singuliers.

C'est une espèce de flot cosmique qui s'introduirait dans l'atmosphère de la pièce, et qui permettrait de connaître (de sentir, plutôt) n'importe quoi — la solitude, l'impression *physique* d'engloutissement, de vacuité, de non-nécessité — à travers n'importe quoi : des objets et accessoires, des lumières et des décors, du « *gestus social* » (au sens où l'entendait Brecht, le définissant comme suit : « C'est l'expression par la *mimique* des relations sociales entre les hommes d'une époque déterminée », tout en notant cependant que l'utilisation de la technique du « gestus social » par les auteurs du théâtre du nouveau langage ne va pas du tout dans le même

---

[1] Dans le « Vocabulaire de la psychologie » de Henri Piéron (2e éd. rev. et augm.), on trouve le terme « physiognomonie » ainsi défini : « Nom donné au 19e siècle à l'art de juger le caractère d'après la physionomie » (p. 273, dans l'édition de 1957). Nous adaptons cette définition à notre sujet : c'est l'âme d'une situation qui est « sentie » (perçue physiognomoniquement) par un ensemble de « gestes » qui sont POSÉS par les acteurs, que ces derniers soient des objets, de la lumière ou des hommes.

sens que son application au théâtre épique de Brecht), et finalement, pour employer un terme « à la mode » : des CHOSES.

Nous pensons particulièrement ici au livre : « *Les Choses* », de Georges PEREC :

> « Tout commençait à crouler sous l'amoncellement des objets, des meubles, des livres, des assiettes, des paperasses, des bouteilles vides. Une guerre d'usure commençait, dont ils ne sortiraient jamais vainqueurs » (op. cit., p. 19).

Cela se rapproche beaucoup des pièces de Ionesco : « Amédée », « Les chaises », « Le nouveau locataire », « L'avenir est dans les œufs », dans lesquelles on voit, concrètement représenté sur scène, l'écrasement de l'homme par les « *choses* ».

Il n'est pas jusqu'à sa pièce : « *La soif et la faim* », créée en mars 1966 au Théâtre Français, (et qui a provoqué tant de remous parmi les abonnés du « mardi », de la Comédie-Française) qui ne reflète les hantises de ses premières pièces :

Jean, le personnage central, est physiquement écrasé par les « *choses* » : il s'asseoit dans un fauteuil, celui-ci s'enfonce dans le sol, il mange à table, cette dernière sombre elle aussi dans le gouffre ; il habite d'ailleurs dans un sous-sol, une espèce de cave dans laquelle il étouffe, une cave sombre et mal éclairée, une espèce d'abri anti-atomique (concrétisation physique sur scène de l'enfoncement de l'homme dans un chaos de plus en plus total). Et quand, à la fin du 3e acte (du 3e épisode, dit Ionesco), il essaye de rejoindre sa femme et sa fille, apparues dans une hallucination visuelle, le mur des hommes-objets (représentés sur la scène par les pensionnaires du couvent, tous en cagoule, en uniforme — le spectateur n'aperçoit même pas leurs yeux, ni leurs mains —, c'est l'anonymat, au sens absolu, l'identité pure : tous pareils, interchangeables à n'importe quel moment) l'empêche de retrouver un bonheur perdu ; il est là, comme les « *chaises* » (dans la pièce du même nom) étaient là, objets concrets, solides, des « *pleins d'être* » (au sens sartrien) empêchant le Vieux et la Vieille de se rejoindre, d'arriver enfin à communiquer entre eux, ne fût-ce qu'un seul instant !

Mais non : la communication reste impossible, là aussi : le mur des hommes-objets, dans « La soif et la faim » laissera Jean sur sa soif et sa faim : il ne pourra franchir la barrière anonyme des cagoulards et, dans un dernier et vain regard à sa femme et à sa fille, il se trouve à son tour enrégimenté, plongé dans le monde de l'anonymat, identique à tous les autres, prisonnier de sa civilisation. On lui « *passe la cagoule* », au sens de camisole de force, comme dans « Le repos du guerrier », de Christiane ROCHEFORT, où le héros suppliait sa maîtresse, à la fin du livre, de lui « passer les menottes », comme dans « *Les choses* », où Jérôme et Sylvie abandonnent, de la même façon, leur rêve impossible de liberté et se trouvent obligés, eux aussi, de se plier aux « choses » (le chemin tout tracé pour eux, par la civilisation bureaucratico-industrielle, dans laquelle chacun a sa place, ou son destin préétabli) et de renoncer à tout jamais à la vie qu'ils auraient aimé mener :

> « Ils se retrouvaient *seuls, immobiles,* un peu *vides.* Une plaine *grise* et *glacée,* une steppe *aride* » (op. cit., p. 94. C'est nous qui soulignons).

De la même façon, Jean (dans « La soif et la faim ») se retrouve, en dernière instance, vide et seul, dans l'univers automatisé du couvent, sa fonction se bornant à servir — jusqu'à la fin des temps — les moines mythiques et fantomatiques dont il s'est rendu l'esclave.

Mais il n'y a pas, chez Ionesco, que des objets-choses ; il y a aussi la parole-objet.

Nous l'avons déjà expliqué dans le premier chapitre, la parole est là, au même titre que l'objet : c'est un accessoire de théâtre, qui n'a aucune signification symbolique, qui ne renvoie à aucun concept, aucune idée, elle fait tout simplement partie de l'ensemble syncrétique du spectacle, elle est intégrée à la pièce, comme un décor ou un éclairage particulier peut l'être :

> « Tout est langage au théâtre : les mots, les gestes, les objets, l'action elle-même, car tout sert à exprimer, à signifier », écrit-il dans « Notes et contre-notes » (p. 116).

Autrement dit, il nous semble que Ionesco est ici influencé par les idées d'Antonin ARTAUD, qui nous rappelle qu'un des fondements du théâtre nouveau est que « rien ne peut y être efficace sans affecter d'abord nos nerfs et nos sens » (« Le théâtre et son double »).

Ionesco, ce « créateur d'images », tâche en effet d'affecter nos nerfs et nos sens, non plus par le langage-parole (par des signifiants et des signifiés, pour parler comme les linguistes), mais par le langage-objet (ce que nous appelons « le nouveau langage théâtral »), en d'autres termes par la prolifération des objets.

> « Les accessoires [1] expriment la prolifération matérielle. Le trop de présence des objets exprime l'absence spirituelle. Le monde me semble tantôt trop lourd, *encombrant*, tantôt vide de toute substance, trop léger, évanescent, impondérable [...]. Je pense que mon théâtre est très simple, très aisé à comprendre, VI-

---

(1) Dans « Les chaises » et « Le nouveau locataire », en particulier.

SUEL, primitif, enfantin. Il s'agit simplement de se débarrasser de certaines habitudes mentales raisonneuses » (Notes et contre-notes, p. 111).

Ionesco avoue, d'autre part, avoir été très étonné d'une grande ressemblance entre les pièces de Feydeau et les siennes ; il explique d'où lui vient cette obsession de la prolifération des objets dans son œuvre, obsession qui est aussi le lot de Feydeau :

> « Dans le rythme et la structure, dans l'ordonnancement d'une pièce comme « La puce à l'oreille » de Feydeau, par exemple, il y a une sorte d'accélération vertigineuse dans le mouvement, une progression de la folie : *je crois y voir mon obsession de la prolifération.* Le comique est peut-être là, dans cette progression déséquilibrée, désordonnée du mouvement. Une sorte d'accumulation des effets. Dans le drame, la progression est plus lente, mieux freinée, mieux dirigée. Dans la comédie, le mouvement a l'air d'échapper à l'auteur. *Il ne mène plus la machinerie, il est mené par elle.* Peut-être c'est là que réside la différence entre le comique et le tragique. Prenez une tragédie, précipitez le mouvement, vous aurez une pièce comique : videz les personnages de tout contenu psychologique, vous aurez encore une pièce comique ; faites de vos personnages des gens uniquement *sociaux,* pris dans *la vérité* et la *machinerie sociales,* vous aurez de nouveau une pièce comique ... tragi-comique » (op. cit., p. 204).

On le voit, ici aussi : Ionesco parle de personnages, pris dans la « vérité et la machinerie *sociales* » : de quelle vérité, de quelle machinerie sociale peut-il donc s'agir, sinon de la grande machine industrielle, broyant les personnages (et les hommes du même coup) dans ses boyaux ?

Nous venons de saisir l'origine de cette prolifération des objets dans les pièces de Ionesco. Reste la prolifération des mots-objets. Nos lecteurs doivent sans doute se demander comment la parole (habituellement porteuse de sens) peut devenir un *objet,* au même titre qu'un accessoire de scène. En d'autres termes, pratiquement, comment se traduit *sur scène* la crise du langage, et comment remplace-t-on ce langage-parole en un langage de mots-objets ?

Prenons d'abord un texte en prose très court — que Ionesco a publié en 1955 dans « Le cahier des saisons » — pour illustrer le premier phénomène, celui de la crise du langage-parole : comment le langage peut-il être désarticulé ?

Les instants hésitent entre trois possibilités. L'hommage se délivre à l'instant, hésitant. La délivrance de l'hommage se délivre à l'hommage de l'instant. Hésiter vaut un hommage délivré aux trois possibilités. Les trois possibilités hésitent entre les instants des trois possibilités. Les instants se délivrent aux hommages de l'hommage. Les hommages hésitent entre les trois possibilités. Possibilités, hommages, sont trois hésitants. Les résistants hésitent. Les hésitants résistent ».

Ce texte a-t-il besoin d'un commentaire ? Nous ne le pensons pas. Comme nous ne faisons pas ici une recherche à proprement parler « littéraire », nous ne parlerons pas des relents surréalisants de ce passage, bien que nous ne croyions pas, quant à nous, à une influence surréaliste (ni même de J. Prévert). C'est le type même de ce que nous entendons par « langage décortiqué » : un exercice intéressant consisterait à lire ce texte, à haute voix, deux ou trois fois de suite. Les assonances, les rapports formels des *sons,* une certaine résonance (si on enregistre sa voix au magnétophone, en amplifiant le son à l'écoute) feront éprouver *physiquement* au lecteur ce que nous mettons dans l'expression : mots-objets. Au terme de la deuxième lecture (si ce n'est au terme de la première), on n'entend plus que des consonnes sans aucun contenu, en admettant qu'on ait pu dégager un semblant de contenu à l'analyse du texte (ce dont nous nous permettons de douter fort). Le mot devient véritablement un *objet*, et les syllabes se répètent indéfiniment, mécaniquement, interchangeables, comme les individus numérotés, inventoriés et répertoriés, pris eux aussi dans l'engrenage de la société industrielle ; les hommes, comme les syllabes qui constituent un mot, forment des « groupes sociaux ».

Le théâtre nouveau, le roman nouveau, le cinéma nouveau, la peinture, la musique et la sculpture nouvelles, ont fait éclater les structures traditionnelles.

Au théâtre, le mot éclate en mille morceaux, atomes dispersés qu'on rassemblera au hasard des circonstances : un nouveau mot naîtra, sans aucune signification, puisque les voyelles et les consonnes s'entrechoquent et s'emmêlent de façon contingente : le produit, on l'a vu, n'est que charabia. De même, les « groupes sociaux » explosent, l'homme-molécule est dissocié, les éléments s'éparpillent et se rassemblent au gré des vents. C'est le règne de la civilisation « choséifiée » (Sartre) de la société industrielle. Que sera le « *produit* » de cette civilisation ? ...

Il nous paraît significatif que dans cet ordre d'idées le démon de la connaissance pousse les économistes modernes à chercher ce que *coûte* un homme en frais d'investissement (formation professionnelle, par exemple) et d'exploitatoin (nourriture, transports, etc.).

L'homme devient ainsi, et de plus en plus, un *objet de production*, interchangeable à volonté (comme les syllabes et consonnes du mot éclaté), à condition de tenir compte dans la balance comptable du « *coût* » que représente son remplacement par un autre individu (une autre consonne : il est évident que dans le texte de Ionesco, n'importe quelle consonne ne fait pas l'affaire, puisqu'il y a, si l'on peut dire, un « *thème* » qui est celui formé par le groupe phonétique : « hésite-résiste-instants-hommages-possibles-possibilités-délivre-trois »).

L'homme est évalué en termes monétaires (profits et coûts), dans la société industrielle : de la même façon, le mot est évalué en termes d'objets. À l'un des pôles, la déstructuration du théâtre traditionnel, et la restructuration d'un théâtre du langage neuf. À l'autre pôle, la déstructuration de la société traditionnelle et la restructuration (avec les restes épars des molécules-hommes) d'une société industrielle : d'un côté de la médaille, le mot-objet, de l'autre côté, l'homme-objet.

Prenons à présent un deuxième exemple, scénique celui-là, qui permettra de voir le processus par lequel Ionesco entend décortiquer le langage de tous les jours, transformer les mots en objets (sur scène), en bouts d'écorces sonores qu'on se lancerait à la figure, tout à fait comme on se jetterait à la tête de vrais objets (physiquement sentis, et physiquement reçus) : pour employer une tournure allégorique, on se jette des consonnes et des voyelles comme on se jette des chaussures, des savates... ou des tartes à la crème. Et en effet, ce n'est pas pour rien que nous avons dit des « tartes à la crème », si on pense combien le cinéma muet (donc sans parole), et celui de Charlot en particulier, a abusé des situations de ce genre : le théâtre du nouveau langage opère, en quelque sorte, un « retour aux sources » : les mots qu'on « *s'envoie* » (au sens étymologique) sont le pendant des tartes à la crème de Charlot.

Nous avons donc tenu à reproduire cette saynète intégralement, d'abord parce qu'elle a été écrite en 1950, c'est-à-dire à la même époque que « La cantatrice chauve » (c'était la période où Ionesco s'employait de toutes ses forces à démanteler le théâtre traditionnel [1] pour en démonter les mécanismes desséchés, usés, rouillés) ; ensuite parce qu'il nous est impossible de choisir tel passage plutôt que tel autre (aucun critère de choix n'étant ici valable : tout se vaut et rien n'est plus important qu'autre chose), étant donné que la saynète forme un tout indécomposable. Le texte s'intitule : « *Les salutations* » [2].

Il n'est évidemment pas question d'analyser ce texte : nous avons voulu le livrer tel quel à l'attention de nos lecteurs. L'essentiel, pour Ionesco, est de « décortiquer » le mot-parole, comme on pourrait décortiquer un légume : si on fait l'effort de se placer, pour un instant, dans cette perspective, on pourrait sans doute voir autre chose, dans cet auteur, qu'un « démystificateur mystifié » (comme aime l'appeler Roland Barthes).

Voici donc « Les salutations » :

« *Monsieur I* (entrant et apercevant le 2e monsieur et le 3e monsieur) : Bonjour, Messieurs !

Monsieur II (entrant et apercevant le Monsieur I et le 3e monsieur) : Bonjour, Messieurs !

Monsieur III (entrant et apercevant le monsieur I et le 2e) : Bonjour, Messieurs !

---

(1) Nous employons ici le terme « traditionnel » dans son sens le plus large, allant de Corneille et Racine à Sartre, Camus et même Brecht, en passant par les structures théâtrales d'Antoine et de Copeau.

(2) Paru dans le tome III du Théâtre de Ionesco (Gallimard, 1963).

I (au 2ᵉ)	: Heureux de vous voir. Comment allez-vous ?
II (au 1ᵉʳ)	: Merci. Et vous ?
III (au 1ᵉʳ)	: Comment allez-vous ?
I (au 3ᵉ)	: Chaudement. Et vous ? (Au 2ᵉ) Froidement. Et vous ?
III (au 1ᵉʳ)	: Agréablement. Et vous ?
II (au 3ᵉ)	: Désagréablement. Et vous ?
I et II (au 3ᵉ)	: Et vous ?
III —	Drôlatiquement. Et vous ?
II (au 3ᵉ)	: Mélancoliquement. Et vous ?
I (au 2ᵉ)	: Matinalement. Et vous ?
II (au 3ᵉ)	: Crépusculairement. Et vous ?
III (au 1ᵉʳ)	: Adipeusement. Et vous ?
I (au 2ᵉ)	: Acéphalement. Et vous ?
II (au 3ᵉ)	: Agnostiquement. Et vous ?
III (au 1ᵉʳ)	: Amphibiquement. Et vous ?
I (au 2ᵉ)	: Théoriquement. Et vous ?
II (au 3ᵉ)	: Pratiquement. Et vous ?
III (au 1ᵉʳ)	: Abstraitement. Et vous ?
I (au 2ᵉ)	: Concrètement. Et vous ?
II (au 3ᵉ)	: Apoplectiquement. Et vous ?
III (au 1ᵉʳ)	: Anémiquement. Et vous ?

Silence. Dans la salle, les spectateurs tous-sotent. Soudain, le 1ᵉʳ monsieur et le 2ᵉ monsieur s'adressent au 3ᵉ monsieur.

I et II (au 3ᵉ) : Et vous ? Et vous ?

Pendant toute la tirade qui suit, le 1ᵉʳ et le 2ᵉ monsieur continuent de demander au 3ᵉ monsieur : « Et vous ?

Et vous ? Et vous ? » sur un rythme de plus en plus rapide ;
à son tour, le 3ᵉ monsieur, tournant la tête, de plus en plus
vite, tantôt vers le 1ᵉʳ, tantôt vers le 2ᵉ monsieur, illustre,
dans la mesure du possible, par des gestes appropriés, chaque
mot qu'il prononce.

IIIᵉ Monsieur :	Ça va... adénitement, arthritiquement, astéroïdemment, astrolabiquement, atrabilairement, balalaïkemment, baobabamment, basculamment, bissextilement, cacologiquement, collipygeusement, caniculeusement, capiscoliquement, carcassiquement, caronculeusement, cartilagineusement, castapianeusement...
Une spectatrice : (dans la salle)	Ce sont des vers !! ...
IIIᵉ monsieur continuant :	cataplasmiquement, cathétomètrement, charabianeusement...
Le voisin de la spectatrice : (à l'oreille de celle-ci)	Tout le monde peut en faire autant !
IIIᵉ monsieur continuant :	chipolateusement, cholérageusement, circonlocutoirement, cirrhosiquement, cochoniquement...

IIIe spectateur   (dans la salle, au spectateur voisin de la spectatrice) :
Essayez donc, ce n'est pas si facile !

IIIe monsieur, continuant :
                concaténationneusement,
                contrepétement,
                crépineusement,
                cucurbitacieusement,
                décrépiteusement,
                déflagrationneusement . . .

1er spectateur, dans la salle : On n'a qu'à copier le dictionnaire !

IIIe spectateur :   Ce ne peut être une objection : tous les mots se trouvent dans le dictionnaire.

IIe spectateur :   Même le mot dictionnaire !

IIIe monsieur :   dégobillationneusement,
                diarrhéîquement,
                dichotomiquement,
                diurétiquement,
                dodécaédriquement,
                draconculeusement,
                ectoplastiquement . . .

La spectatrice (dans la salle) : ce n'est pas facile pour le comédien !

IIIe monsieur :   empuatissamment,
                endosmatiquement,
                éructationneusement,
                épinetteusement,
                euphoriquement,
                extatiquement,
                faramineusement . . .

Ier spectateur, (dans la salle) : C'est un prétexte pour un jeu
d'acteur !

La spectatrice :   Il mime bien !

IIe monsieur, prend la relève du 3e monsieur ; le 2e et le
1er monsieur continuent de demander au
2e monsieur :
Et vous ? Et vous ? Et vous ?

IIe monsieur :   Féculeusement,
fouarreusement,
fifrelineusement,
fichtrement,
flegmatiquement,
floriféremment,
folâtrement,
formidablement . . .

Les 3 spectateurs :   Oh ! . . . ça c'est fort !
(Puis c'est au tour du 1er monsieur)

Ier monsieur . . .   fouchtramment,
fougasseusement,
fripouilleusement,
frénétiquement,
funèbrement,
furonculeusement,
gagateusement,
galimatiatiquement,
gallinacéiquement,
gallophobiquement,
ganglionnairement,
gangréneusement,
gargouilleusement,
gastralgiquement . . .
(Puis, soudain, le 1er Monsieur se
tourne vers le 2e monsieur)

Ier *monsieur :*   Et vous ?
                        (Ralentissement du mouvement)

II — Gastéropodiquement ... (au 3e) : Et vous ?

La spectatrice (dans la salle) : Les mots sont tout de même
                        bien choisis ! ...

I : Génitalement ! ... (Au 2e) : Et vous ?

Ier *spectateur* (dans la salle, à la spectatrice) : Je ne trouve
                        pas qu'ils soient bien choisis !

II : Génétiquement. (Au 3e) : Et vous ?

III : Glycérineusement. (Au 1er) : Et vous ?

IIe *spectateur* (au 1er spectateur, dans la salle) : Qu'est-ce
                        qu'il vous faut, alors ?

I   : Gonocoqueusement. (Au 2e) : Et vous ?

II : Gérécéïquement. (Au 3e) : Et vous ?

III : Gyrovaguement. (Au 1er) : Et vous ?

I   : Harmonieusement. Très harmonieusement. (Au 2e) : Et
                        vous ?
                        (Le rythme s'accélère de nouveau)

II (au 3e)   : Et vous ?
III (au 1er)   : Et vous ?
I (au 2e)   : Et vous ?
II (au 3e)   : Et vous ?
III (au 1er)   : Et vous ?
I (au 2e)   : Et vous ?
II (au 3e)   : Et vous ?
III (au 1er)   : Et vous ?
I (au 2e)   : Et vous ?

II (au 3e)   : Et vous ?
III (au 1er) : Et vous ?
I (au 2e)   : Et vous ?

> (Les 3 personnages se séparent. Chacun de son côté se demande, un doigt sur sa propre poitrine) :

Et vous ? Et vous ? Et vous ?
Et vous ? Et vous ? Et vous ?
Et vous ? Et vous ? Et vous ?
Et vous ? Et vous ? Et vous ?
Et vous ? Et vous ? Et vous ?
Et vous ? Et vous ? Et vous ?

> (dans la salle, les spectateurs se lèvent)

Les 3 spectateurs : Et nous ? Et nous ? Et nous ?
Et nous ? Et nous ? Et nous ?

Les 3 Messieurs et les 3 spectateurs (ensemble) :
Comment allons-nous ?
Comment allons-nous ?
> (pause)

1er *monsieur :* Nous allons merveilleusement, nous nous portons ionescamment !

Le 4e spectateur (qui n'existe pas) : J'en étais sûr. Le dernier mot était prévu.

— Rideau —

> (Paris, *1950,* extrait du tome III du Théâtre de Ionesco, pp. 289-294) »

Nous nous abstenons volontairement de tout commentaire, comme nous l'avons dit : remarquons seulement qu'il nous semble impossible d'aller plus loin dans ce genre de théâtre, un « théâtre des mots-objets ».

Il se produit ici une espèce de sensation *physique* chez le spectateur, les mots lui sont envoyés comme des massues, c'est le « tact physiognomonique », pour employer l'expression de Spengler, qui capte les sensations, avec l'épiderme, avec les « nerfs et les sens » (Artaud), avec des espèces d'antennes ou de tentacules minuscules qui n'avaient pas leur raison d'être (et par conséquent, de se développer) dans le « théâtre traditionaliste » (dans le sens où nous l'employions plus haut).

La parole ainsi brisée, réduite à ses plus simples éléments (rudiments ?), les mots cassés, éclatés, décomposés en leurs syllabes et consonnes d'origine, il s'agit maintenant de savoir comment Ionesco s'y prend pour refaire un tout, pour recomposer des « significations », cette fois non plus avec les restes décharnés et cadavériques des mots, mais avec les éléments de la nouvelle civilisation, celle que nous avions convenu d'appeler : « *La civilisation de l'objet* ».

Nous passons ainsi de la crise du langage et de son agonie finale, vers la naissance d'une nouvelle culture, entretenant de nouveaux rapports avec les spectateurs : *le langage des objets*.

> « Mon théâtre devrait contribuer, s'il était valable, à une DESTRUCTION et à une RÉNOVATION de l'expression », a-t-il écrit dans ses « Notes et contre-notes » (p. 111).

Cette phrase prend tout son sens, après ce que nous venons d'examiner : la destruction dont il parle est celle du langage-parole.

Cette idée, nous la retrouvons pleinement exprimée dans

le seul scénario de film que Ionesco ait écrit jusqu'à présent :
« *La colère* ».

En effet, c'est au cinéma que Ionesco, avec ce court
sketch, a pu visuellement (grâce aux images) faire représenter ses obsessions. Le cinéma lui a offert une chance
unique de se délivrer des spectres qui le hantaient : Ionesco
l'a prise, disons plutôt, s'est jeté dessus. En vingt minutes
de temps, Ionesco a tout dit dans sa « *Colère* ».

Le film débute sur une vision paradisiaque de la vie :
les gens sont heureux, des amoureux s'embrassent, l'agent
de police est aimable, on est tous frères : c'est l'âge d'or de
la « vraie communication » entre les hommes.

Soudain, dans ce calme heureux — qui ne pouvait durer
— une mouche vient tout gâcher. Et quand nous disons
« tout gâcher », nous voulons dire qu'elle entraînera... l'explosion de notre planète !

Un homme trouve une mouche dans sa soupe : il se
fâche, s'énerve, renverse la soupe. Bientôt, tous les hommes
de l'immeuble trouvent une mouche dans leur bol : la soupe
est renversée, un déluge d'eau de soupe dévale les escaliers
de l'immeuble, la rue, la ville, le pays, la terre entière. Tout
le monde se met en colère : c'est l'impossibilité de la communication, les solitudes qui se déchaînent, la tour de Babel,
les peuples qui font la Révolution, les émeutes mondiales :
on aperçoit Hitler et Mussolini haranguant la foule, des
images d'incendies épouvantables, des tremblements de terre,
la planète lézardée : les hommes sont tous devenus schizo-
phrènes, et ont entraîné à leur suite la « schizophrénie des
objets » qui sont de la sorte doués de conscience.

Les temps antédiluviens ont recommencé, mais cette
fois, il n'y aura plus d'Arche de Noé pour sauver l'humanité.
Cette prolifération d'objets dévastateurs fait suite à la proli-

fération des mots-objets, que des hommes-devenus-objets, se lancent à la tête les uns des autres (avec le prétexte — insignifiant en soi — de la mouche). Cette hystérie collective des sociétés industrielles donne ainsi lieu à une hystérie collective d'objets. La planète explose : hommes et objets sont réduits en poussière.

« Ce petit film est centré autour de deux personnages qui font leur apparition aux moments cruciaux de l'action : le monsieur seul et la speakerine de la télévision qui apparaissent tantôt l'un, tantôt l'autre, à intervalles réguliers.

Le monsieur est assis à la table d'un café. Calme au début, il se met petit à petit en colère tout seul. À mesure que la bagarre grandit, sa colère grandit aussi, reflétant la bagarre, muettement. *Avant que n'éclate la planète, son visage devenu cramoisi éclatera aussi.*

L'autre personnage, la speakerine, toute calme, toute souriante, apparaît de temps à autre sur un écran de télévision, puis sur tout l'espace du film, en faisant des annonces qui n'ont rien à voir avec l'action. Elle parle du printemps, des ruisseaux, des fleurs, des prairies. Après l'éclatement de la tête du monsieur, juste avant l'éclatement de la planète, elle annonce, avec son plus beau sourire en montrant ses belles dents : « Mesdames et messieurs, dans quelques instants, il y aura la fin du monde ».

Dernière image : « *la planète explosant* ».

(Extrait du scénario du film : « *La colère* », de Ionesco — l'un des 7 sketches des « Sept péchés capitaux » — paru dans le tome III de son Théâtre, p. 304).

Ce scénario fut écrit en décembre 1961, c'est-à-dire deux ans après la création de « *Rhinocéros* » à Paris. Comme nous le verrons plus loin, lorsque nous analyserons dans le détail toutes les pièces de Ionesco, « Rhinocéros » (et déjà « Tueur sans gages ») se situe dans la deuxième période de cet auteur, dans cette période où il abandonne ses tentatives d'éclatement du langage (dont l'exemple le plus typique est « Les salutations »), pour se mettre à écrire, selon sa propre terminologie, des pièces plus « traditionnelles » (où les mots recouvrent un sens précis, sans ambiguïté aucune : ce serait presque du « théâtre psychologique »).

Cependant, deux ans après « Rhinocéros », Ionesco semble retourner à ses premières obsessions, à savoir : la prolifération des objets et des mots-objets conduit l'homme tout droit vers la bombe atomique : la dernière image de son film représente la planète entière qui explose, explosion qui ne fait, nous semble-t-il, que recouvrir l'explosion de l'homme dans nos sociétés industrielles. En effet, écartelé dans un univers d'objets et de machines, « le visage cramoisi », l'homme éclate (dans ce film), avant que n'éclate la planète.

Comme il s'agit toujours des « intentions » de Ionesco, et de la manière dont il pense pouvoir les exprimer visuellement sur scène, nous laisserons encore une fois la parole à l'auteur qui, mieux que nous ne saurons le faire, explique pourquoi il y a une telle prolifération d'objets dans ses pièces :

« Toute réalité, tout langage semble se désagréger, les mots retombent, comme des pierres, comme des cadavres ; je me sens envahi par des forces pesantes [1]

---

(1) Ces forces pesantes, ce sont les pierres, les cadavres des mots : des OBJETS. Audiberti, lui, confie : « Ma manière d'écrire n'est pas exactement celle d'un écrivain ; c'est plutôt celle d'un manipulateur de ces *objets solides* que sont les mots. La forme y a toujours le pas sur le fond » (in : « Preuves », nov. 65, « Entretien avec Audiberti sur le métier d'écrivain », par K. A. Jalenski). Ionesco aurait tout aussi bien pu être l'auteur de ces lignes.

contre lesquelles je mène un combat où je ne puis avoir que le dessous.

« Dans « Amédée » ou « Victimes du Devoir », les mots, dénués de magie, sont remplacés par les accessoires, les OBJETS : des champignons innombrables poussent dans l'appartement des personnages : un cadavre, atteint de « progression géométrique » y pousse également, déloge les locataires ; dans « Victimes du Devoir », des centaines de tasses s'amoncellent pour servir du café à trois personnes ; les meubles, dans « Le nouveau locataire », après avoir bloqué les escaliers de l'immeuble, la scène, ensevelissent le personnage qui voulait s'installer dans la maison ; dans « Les chaises », des dizaines de chaises, avec des invités invisibles, occupent le plateau tout entier ; dans « Jacques », plusieurs nez poussent sur le visage d'une jeune fille. *Lorsque la parole est usée, c'est que l'esprit est usé.* L'univers, encombré par la matière, est vide, alors, de présence : le « trop » rejoint ainsi le « pas assez » et les objets sont la concrétisation de la solitude, de la victoire des forces antispirituelles, de tout ce contre quoi nous nous débattons. Toutefois, il reste l'humour. L'humour est ma décharge, ma libération, mon salut. » (Notes et contre-notes, p. 141)

Ionesco le dit explicitement : seul l'humour (ses « farces tragiques ») le délivre de la « force envahissante et pesante » des objets qui, sur la scène, *parlent* d'une manière plus cohérente que ses personnages. Cette consistance, cette identité des objets ne va pas sans rappeler les analyses de Sartre sur l'*en-soi* (la racine du marronnier dans « La Nausée », où l'être des choses perd toute signification, s'étale bêtement, avec l'obscénité de ce qui se dénude de toute intentionalité, comme une masse molle d'être, comme de la chair d'existence,

compacte, massive et nue) et le *pour-soi* (fait de contradiction
— alors que l'en-soi était fait d'identité — , avec sa fluidité
active, son contre-être, son néant, duquel l'homme surgit
comme une blessure dans l'être) [1].

En effet, là aussi, à première vue, on pourrait penser
que les objets représentent l'en-soi (l'identité) et l'homme
(les personnages de la pièce) le pour-soi (la non-cohérence,
la fluidité, le contre-être), faisant de l'expérience humaine
une expérience angoissée et souffrante et de l'expérience des
objets une expérience toujours identique à elle-même.

Il nous a semblé intéressant d'établir une comparaison
entre la vision du monde de la déjà ancienne génération
(Sartre, et son théâtre qui ne représente sur scène, et de
manière dramatique, que ses théories philosophiques : qu'on
songe à « Huis-Clos », aux « Mouches », et plus récemment
aux « Séquestrés d'Altona ») et celle des auteurs du nouveau
langage théâtral. Car il semblerait que pour Ionesco (et pour
les auteurs du nouveau roman), les objets, loin de posséder
une identité toujours pareille à elle-même (l'en-soi de Sartre :
la racine du marronnier, une fontaine, le jardin, sont là, et
c'est tout : L'ÊTRE EST), entretiennent des rapports véritablement dialectiques les uns avec les autres : ils sont la
concrétisation physique de la solitude de l'homme. Et ce serait
l'homme, chosifié, qui redevient tout le temps identique à
lui-même, à travers les âges, les époques et les sociétés.

En d'autres termes, là aussi, la relation s'inverse : l'homme devient l'en-soi, et l'objet le pour-soi.

Après avoir rappelé que « l'objet n'est pas une notion
particulièrement psychologique, mais qu'en revanche, il pose
un problème philosophique, car c'est un mot utilisé dans la

---

(1) Cf « L'être et le néant » de Sartre.

connaissance vulgaire », le professeur Favez-Boutonier rappelle la signification étymologique du terme « objet » : il vient de « ob-jectum », c'est-à-dire une « chose placée devant ». (Bulletin de Psychologie, Décembre 1965, *XIX*, 6-7)

Précisons toutefois que c'est encore dans un autre sens que nous utilisons ici le mot « objet », puisque chez Ionesco et Beckett, le mot EST un objet. En effet, madame Favez-Boutonier rappelle que « d'une manière générale, on a tendance à considérer que l'objet est quelque chose de solide, de durable, au contour précis, qu'on peut *toucher*. En fait, on lui demande deux qualités fondamentales : la FORME et la SOLIDITÉ, ce qui entraîne un certain embarras devant ce qui *se voit*, mais ne peut se toucher, comme la vapeur, par exemple » (op. cit., p. 429). Nous nous permettons d'ajouter : ou comme le mot « dit », qui *s'entend*, mais ne peut se toucher physiquement. On le verra plus loin : on peut donner l'impression, la sensation concrète de « toucher » le mot « dit » au théâtre, comme on toucherait un objet solide, mais il faut passer pour ce faire par l'imagination sollicitée du spectateur.

D'autre part, madame Favez-Boutonier parle de l'animisme chez l'enfant : d'un objet qui a pour nous des qualités limitées, on peut imaginer que l'enfant lui attribuerait des INTENTIONS de se mouvoir. Après avoir rappelé les travaux de J. Piaget sur « La représentation du monde chez l'enfant » (progression en quatre stades), madame Favez-Boutonier souligne le fait qu' « être animiste, pour un adulte, consiste à attribuer une âme aux choses : il y aurait chez lui un anthropomorphisme apparent » (op. cit., p. 432).

Nous avons vu, au point II de ce chapitre, comment les auteurs du nouveau roman (et, d'une certaine façon, ceux du nouveau théâtre) ont créé un univers dans lequel l'objet (la chose) VOIT l'homme. Dans les pages qui suivent, nous soumettrons au lecteur d'autres exemples, plus détaillés, qui illustreront ce « phénomène nouveau » dans l'histoire de la connaissance.

Pour l'instant, on peut se demander s'il n'existe pas un « anthropomorphisme apparent » dans la pensée adulte contemporaine.

A. Robbe-Grillet s'oppose, lui, à la vision anthropomorphique de l'humanisme traditionnel, en voulant instaurer un monde des objets *autonomes,* un monde qui EST, tout simplement, comme EST le monde des hommes. Ainsi, il écrit dans « Pour un nouveau roman » :

> « Refuser notre prétendue *nature* et le vocabulaire qui en perpétue le mythe (le vocabulaire anthropomorphique prêtant aux choses une âme, analogiquement à l'âme humaine), poser les objets comme purement extérieurs et superficiels, ce n'est pas — comme on l'a dit — nier l'homme ; mais c'est repousser l'idée « pananthropique » contenue dans l'humanisme traditionnel, comme probablement dans tout humanisme » (p. 64). Ou encore :

> « L'humanisme proclame que l'homme est partout (omniprésence) [...]. Véritable pont d'âmes jeté entre l'homme et les choses, le regard de l'humanisme est avant tout le gage d'une solidarité » (p. 59).

Pourtant, N. Sarraute fait de l' « anthropomorphisme » quand elle écrit :

> « Il me semblait que pendant toute notre longue séparation, toute la sève (des quais) qui m'était destinée s'était amassée en eux. Ils étaient plus *lourds,* plus *mûrs* qu'autrefois, tout *gonflés* de leur sève inemployée [donc, pour que cette sève soit employée, il faut

qu'elle le soit POUR MOI]. Je sentais contre moi leur *ferme* et *chaud* contact, je m'appuyais à eux, *ils me protégeaient* (les quais, les choses), je me sentais près d'eux pareil à un fruit qui mûrit au soleil (donc pareil à une *chose* : le fruit), je devenais à mon tour *lourd, gonflé de sève,* tout bourdonnant de promesses, d'élans, d'appels » (Portrait d'un inconnu, p. 90).

Nos analyses ultérieures montreront que même chez Robbe-Grillet, c'est l'Objet qui VOIT l'homme-objet. Car, en effet, l'homme-objet, l'homme-devenu-objet dans nos civilisations industrielles, revêt le sens étymologique du mot « objet » : l'homme est une *chose placée devant* un autre homme, mieux : c'est une chose placée devant l'objet, doué ainsi de conscience. L'en-soi (l'homme-chose) est sous le « regard » du pour-soi (l'objet). Sartre se trouve ainsi interprété à rebours, en quelque sorte.

En effet, les personnages de Ionesco se démènent et s'empêtrent dans leur langage, et ne s'en sortent pas : leur délire verbal, c'est le destin tragique de leur solitude, masquée par les mots. Comme dans « La cantatrice chauve », ils tournent en rond et recommencent indéfiniment à jouer la même pièce. Les objets, quant à eux, évoluent, prolifèrent, les champignons poussent les uns après les autres — comme des bébés — dans « Amédée », le cadavre grandit petit à petit, et finit par occuper toute la place, il y a bientôt tant de chaises dans la pièce du même nom, que les deux vieux ne savent plus où se mettre, le « nouveau locataire » (dans la pièce du même nom) est littéralement assailli, noyé et bientôt englouti dans les objets qui l'entourent et l'étouffent, les rhinocéros sont partout dans « Rhinocéros » : l'homme se meurt, vive l'objet ! [1]

-----

(1) Notons ici qu'une des dernières pièces de Ionesco s'intitule : « Le roi se meurt ». Ne serait-ce pas plutôt l'homme tout simplement qui se mourait, au profit de l'objet ?

D'ailleurs, Ionesco le reconnaît implicitement lui-même dans le passage qui suit ; nous n'avons fait qu'essayer de dégager certaines structures sous-jacentes de sa pensée, en les comparant aux analyses de Sartre, afin de montrer comment aujourd'hui le problème se pose, en ce qui concerne les relations de l'homme et de l'objet. Nous nous sommes permis de souligner ou de mettre en lettres majuscules tout ce qui corroborait, dans ce texte extrait d'une causerie prononcée en 1958, aux Instituts français d'Italie, ce que nous venons d'examiner, à savoir que les hommes deviennent des « en-soi », identiques à eux-mêmes, partout et toujours — à compter du début de l'ère post-industrielle —, ils sont interchangeables. Nous pensons que c'est là que réside l'une des principales rénovations apportée par les auteurs du nouveau langage théâtral (et ceux du nouveau roman, pour ne parler que de ces deux expressions culturelles) : la place de plus en plus importante que prend l'objet dans les pièces de théâtre et dans nos sociétés industrielles, au détriment de la psychologie des personnages qui, de toute façon, échouent lamentablement — s'ils sont livrés à eux-mêmes, avec leur langage sclérosé — à communiquer au public ce qu'un éclairage, une musique de scène (on le verra surtout chez Beckett), un décor ou un accessoire approprié (ou un mot décortiqué), arrivent à faire percevoir, en faisant appel au « tact physiognomonique » du spectateur [1].

« Lorsque j'eus terminé ce travail [2], je m'imaginai avoir écrit quelque chose comme la TRAGÉDIE DU LANGAGE ! ... Le conformisme de mes personnages, c'est le *langage automatique* qui le révèle. Le texte de

---

(1) Se reporter à la définition que nous avons donnée du « tact physio-gnomonique », page 104, note 1.

(2) Il s'agissait de sa première pièce : « La cantatrice chauve », analysée plus loin dans ce chapitre, au point nᵒ VII.

la « Cantatrice Chauve », ou du manuel pour apprendre l'anglais (ou le russe, ou le portugais), composé d'expressions toutes faites, des clichés les plus éculés, me révélait, par cela-même, les *automatismes* du langage, du comportement des gens, de « parler pour ne rien dire », le parler parce qu'il n'y a rien à dire de personnel, l'absence de vie intérieure, la mécanique du quotidien, l'homme baignant dans son milieu social, ne s'en distinguant plus.

« Les Smith, les Martin [1], ne savent plus parler, parce qu'ils ne savent plus PENSER, ils ne savent plus penser parce qu'ils ne savent plus s'ÉMOUVOIR, n'ont plus de passions, ils ne savent plus ÊTRE, ils peuvent « devenir » n'importe qui, n'importe quoi, car, n'étant pas, ils ne sont QUE les autres, le monde de l'impersonnel, ils sont interchangeables : on peut mettre Martin à la place de Smith et vice-versa, on ne s'en apercevra pas. Le personnage *tragique* ne change pas, il se brise ; il est lui, il est réel. Les personnages comiques, ce sont les gens qui n'existent pas ». (op. cit.)

Puisque nous avons pris comme démarche d'analyse de dégager au fur et à mesure de cette première partie, les structures communes au théâtre du nouveau langage et au nouveau roman, dans ce qu'elles participent du même phénomène social d'ensemble, nous nous permettrons de citer « in extenso » un long passage — que nous considérons non seulement comme étant fondamental, mais encore comme résumant presque à lui seul toutes les recherches expérimentales des auteurs du nouveau roman — de l'œuvre de Robbe-Grillet : « Le Voyeur ». Et nous essayerons, en analysant ce

---

(1) Les personnages de « La cantatrice chauve ».

texte, de montrer pourquoi nous nous opposons à l'affirmation de Martin ESSLIN, qui disait que « ce qui fait en définitive la supériorité du nouveau théâtre sur le nouveau roman, c'est que le renouvellement de la forme n'y est jamais l'objet d'un culte autonome » (préface du « Théâtre de l'Absurde »).

Mais auparavant, pour « préparer », en quelque sorte, l'analyse de ce texte extrait du « *Voyeur* », nous examinerons assez rapidement d'autres textes de cet auteur.

V. — ROBBE-GRILLET, ou L'OBSESSION DU DÉCOMPTE.

> « Dans « La Jalousie » (de Robbe-Grillet), c'est la STRUCTURE qui domine toute autre considération. La difficulté réside dans le fait que ce concept de structure prolifère en quelque sorte à la lecture et empiète sur d'autres domaines dont il se révèle inséparable : l'intrigue et sa « chronologie », la succession des scènes, les répétitions et les variantes, l'emploi des thèmes formels, le rôle des objets et ainsi de suite. »
>
> Bruce Morrissette : « Les romans de Robbe-Grillet », p. 113.

Cette citation de Morrissette sur « La jalousie » est, en vérité, applicable à toute l'œuvre de Robbe-Grillet, dominée par un primordial souci de structure, c'est-à-dire où les descriptions enchevêtrées les unes dans les autres restent malgré tout « structurées ».

Nous aimerions nous excuser à nouveau de la longueur des passages cités, mais, on le comprendra mieux après leur lecture, les réduire aurait été les mutiler : c'est le contexte entier qu'il faut saisir, dans sa structure d'ensemble et sa complexité.

Nous retrouvons cette véritable obsession du « décompte » (« Rien n'est plus fantastique, en définitive, que la *précision* », écrit-il dans « Pour un nouveau roman », p. 179) dans tous ses ouvrages. Un exemple entre cent : les 24 premières pages de « Dans le labyrinthe » [1] consistent à décrire avec une extrême minutie la neige, des rues rectilignes se coupant à angles *droits* (c'est le labyrinthe kafkaïen),

---

(1) « *Dans Le labyrinthe*, plus que tout autre roman de Robbe-Grillet, est une œuvre qui se crée en cours d'écriture (...) elle est elle-même création : le roman se fait devant nous ». (B. MORRISSETTE, op. cit., p. 180).

des réverbères, le marbre d'une cheminée, le papier peint
sur les murs, une commode, un tableau, le plancher, la
fissure dans le plâtre du plafond, les marques de poussière,
une mouche évoluant au plafond (et son ombre), une lampe
et son abat-jour (et leurs ombres), de lourds rideaux rongés
par les mites, un poignard-baïonnette, un cendrier de verre,
le visage d'un soldat, ses traits, sa barbe de plusieurs jours,
ses paupières grises, sa capote, ses chaussures, ses molle-
tières, le paquet enveloppé de papier brun qu'il porte sous le
bras (gauche, précise l'auteur !), la couleur du ciel, de la
neige, etc., etc.

Puis il décrit longuement (six pages de texte) le tableau
de peinture, pour y revenir souvent par la suite : c'est l'un
des leitmotive du livre : il faut vraiment y regarder plus
d'une fois pour se rendre compte que tel mot a été remplacé
par tel autre — un synonyme, le plus souvent — ou qu'une
virgule a changé de place dans une phrase, etc.

Citons quelques exemples de « description » minutieuse,
quasi obsessionnelle :

> « La neige a cessé de tomber. La couche sur le sol
> n'est guère plus épaisse, peut-être un peu plus tassée
> seulement. Et les chemins jaunâtres, que les piétons
> pressés ont dessinés tout au long des trottoirs, sont
> les mêmes. Autour de ces étroits passages, la surface
> blanche est presque partout restée vierge ; de menues
> altérations se sont néanmoins produites çà et là, telle
> la zone arrondie que les grosses chaussures du soldat
> ont piétinée, contre le réverbère » (op. cit., p. 41).

Pour l'obsession du « décompte » :

> « De la commode à la table, il y a six pas : trois pas
> jusqu'à la cheminée et trois autres ensuite. Il y a cinq

pas de la table au coin du lit ; quatre pas du lit à la commode. Le chemin qui va de la commode à la table n'est pas tout à fait rectiligne : il s'incurve légèrement pour passer plus près de la cheminée. Au-dessus de la cheminée, il y a une glace, une grande glace rectangulaire fixée au mur. Le pied du lit est situé juste en face » (p. 59).[1]

Répétition de la même phrase, à quelques variantes près : « Au-dessus de la cheminée, une grande glace rectangulaire est fixée au mur » (p. 66).

Et ce n'est qu'un exemple, choisi au hasard, parmi une infinité d'exemples de même nature, qui fourmillent dans chacun de ses ouvrages [2]. Signalons pour ceux qui n'ont

---

(1) Comme l'écrit à cet égard B. Morrissette, « l'univers formel de Robbe-Grillet est [. . .] un monde où les objets se répondent *non à la manière de symboles baudelairiens* [. . .] mais comme des formes RÉELLES ou POSSIBLES de l'objectivité [. . .], formes dont les rapports surtout géométriques, reçoivent un *contenu psychique* émanant des *personnages ou du lecteur lui-même.* C'est [. . .] une sorte de système phénoménologique « assisté » (op. cit., p. 178) [c'est nous qui soulignons]. Pour une interprétation psychanalytique de l'œuvre de Robbe-Grillet, cf. « Le discours de l'obsessionnel dans les romans de Robbe-Grillet », par Didier Anzieu, in *Les Temps Modernes,* oct. 1965, No 233, pp. 608-637.

(2) Cependant, il est bon de noter avec B. Morrissette que, à propos de « La jalousie », par exemple, « la succession des scènes dans l'esprit du narrateur n'est ambiguë que superficiellement ; si lui-même ne se rend pas compte de la *nécessité* qui relie les scènes qu'il subit, il obéit cependant, en les accueillant en tel ou tel *ordre,* à des *règles* psychologiques implicites, mais nettes » (op. cit., p. 125-126 ; c'est nous qui soulignons).
Conclusion : Il n'y a ambiguïté (apparente) que parce qu'on ne connaît pas les RÈGLES qui sont à la base des combinaisons finies de la structure. Nous rejoignons ici un des thèmes fondamentaux du structuralisme lévi-straussien. Nous nous permettons de renvoyer le lecteur au deuxième Tome de cet ouvrage, deuxième Partie, chapitre V, point 3 : « De l'art permutationnel à Lévi-Strauss ».

pas lu « Dans le labyrinthe », qu'il ne s'agit nullement ici d'une histoire policière, où le fait de compter le nombre de pas séparant un élément d'un autre pourrait avoir son importance, pour l'éclaircissement d'une intrigue criminelle, par exemple. Non, Robbe-Grillet décrit « gratuitement », sans motivation (apparente) aucune. Chez lui, c'est avant tout un problème d'*écriture, de forme stylistique,* presque d'arrangement syntaxique. [1]

Mais comme l'a fait remarquer B. Morrissette, ce souci de « structure » des FORMES est inséparable du roman lui-même, pris dans son ensemble (l'histoire racontée n'est plus que l'histoire des structures syntaxiques du livre, à la limite, et ce que cela recouvre, c'est-à-dire le système sous-jacent au « procès », au vécu de l'ouvrage).

D'ailleurs, Robbe-Grillet le dit très clairement :

> « Il n'y a pas, pour un écrivain, deux manières possibles d'écrire un même livre. Quand il pense à un roman futur, c'est toujours une *écriture* qui d'abord lui occupe l'esprit, et réclame sa main. Il a en tête des *mouvements de phrases,* des *architectures,* un

---

Pour en revenir à B. Morrissette, ce dernier estime que « dans toute l'histoire de la littérature romanesque, « La jalousie » est sans doute l'ouvrage qui contient le plus de répétitions de scènes, ou d'éléments de scènes. Mais Robbe-Grillet les a ménagées avec un si grand art, qu'elles ne perdent jamais leur pouvoir. Elles évoluent, se transforment, s'étoffent ou s'amenuisent au rythme des *nécessités intérieures du narrateur.* Sans ces répétitions, le roman ne saurait exister : c'est en elles, et PAR ELLES, que l'ouvrage trouve son tempo et sa forme ». (op. cit., p. 140).

(1) Dans le dernier film de Robbe-Grillet, « Eden et après » (1970), et dans son dernier livre notamment, « Projet d'une révolution à New York » (Minuit, 1970), on observe encore plus cette volonté soutenue de mettre à bas un discours jugé fossilisé, pour rechercher un nouveau type de discours — cinématographique ou romanesque —, qui soit mobile, multiple, fluide, aléatoire, insaisissable par les canons habituels de décryptage d'une œuvre.

vocabulaire, des constructions grammaticales, exactement comme un peintre a en tête des lignes et des couleurs ». (« Pour un nouveau roman », p. 49).

Et, plus loin, dans sa tentative d'explication du phénomène artistique nouveau, il écrit :

> « L'art n'est pas une enveloppe aux couleurs plus ou moins brillantes, chargée d'ornementer le « message » de l'auteur, un papier doré autour d'un paquet de biscuits, un enduit sur un mur, une sauce qui fait passer le poisson. L'art n'obéit à aucune servitude de ce genre, ni d'ailleurs à *aucune* autre fonction préétablie. Il ne s'appuie sur aucune vérité qui existerait avant lui ; et l'on peut dire qu'il n'exprime rien que lui-même. Il crée lui-même son propre équilibre et pour lui-même son propre sens. Il tient debout tout seul... ou bien il tombe ». (p. 51).

On a vu que Ionesco, lui aussi, oppose un net refus à voir juger une œuvre d'art (une pièce, un roman, une peinture), d'après des critères autres que ceux qui ont permis l'élaboration de l'œuvre elle-même : c'est-à-dire que pour ces auteurs, une œuvre ne peut être jugée que par le « dedans », d'après ses structures propres. Il faut pénétrer dans l'univers (syntaxique) de l'œuvre pour émettre tout jugement, quel qu'il soit. Toute opinion formulée du « dehors » du monde intrinsèque à l'œuvre (dans ses constructions grammaticales — il faudrait plutôt dire disconstructions, en ce qui concerne Ionesco — et ses arrangements structuraux) serait ainsi automatiquement en porte à faux avec l'œuvre elle-même.

Pour en revenir à Robbe-Grillet,

> « Des objets partiels ou détachés de leur usage, des instants immobilisés, des paroles séparées de leur con-

texte, ou bien des conversations entremêlées, tout ce qui sonne un peu faux, tout ce qui manque de naturel, c'est *précisément* cela qui rend à l'oreille du romancier le son le plus juste. S'agit-il de ce qu'on nomme l'absurde ? Certainement pas [...]. Cela EST, et c'est tout » (op. cit., p. 178) [1].

Ailleurs encore :

« On était en droit d'espérer que l'homme et les choses allaient être décrassés de leur « romantisme systématique », pour reprendre ce terme cher à Lukacs, et qu'enfin ils pourraient être seulement ce qu'ils SONT. La réalité ne serait plus sans cesse située ailleurs, mais ICI ET MAINTENANT, sans ambiguïté. Le monde ne trouverait plus sa justification dans un sens caché, quel qu'il soit, son existence ne résiderait plus que dans sa présence *concrète, solide, matérielle* ; au-delà de ce que nous VOYONS [2], il n'y aurait désormais plus rien ». (op. cit., p. 44).

Exemple : décrivant une façade d'une des rues rectilignes dans « Dans le labyrinthe », il écrit :

« Quatre fenêtres identiques, suivies d'une porte à peine différente, puis quatre fenêtres encore, une porte, une fenêtre, une fenêtre, une fenêtre, une fenêtre, une porte, une fenêtre, une fenêtre, de plus en plus vite à mesure qu'il prend de la distance... » (p. 107-108).

Cette « obsession » de la description systématique, on la retrouve encore au moment où le personnage du roman agonise : il va incessamment mourir, mais Robbe-Grillet le fait

---

(1) **Il** ne serait pas inutile non plus de rapprocher ce texte des films de Godard, et tout particulièrement : « Masculin-Féminin ».
(2) **De ce que** nous percevons par nos SENS, ajoutons-nous.

(jusqu'au bout) décrire ce qu'il voit (mais est-ce *lui* qui voit, ou les objets qui l'entourent, plus présents que le moribond ?)

> « Il ne peut plus que regarder droit devant soi, le pied de la table, dont la toile cirée a été enlevée, le pied de la table à présent visible jusqu'en haut : il se termine par une boule surmontée d'un cube, ou plutôt d'un parallélépipède presque cubique, de section horizontale carrée, mais un peu plus grand dans le sens de la hauteur ; la face verticale qu'il présente est ornée d'un dessin, sculpté en creux dans le bois, à l'intérieur d'un . . . etc. etc. » (p. 210).

Comme l'écrit l'auteur dans son avertissement au début du livre,

> « Ce récit [. . .] décrit une réalité qui n'est pas forcément celle dont le lecteur a fait lui-même l'expérience [. . .]. Il s'agit pourtant ici d'une réalité strictement *matérielle*, c'est-à-dire qu'elle ne prétend à aucune valeur allégorique. Le lecteur est donc invité à n'y voir que les *choses, gestes, paroles, événements,* qui lui sont rapportés, sans chercher à leur donner ni plus ni moins de signification que dans sa propre vie, ou sa propre mort ». (op. cit., p. 7).

Si, d'autre part, on pense que pour Robbe-Grillet, « la fonction de l'art n'est jamais d'illustrer une vérité — ou même une interrogation — connue à l'avance, mais de mettre au monde des interrogations [1] (et aussi, peut-être, à terme, des réponses) qui ne se connaissent pas encore elles-mêmes »

(Pour un nouveau roman, p. 14),

et que : « Le roman n'est pas conçu en vue d'un travail défini à l'avance : il ne sert pas à *exposer*, à traduire,

---

(1) Comme ce sera le cas pour Beckett.

> des choses existant AVANT lui, EN DEHORS de
> lui : il n'exprime pas, il recherche, et ce qu'il recher-
> che, c'est lui-même » (op. cit., p. 174),

alors on ne peut que souscrire à ce que dit, de son côté,
Roland Barthes :

> « Ce n'est pas *répondre* qui est difficile, c'est ques-
> tionner, c'est parler en questionnant et répondre en
> se taisant [1]. De ce point de vue, la « technique »
> de Robbe-Grillet a été, à un certain moment, radi-
> cale : lorsque l'auteur pensait qu'il était possible de
> « tuer » directement le SENS, de façon que l'œuvre
> ne laissât filtrer que l'étonnement fondamental qui la
> constitue (car écrire, ce n'est pas affirmer, c'est
> s'ÉTONNER) [...]. Si la « nature » est signifiante,
> un certain comble de la « culture » peut être de la
> faire « dé-signifier ». D'où, en toute rigueur, ces des-
> criptions mates d'objets, ces anecdotes récitées, « en
> surface », ces personnages sans confidence, qui font,
> selon du moins une certaine lecture, le style, ou si
> l'on préfère, le choix de Robbe-Grillet ».

> (Préface aux « Romans de Robbe-Grillet », de Bruce
> MORRISSETTE, p. 14-15).

Passons à présent, à une analyse — plus en profondeur —
d'un texte central du « VOYEUR », de Robbe-Grillet.

> « La scène est éclairée par une lampe à pétrole, placée
> au milieu de la longue table en bois brun-noir. Il y
> a en outre, posée sur celle-ci, entre la lampe et la
> fenêtre, deux assiettes blanches l'une à côté de l'autre

---

[1] Cf. Lévi-Strauss : « Le savant n'est pas l'homme qui fournit les
vraies réponses : c'est celui qui pose les vraies questions » (*Le cru
et le cuit*, p. 15).

— se touchant — et une bouteille d'un litre, non débouchée, dont le verre de teinte très foncée ne laisse pas deviner la couleur du liquide qui l'emplit. Tout le reste de la table est libre, marqué seulement de quelques ombres : celle immense et déformée de la bouteille, un croissant d'ombre soulignant l'assiette la plus proche de la fenêtre, une large tache entourant le pied de la lampe. Derrière la table, dans le coin droit de la pièce (le plus éloigné), le gros fourneau de cuisine adossé au mur du fond ne signale sa présence que par une lueur orange, filtrant du tiroir à cendre entrouvert. Deux personnages sont debout face à face : Jean Robin — qui s'appelle Pierre — et, beaucoup plus petite, la très jeune femme sans identité. Tous les deux sont de l'autre côté de la table (par rapport à la fenêtre), lui à gauche — c'est-à-dire devant la fenêtre — elle à l'extrémité opposée de la table, près du fourneau. Entre eux et la table — occupant toute la longueur de celle-ci, mais dérobée par elle aux regards — il y a le banc. L'ensemble de la salle est ainsi découpé en un réseau d'éléments parallèles : le mur du fond, d'abord, contre lequel se trouvent, à droite, le fourneau, puis des caisses, et à gauche dans la pénombre, un meuble plus important ; en second lieu, à une distance imprécisable de ce mur, la ligne déterminée par l'homme et la femme ; viennent ensuite, en progressant toujours vers l'avant : le banc invisible, le grand axe de la table rectangulaire — qui passe par la lampe à pétrole et la bouteille opaque — enfin le plan de la fenêtre. En recoupant ce sytème au moyen de perpendiculaires, on rencontre, alignés d'avant en arrière : le montant central de la fenêtre, l'ombre en croissant de la deuxième assiette, la bouteille, l'homme (Jean Robin, ou Pierre), une caisse posée sur le sol dans le sens de la hauteur ; puis, à un mètre sur la droite, la lampe à pétrole allumée ; un mètre plus loin encore, environ : le bout de la table, la très jeune femme sans identité, le flanc gauche du fourneau. Deux mètres — ou un peu plus — séparent donc l'homme de la femme. Elle lève sur lui son visage peureux.

À ce moment, l'homme ouvre la bouche en remuant les lèvres, comme s'il parlait, mais aucun son n'arrive à l'oreille de l'observateur, derrière sa vitre carrée. La fenêtre est trop bien close ; ou le bruit de fond n'est pas assez discret, que produit la mer en déferlant et frappant les roches, à l'entrée de la crique. L'homme n'articule pas ses mots avec une vigueur suffisante pour que l'on puisse compter le nombre de syllabes émises. Il a parlé, avec lenteur, pendant une dizaine de secondes — ce qui doit représenter une trentaine de syllabes, moins peut-être. En réponse, la jeune femme crie ensuite quelque chose — quatre ou cinq syllabes — à pleine voix, semble-t-il. Rien, cette fois non plus, ne traverse la croisée. Puis elle fait un pas en avant, vers l'homme, et s'appuie d'une main (la gauche) au bord de la table [...].

Sont alignés sur une même oblique : la grande main, la tête blonde, la lampe à pétrole, le bord de la première assiette (du côté droit), le montant gauche de la fenêtre. La lampe est en cuivre jaune et verre incolore. Sur son socle carré s'élève une tige cylindrique à cannelures, supportant le réservoir — demisphère à convexité dirigée vers le bas. Ce réservoir est à moitié plein d'un liquide brunâtre, qui ne ressemble guère au pétrole du commerce. À sa partie supérieure se trouve une collerette en métal découpé,

haute de deux doigts, où s'engage le verre — simple
tube sans renflement, légèrement élargi à la base.
C'est cette collerette ajourée, vivement éclairée de
l'intérieur, que l'on distingue le mieux, dans toute la
pièce. Elle est constituée par deux séries superposées
de cercles égaux accolés entre eux — d'anneaux, plus
exactement, puisqu'ils sont évidés — chaque anneau
de la rangée supérieure se situant au-dessus d'un
anneau de la rangée inférieure, auquel il est également soudé sur trois ou quatre millimètres. La flam-
me elle-même, née d'une mèche circulaire, apparaît de
profil sous la forme d'un triangle largement échancré
au sommet, qui présente ainsi deux pointes au lieu
d'une seule. L'une de ces pointes est beaucoup plus
haute que l'autre, et plus effilée ; elles sont jointes
entre elles par une courbe concave — deux branches
ascendantes, dissymétriques, de part et d'autre d'une
dépression arrondie ». (Pages 223-226).

Il existe trois passages importants dans ce texte. Le
premier, correspondant au premier paragraphe (jusqu'à
« elle lève sur lui son visage peureux »), montre le souci de
l'auteur de décrire des objets, et non seulement des objets
usuels : table, verre, bouteille, banc, fourneau, tiroir, lampe
à pétrole, assiettes, etc., mais aussi les ombres que produisent
tous ces objets, la façon dont elle sont disposées et leur
enchevêtrement avec d'autres objets.

En fait, au bout de quelques lignes, le lecteur non
averti peut se demander s'il ne s'agit pas ici de la manière
dont un obsessionnel voit les choses : car, en effet, ce livre
eut été *isolé*, c'est-à-dire ne participant pas d'un mouvement
culturel plus large, incluant cinéma, théâtre, littérature, peinture, sculpture, on eut certainement taxé l'auteur d'obsession
au plus haut degré. Il y a une telle minutie dans les détails

des objets décrits, les plus infimes soient-ils, qu'à première vue, on se demande si on n'a pas affaire à un malade mental.

Mais en y regardant de plus près, en comparant et en établissant des parallélismes avec les autres modes d'expression socio-culturels (dont le nouveau langage théâtral), on se rend vite compte qu'il s'insère dans le contexte de nos sociétés industrielles, et qu'il s'inscrit du même coup dans ce mouvement plus large et généralisé que nous avons appelé : *l'impérialisme de l'objet.*

Le passage cité précédemment — que certains peuvent trouver superficiellement comme étant « obsessionnel », au sens clinique du terme — ne fait que recouvrir et refléter un phénomène social, celui d'une époque industrialisée, où l'homme se trouve broyé par les griffes du machinisme, d'une part, et réduit à une fonction de simple objet, d'autre part (objet, pour l'exploitant — son patron — , objet producteur, inscrit dans un cycle de productions et de consommations, au même titre qu'une machine-robot produisant en fonctionnant et consommant quand elle est entretenue, huilée, nettoyée, etc.).

Quand l'auteur nous décrit les personnages humains dans ce premier paragraphe, c'est pour nous dire qu'il s'appelle Jean Robin, c'est-à-dire : Pierre, et qu'elle est sans identité. On ne peut mieux montrer la chosification de l'homme : Jean Robin veut dire Pierre, elle pourrait être remplacée à tout moment par une autre personne (un objet ?), n'importe qui, sans même qu'on s'en aperçoive, puisqu'elle est sans identité aucune, interchangeable ; c'est du Ionesco, quand il dit que tous les Smith et tous les Martin du monde, dans « La cantatrice chauve », sont interchangeables, car sans aucune identité propre ; ils sont dépersonnalisés, dépossédés, tandis que les objets, les « choses » prennent petit à petit leur place et s'installent en maîtres absolus, asservissant à leur tour les hommes, ces mêmes hommes qui avaient pensé un jour les dominer et en faire leurs esclaves, leurs « choses », à tout jamais.

Comment Robbe-Grillet les décrit-il, ces deux personnages sans identité, anonymes, interchangeables ? Ils sont « tous les deux de l'autre côté de la table, lui à gauche — c'est-à-dire devant la fenêtre — elle à l'extrémité opposée de la table, près du fourneau ».

Ils n'existent donc que par rapport aux objets qui les entourent, qui en sont les points de repère ; sans ces objets, il semble impossible de les situer, de dire où ils sont, ce qu'il font. D'ailleurs, à aucun moment, l'auteur ne s'intéresse à ce qu'ils « éprouvent », à ce qu'ils « ressentent » : ils sont là, on les décrit de l'extérieur, comme on peut les voir, *comme les objets les voient.* Encore une fois, les hommes deviennent des « en-soi », ils sont là, au même titre que la racine du marronnier de « La Nausée », de Sartre.

Par contre, si « pour-soi » il y a dans cet univers aux valeurs nouvelles, ce sont les *objets* qui se l'approprient, ce sont les objets qui sont, en définitive, les vrais VOYEURS du livre de Robbe-Grillet. Ce sont eux qui *voient* les hommes, les jugent, les condamnent et l'enfer, ce sont ces objets-voyeurs.

Les hommes sont ainsi paralysés par ces regards d'objets, à qui on prête, de la sorte, des « intentions maléfiques » [1].

---

(1) Une comparaison intéressante à faire : certaines sociétés primitives, décrites par les ethnologues et sociologues (Lévy-Brühl, Lévi-Strauss, Mauss, Margaret Mead) sont basées sur des structures analogues de « vision du monde ».
Pour ne prendre qu'un exemple (celui du « mot-objet »), Lévy-Brühl nous parle dans « L'expérience mystique et les symboles chez les primitifs » (Alcan, 1938), du rite de « purification », chez certaines peuplades primitives, où il y a symbolisation cathartique par

Enfin, pour en finir avec ce premier paragraphe, constatons que l'auteur place les personnages humains à la suite des objets, sur une ligne imaginaire et virtuelle, les rendant ainsi analogues aux objets, sans leur reconnaître aucune spécificité particulière :

> « le mur du fond, contre lequel se trouvent, à droite, le fourneau, etc. et la ligne déterminée par l'homme et la femme ; viennent ensuite le banc invisible, etc. ».

Ainsi, les hommes sont compris, inclus, enserrés, comptés dans le monde des objets, duquel ils ne peuvent s'échapper : si on devait additionner les éléments décrits ici par Robbe-Grillet, il y aurait le fourneau et le mur du fond, deux éléments, l'homme et la femme, ce qui fait quatre éléments, le banc et l'axe de la table, ce qui fait six éléments, etc. Les hommes sont « comptés » comme des objets, répertoriés *à la suite* d'autres objets, ils sont dans l'*axe* des objets, compris

---

le lavage ou l'extraction : il existe des plantes qui font vomir, et du même coup, la souillure est elle-même vomie.

De la même façon, la « confession » chez ces primitifs représente un « symbolisme du mot » : on expulse le mot souillé comme on expulserait un objet, — et voilà de nouveau le mot-objet mis en relief — par la « confession » au sorcier, confession qui, on s'en doute, n'a rien à voir ici avec la morale. C'est plutôt une « magie » : l'individu se purifie, se purge de ses souillures, en extrayant de sa bouche le mot-objet, comme il en extrairait une dent cariée, ce mot-objet étant considéré comme une infraction à certain rituel ou certain tabou (et non comme une infraction à quelque faute morale).

Ce processus est très intéressant à mettre en rapport avec nos analyses sur le phénomène théâtral de « mot-objet » : chez Ionesco, on se lance des voyelles et consonnes-objets à la figure, chez les primitifs, on se « purifie » par l'extraction quasi-physique du mot-objet, violateur d'un tabou. Nous reviendrons sur cette idée dans notre chapitre sur le happening (tome deuxième).

entre des objets : CE SONT DES OBJETS PARMI D'AU
TRES [1].

Le deuxième paragraphe (« À ce moment, l'homme
ouvre la bouche ... » jusqu'à « ... et s'appuie d'une main
— la gauche — au bord de la table ») est plus court ; c'est
le thème de l'incommunicabilité des hommes entre eux. La
vitre derrière laquelle se trouve l'observateur est une métaphore : ce que l'auteur veut montrer ici, nous semble-t-il,
c'est que la parole est incapable (comme chez Ionesco)
d'assurer des « échanges véritables » entre les êtres humains.

L'homme remue les lèvres, *comme s'il parlait*, mais aucun
son ne sort de sa bouche. Deux solitudes, se faisant face :
deux objets, une table et une chaise, se faisant face. C'est
du pareil au même. Tout ce qui reste à faire, tout ce qu'on
peut faire, c'est de compter les syllabes que l'homme a voulu
articuler en l'espace de dix secondes. Peut-être trente syllabes, peut-être moins ... Et par là, Robbe-Grillet rejoint
Beckett :

« Le silence, un mot sur le silence, sous le silence, c'est
le pire : parler du silence, puis m'y enfoncer », écrit Beckett
dans « L'innommable ». Et sur la scène de « O les beaux
jours », Winnie s'enfonce effectivement dans la terre, on

---

(1) La revue américaine « TIME » a très bien perçu ce phénomène ;
dans son numéro du 13 octobre 1958, on pouvait lire que
    « Robbe-Grillet se moquait des personnages et de l'intrigue,
    aussi bien que des émotions humaines, et qu'il finirait probablement par écrire « un roman sur une chambre meublée,
    contant l'idylle du fauteuil avec le divan ».
    (cité par B. Morrissette dans : « Les Romans de Robbe-
    Grillet », page 39, note 2).
Le critique de la revue « Time » ne savait pas si bien dire, car
les « objets-voyeurs » du « Voyeur » sont capables d'entretenir,
sinon une « idylle » avec d'autres objets-voyeurs, du moins des
« relations » avec les hommes-objets, comptés avec eux, éléments
parmi d'autres éléments dans l'axe de la table.

voyait encore son torse au premier acte ; au second, on ne voit plus que sa tête. Et dans « Comédie » (toujours de Beckett), dès le départ, les trois personnages sont dans des cruches immenses, on n'aperçoit que leur tête, et chaque bouche émet des borborygmes incompréhensibles, à tour de rôle, la tête éclairée par un projecteur, pendant que les deux autres cruches, ainsi que leur contenu, sont dans le noir. On fait semblant de parler, comme dans ce passage du « Voyeur », et on ne dit rien, pire, on n'entend rien, on n'articule même pas, « aucun son n'arrive à l'oreille », dit Robbe-Grillet.

Enfin, dans le troisième paragraphe (à partir de « Sont alignés sur une même oblique » jusqu'à la fin), l'auteur décrit le retour des deux personnages dans le monde des objets : ils ont tenté d'opérer une « sortie », ils ont essayé d'établir une communication, hors du monde des objets. Cela n'a pas duré longtemps : on ne pouvait même pas compter le nombre des syllabes émises par l'homme, tant il articulait mal ! Très vite, ils abandonnent (ont-ils seulement *vraiment* tenté quelque chose ?), et reviennent en vitesse se fondre (se confondre) dans la moiteur des objets, et cela recommence, comme au début, avec même plus de force :

> « Sont alignés sur une même oblique : la grande main (de l'homme), la tête blonde (de la femme), la lampe à pétrole, le bord de la première assiette, » etc.

Trois moments, un cycle : l'homme-dans-l'objet, l'homme qui risque une « sortie », l'homme qui revient bredouille : l'homme-objet. La boucle est bouclée. Ces trois moments et ce cycle se retrouvent dans toutes les pièces de Beckett, et dans les premières pièces de Ionesco : il ne s'agit pas d'une description minutieuse d'un obsessionnel, il s'agit d'un *phéno-*

mène social d'époque. Comme le dit J. DOUBROVSKY [1], parlant des pièces de Ionesco,

« C'est le triomphe véritable de l'objet sur le sujet ». Et il n'est pas jusqu'à Jung qui ne reconnaisse en cela un phénomène d'époque [2] : parlant de l' « Ulysse », de James JOYCE (qui possède des accointances structurales certaines avec « Le voyeur » de Robbe-Grillet), il écrit :

« Le tableau clinique de la *schizophrénie* n'en est qu'une simple analogie, parce que la schizophrénie semble avoir la même tendance à s'aliéner le réel ou — ce qui revient au même — à lui devenir étranger. Chez l'artiste moderne, ce n'est pas une *maladie individuelle* qui est à l'origine de cette tendance, il s'agit d'un *phénomène d'époque* » (Problèmes de l'âme moderne, p. 418).

---

(1) J. DOUBROVSKY : « Ionesco and the comic of absurdity » (Ionesco et le comique de l'absurde), Yale French Studies, nᵒ 23. Signalons ici que dans cette étude, Doubrovsky trouve trois types de comique chez Ionesco : le comique de *circularité* (les destinées, comme les personnalités, sont interchangeables), le comique de la *prolifération* (domination des sujets par les objets), et le comique inhérent au *langage* (délire systématique des mots). Cf. les p. 3-10 de cette étude.

(2) Et de son côté, Roland BARTHES écrit :
« Considérée dans son développement et dans son avenir (qu'on ne saurait lui assigner), l'œuvre de Robbe-Grillet devient alors l'*épreuve du sens v*écu par une *certaine société,* et l'histoire de cette œuvre sera à sa manière l'histoire de cette société ».
(Préface aux « Romans de Robbe-Grillet », de B. Morrissette, p. 15).

VI. — LA THÉMATIQUE DE IONESCO : DU LANGAGE OSSIFIÉ AU NOUVEAU LANGAGE.

> « S'il n'y a pas crise, il y a stagnation, pétrifica-
> tion, mort. Toute pensée, tout art est agressif.
> Tout est nouveau langage, tout exprime bien une
> volonté de renouvellement, et d'un renouvelle-
> ment très réel ».
>
> (Ionesco)

> « Un théâtre vraiment populaire est d'abord un
> *théâtre visuel* ».
> (M. Descotes : « Le public de théâtre et son
> histoire », p. 16).

Un langage ossifié, ou le squelette du langage : c'est l'impression générale que les spectateurs (ou les lecteurs, en l'occurrence, mais cela est plus difficile, car le théâtre de Ionesco est avant tout *visuel* [1]), gardent, après avoir assisté à l'une de ses pièces. Un langage réduit à ses plus simples éléments, un langage décomposé en ses structures originelles. Comment Ionesco écrit-il ses pièces ? Quel est son procédé de base ? Il nous répond lui-même, encore une fois (et qui, mieux que lui, pourrait y répondre, sans déformer quelque peu sa pensée ?), en faisant appel à la peinture de Gérard Schneider :

> « La peinture de Schneider est ainsi d'une objectivité
> absolue, universelle, elle échappe à l'historicité, car
> elle est l'histoire elle-même dans sa monumentale
> orchestration. L'art de Schneider est à la fois le moi
> qui se regarde et le moi qui est regardé. L'art de
> Schneider est une exploration, une prise de conscience
> à mesure même qu'il explore. Sa peinture est à la

---

[1] Nous disons « visuel », au sens où Diderot, parlant des toiles de Joseph Vernet, disait : « Il est impossible de rendre ses composi-tions : il faut les VOIR ».

fois contradictoirement ORDRE et CHAOS, elle va de l'un à l'autre. Pour moi, analogiquement, c'est à peu près de la même façon que je tente spontanément de procéder pour construire une pièce de théâtre ». (Extrait de la revue « Le XXᵉ siècle », janvier 61).

Quelles sont, à présent, les idées-clefs de Ionesco ? Quelle est la structure de base, que nous retrouvons dans toutes ses pièces ? Autrement dit, quelles sont ses grandes préoccupations, ses intentions profondes ? (On n'ose dire : « ses obsessions », de peur de voir donner à ce terme, si souvent malmené, une interprétation par trop clinique). Ionesco répond à cela dans ses « Notes et contre-notes » :

> « J'ai toujours eu l'impression d'une impossibilité de communiquer, d'un isolement : j'écris pour lutter contre cet encerclement. Le plus souvent, mes personnages disent des choses très plates parce que la banalité est le symptôme de la non-communication. Derrière les clichés, l'homme se cache » (op. cit., p. 204).

Il faut entendre ici le terme « banalité » dans le sens que lui donnait André MALRAUX dans « L'Espoir », quand il disait :

> « Le pittoresque est dérisoire, et rien n'est plus tragique que le *banal*, que ces milliers d'existences humaines semblables à toutes les autres » (op. cit., p. 251).

Là aussi, nous avons l'idée très actuelle d'interchangeabilité : un homme en vaut un autre, de la même façon que deux objets identiques *valent* le même prix.

Robert Kanters (critique dramatique à « L'Express ») constatait à juste raison, pensons-nous, qu'il y avait deux langages de théâtre chez Ionesco : les mots, qui sont les phrases toutes faites, des choses simples, et quelque chose de très extraordinaire, au bord du fantastique ou même tout à fait fantastique. Et en effet, c'est comme s'il y avait chez Ionesco, une réalité fondamentale qui ne peut s'exprimer que dans le langage parlé, qui coexiste avec le texte, ou le désarticule.

Le problème consiste maintenant à « communiquer » aux spectateurs cette idée de l'impossibilité de communication réelle entre les êtres, idée qu'on peut considérer comme étant la plaque tournante autour de laquelle tout artiste (peintre, romancier, poète ou dramaturge) évolue, en sourdine ou en plein jour (suivant les cas), dans cette seconde moitié du siècle.

En d'autres termes, c'est l'idée maîtresse qui découle de la civilisation industrielle, ou de la civilisation de l'objet [1]. Et les structures du langage se sont transformées, en même temps que les structures de la société industrielle moderne, comme le dit Jean-Pierre FAYE, à propos de sa pièce « Hommes et pierres » :

> « Le langage bouge, se déplace, en même temps que les personnages » [2].

---

[1] Bien sûr, le problème de l'incommunicabilité des êtres entre eux ne date pas d'aujourd'hui, c'est une idée vieille comme le monde. Mais elle a pris, avec la naissance et le développement des sociétés industrielles, un regain d'actualité, un aspect neuf et original qu'on ne trouve pas, avant cette date, à savoir : l'incommunication est aujourd'hui traduite sur scène (et dans le nouveau roman) par l'écran entreposé entre les hommes et les objets, et ce sont les objets (et non plus l'idée ancienne d'une quelconque « nature » humaine), par leur présence hallucinatoire et proliférante, qui empêchent le véritable échange.

[2] Notons au passage le titre, très significatif, de la pièce « Hommes et Pierres » (hommes = pierres = objets = hommes). Roger BLIN, metteur en scène attitré de toutes les premières pièces de

Comment Ionesco va-t-il s'y prendre pour cette tâche, apparemment impossible à réaliser, de communiquer l'incommunicable, de rendre présents (sur scène) des absences et des creux, autrement que par le langage figé qui était à sa disposition ? Autrement dit, pour un auteur dramatique qui se donne justement pour mission de faire dire des mots, cela pose un certain nombre de problèmes, apparemment insolubles. Comment les résoudre ?

> « Une certaine façon de dire les choses est épuisée, une nouvelle façon de les dire doit être trouvée, l'ancien langage usé, l'ancienne forme doit éclater parce qu'elle est devenue incapable de contenir les nouvelles choses qui sont à dire ... À travers des systèmes d'expression différents, des langages différents, le fondamentalement humain reste ... Je n'aime pas le mot « crise » ou « critique du langage », ou du langage « bourgeois ». Il s'agit bien plutôt, par exemple, de la constatation d'une sorte de CRISE DE LA PENSÉE, qui se manifeste, bien sûr, par une crise du langage, les mots ne signifiant plus rien, les systèmes de pensée n'étant plus eux-mêmes que des dogmes monolithiques, des architectures de clichés dont les éléments sont des *mots,* comme NATION, INDÉPENDANCE NATIONALE, DÉMOCRATIE, LUTTE DE CLASSES, aussi bien que DIEU, SOCIALISME, MATIÈRE, ESPRIT, PERSONNALITÉ, VIE, MORT, etc.

Beckett, confiait dans « Le Nouvel Observateur » du 28.1.65, à propos de la pièce de FAYE :
> « J'aime cette pièce parce qu'elle parle un LANGAGE NOUVEAU. C'est autre chose que l'oratorio claudélien ou le réalisme féerique style Billetdoux. À la lecture, on est saisi, ému, englué » (Cf. p. 25, l'entretien que Faye et Blin ont accordé à P. Guyotat, et paru sous le titre « Un Brecht abstrait »).

Il est alors évident que nos personnages sont fous, malheureux, perdus, stupides, conventionnels, et que leur parler est absurde, que leur langage est désagrégé, comme leur pensée. Nous expérimentons, en ce moment, il me semble, l'aventure renouvelée de la Tour de Babel. Notre théâtre témoigne peut-être de cette crise universelle de la pensée, des certitudes » (Notes et contre-notes, p. 222-223).

Et, dans l' « Express » du 1ᵉʳ Juin 1961, il écrit :

« Faire du nouveau, ce n'était pas là ma démarche, je voulais surtout dire des choses et je cherchais, au-delà des mots habituels ou à travers ou malgré les mots habituels, à les dire. On a trouvé que je faisais de l'avant-garde, que je faisais de l'anti-théâtre, expressions vagues, mais constituant bien la preuve que j'avais fait du nouveau. Le renouvellement technique ? Peut-être dans la tentative d'amplifier l'expression théâtrale en faisant *jouer les décors, les accessoires* et par un jeu simplifié, dépouillé, de l'acteur. Les comédiens ont su trouver un style plus naturel et plus excessif à la fois, un jeu se tenant entre le personnage réaliste et la marionnette : insolites dans le naturel, naturels dans l'insolite ».

Les grands thèmes de sa pensée et de sa conception du langage théâtral étant ainsi définis, nous allons voir maintenant comment, dans ses pièces, il arrive à mettre en pratique ses idées sur le nouveau langage. Mais auparavant, il serait bon de noter que Ionesco s'élève [1] avec véhémence, quand on essaye de l'enfermer sous l'étiquette d' « auteur de l'absurde » [2] :

> « On a dit que j'étais un écrivain de l'absurde ; il y a des mots, comme ça, qui courent les rues, c'est un mot à la mode qui ne le sera plus. En tout cas, il est dès maintenant assez vague pour ne rien vouloir dire et pour tout définir facilement. En réalité, l'existence du monde me semble non pas absurde, mais incroyable » (Notes et contre-notes, p. 194. Signalons toutefois que cette citation date de 1953).

Dans une conférence donnée aux étudiants de l'Université du Théâtre des Nations, à Paris, en 1962, Ionesco confirme son attitude : son théâtre n'est pas un théâtre du désespoir, puisqu'il l'écrit, son théâtre n'est surtout pas un théâtre de l'absurde, « l'absurde ne voulant absolument rien dire de nos jours ». Il se considère comme un « auteur classique », dans la mesure où il est pour un *théâtre primitif,* contre un théâtre primaire. « Il faut écrire pour soi, c'est ainsi que l'on peut arriver aux autres », dit-il. Et dans le fond, s'il est pour un « anti-théâtre », c'est seulement dans la mesure où l'anti-théâtre serait un théâtre anti-didactique, et un théâtre anti-

---

(1) Il n'est d'ailleurs pas le seul : ARRABAL, autre auteur du théâtre du nouveau langage, s'élève également contre cette appellation désuète : « On dit toujours que je fais du théâtre d'avant-garde ou du théâtre de l'Absurde : cela est dénué de sens ; je crois que je finirai par écrire en alexandrins ! » dit-il dans un entretien accordé à Jean Chalon, du « Figaro Littéraire » (no 942, 7 mai 1964, p. 18, Cf. l'article : « Je suis un auteur panique »).

(2) Préconisée, entre autres, par Martin ESSLIN, puisqu'il en a fait le titre de son ouvrage (déjà cité) : « Théâtre de l'Absurde », réunissant sous cet épithète tous les auteurs du théâtre du nouveau langage. Voir aussi, du même auteur, « Au-delà du théâtre de l'Absurde » (Buchet-Chastel, Paris, 1971).

boulevardesque, car... « le théâtre d Boulevard **devient**
ennuyeux, épouvantable : il ne peut être que réaliste, un cau-
chemar réaliste » (conférence citée).

Il insiste aussi sur le fait qu'il n'a jamais écrit de
« pièces à thèses », mais des contes de fées : son théâtre est
ce que nous voulons qu'il soit. C'est lui qui l'écrit, c'est nous
qui le fabriquons. Il n'écrit pas pour expliquer, il écrit pour
interroger. La fonction du théâtre du nouveau langage ? Elle
n'est pas différente de celle de la danse, de l'architecture, de
la musique, c'est une construction imaginaire, valable par sa
seule cohérence interne, comme une cathédrale, un tableau,
un poème ; pour lui, une pièce ne saurait comporter de
message.

> « Je n'écris pas pour expliquer, j'écris pour inter-
> roger », a-t-il dit. Et encore :
> « Rien à faire, quoi qu'il arrive, je ne peux avoir
> l'immodestie de prétendre éduquer mes contemporains.
> Je n'enseigne pas, je témoigne ; je n'explique pas, je
> tâche de m'expliquer » (Notes et contre-notes, p. 219).

Ses pièces, en effet, ne sont qu'un immense point d'interrogation : c'est aux spectateurs de tirer les conclusions, de
faire le bilan. L'auteur suggère, par touches de peinture, le
spectateur dispose, en dernière instance, c'est lui qui « fait
la pièce », qui lui donne son sens définitif.
Ailleurs, Ionesco écrit :

> « Il me paraît ridicule de demander à un auteur de
> pièces de théâtre, une bible, la voie du salut ; il est
> ridicule de penser pour tout un monde et de donner
> à tout ce monde une philosophie automatique : l'au-
> teur dramatique POSE DES PROBLÈMES. Dans leur
> recueillement, dans leur solitude, les gens doivent y
> penser et tâcher de les résoudre pour eux en toute

liberté ; une solution boiteuse trouvée par soi-même est infiniment plus valable qu'une idéologie toute faite qui empêche l'homme de penser. On s'est plaint que dans « Rhinocéros », je laisse les spectateurs dans le vide. C'est bien ce que j'ai voulu faire. C'est de ce vide qu'un homme libre doit se tirer tout seul, par ses propres forces et non par la force des autres. » (« ARTS », 1961).

Quant à nous, nous pensons qu'au-delà des réactions individuelles de chaque spectateur face au théâtre du nouveau langage (réactions données « à chaud », c'est-à-dire au sortir même d'une représentation, et qui ne constituent, en somme, que des épiphénomènes, à nos yeux du moins), il existe des « réactions collectives », qu'on peut dichotomiser d'une part selon la variable « classe sociale », et d'autre part selon la variable « contexte socio-culturel » de l'environnement.

VII. — ANALYSE DES PIÈCES DE IONESCO.

« De notre incompréhension du sens exact des
mots, à mes amis et à moi, il ressortait clairement qu'il est plusieurs façons de ne PAS COM-
PRENDRE et que de la différence entre la non-
compréhension d'un individu et celle d'un autre
naît un monde de « terra firma » plus solide encore que de la différence entre leurs façons de
comprendre ».
(H. MILLER : « Tropique du Capricorne », page
318).

Nous allons à présent passer en revue les principales
pièces de Ionesco, laissant « La cantatrice chauve » et « Les
Chaises » pour la fin.

« LA LEÇON » est un « drame comique », comme l'appelle lui-même Ionesco. Un professeur irascible achève ses
leçons systématiquement par le meurtre de ses élèves. À
chaque nouvelle élève, un nouveau meurtre : on en est au
39e, au lever du rideau. Et la prochaine élève-victime sonne
déjà à la porte : il n'y a aucune raison pour que ce ne soit
pas la quarantième.

Dans cette « Leçon », à laquelle nous assistons, l'élève
désire se préparer au « doctorat total ». Et c'est là que le
langage s'emballe : l'élève a mal aux dents, le professeur
s'entête à mener sa leçon à bonne fin, c'est-à-dire au meurtre
final, presque rituel et cérémonial. À l'absurdité des mathé-
matiques succède la sottise de la philologie : le langage se
détache de plus en plus du concret, il devient impitoyablement
dogmatique. En parlant des langues de la famille « néo-
espagnole », le professeur constate que « ce qui les distingue,
c'est leur ressemblance frappante qui fait qu'on a bien du
mal à les distinguer l'une de l'autre » (p. 76).

Là aussi, on retrouve le thème de l'identité, les hommes,

les langues, les choses, sont interchangeables. Plus loin, le professeur dit à l'élève :

> « Les sons remplis d'un air chaud plus léger que l'air environnant voltigeront, voltigeront sans plus risquer de tomber dans les oreilles des sourds qui sont les véritables gouffres, les tombeaux de sonorités. Si vous émettez plusieurs sons à une vitesse accélérée, ceux-ci s'agripperont les uns aux autres automatiquement, constituant ainsi des syllabes, des mots, à la rigueur des phrases, c'est-à-dire des groupements plus ou moins importants, des assemblages purement irrationnels de sons, dénués de tout sens, mais justement pour cela capables de se maintenir sans danger à une altitude élevée dans les airs » (p. 77).

On a l'impression que c'est un peu Ionesco lui-même qui parle à travers le professeur : à partir d'un certain moment, la pièce n'est plus que *musicale,* les mots, dénués de signification, n'étant plus que des inanités sonores. Au fur et à mesure que le professeur s'ensable dans ses explications linguistiques, la cadence de ce chant proprement musical s'accélère. À la fin de la pièce (et l'on songe ici à Simone de Beauvoir qui écrivait dans « Privilèges » :

> « La véritable communication entre les hommes, celle que le langage échoue à réaliser, elle s'obtient par la violence » (p. 154)),

tandis que le professeur répète inlassablement le mot « couteau », et que l'élève répète après lui « couteau, couteau », ce qui devait arriver, fatalement, arrive : il la tue, avec un couteau invisible. Comme le théâtre chinois, c'est le spectateur qui se doit de créer le couteau-objet dans son imagination : on ne le lui montre pas sur la scène.

Comme pour les dictatures totalitaires (ici, l'impérialisme de l'objet-langage qui se prend à son propre jeu), le sang coule pour satisfaire aux exigences d'une doctrine (ici, le langage pris comme fin en soi, au point de s'interposer entre les hommes au lieu de leur faciliter la communication : le langage devient un véritable délire verbal). La pièce, de comique qu'elle était, tourne ainsi brusquement au tragique : c'est l'un des thèmes préférentiels de Ionesco, chez qui (nous l'avons déjà examiné en détail en traitant de « Ionesco et le sens du tragique ») le comique va toujours de pair avec le tragique ; et c'est en cela qu'on peut dire de presque toutes ses pièces — à l'instar de « La Leçon » — qu'elles sont des tragi-comédies.

> « Du vide endimanché, du vide charmant, du vide fleuri, du vide à semblants de figures, du vide jeune, du vide contemporain. Pousser le burlesque à son extrême limite. Là, un léger coup de pouce, un glissement imperceptible et l'on se retrouve dans le tragique. C'est un tour de prestidigitation. Le passage du burlesque au tragique doit se faire sans que le public s'en aperçoive. Les acteurs non plus, peut-être, ou à peine. Changement d'éclairage. C'est ce que j'ai essayé dans « La Leçon » : faire dire aux mots des choses qu'ils n'ont jamais voulu dire » (Notes et Contre-notes, p. 160), écrit Ionesco.

L. Pronko, quant à lui, trouve que « les rapports assez humains du début, qui permettaient au maître et à son élève de communiquer (fût-ce superficiellement) dégénèrent en rapports inutiles *d'animal à objet* ». Et il ajoute plus loin :

> « Les seuls mots qui n'offrent aucun risque sont les syllabes dénuées de tout sens, car les mots qui sont lourds de signification finissent toujours par tomber,

s'émietter ou éclater comme des ballons » (Théâtre d'Avant-Garde, p. 95-96).

« JACQUES, ou LA SOUMISSION » (que Ionesco appelle une « comédie naturaliste ») est justement une parodie du théâtre naturaliste (dont le théâtre, jusqu'à 1950, était farci), et une caricature du théâtre de Boulevard, un théâtre de Boulevard qui se décompose sous nos yeux et devient fou. La famille Jacques s'inquiète parce que leur fils refuse de céder aux désirs de son père. Serait-ce une tragédie ? Mais on apprend bientôt qu'il s'agit de pommes de terre au lard que Jacques refuse de manger, cause directe du drame.

Comme dans ses autres pièces, Ionesco détache le langage de toute existence concrète : innombrables jeux de mots, calembours, associations de sons, jeux de phonétique, tout le langage, encore une fois, se décompose et dégénère en ono-matopées. Nous pensons particulièrement ici à sa fameuse série de « chats » (p. 125), dont l'idée fut reprise par le dessinateur humoristique Siné, sept ans après la création de la pièce, avec le succès qu'on sait.

> « C'est une parodie du drame de famille. Seulement, le langage des personnages se disloque. Je voulais que cette « comédie naturaliste » fut jouée pour m'en libé-rer, en quelque sorte ... Le comique n'est bon que s'il est gros ; j'espère qu'il l'est aussi pour « Le ta-bleau » [1]. Et le comique n'est comique que s'il est un peu effrayant. Le mien l'est-il ? »,

écrit Ionesco dans son article : « Mes pièces ne prétendent pas sauver le monde » (L'Express, n° 127, 15-16 oct. 1955, p. 8).

---

(1) « Le Tableau », pièce en un acte de Ionesco, que nous n'analyse-rons pas, car elle ne fait que répéter ce que nous examinons dans ses autres œuvres.

« L'AVENIR EST DANS LES ŒUFS, ou IL FAUT DE TOUT POUR FAIRE UN MONDE », est la suite chronologique de « Jacques » ; cette pièce a été écrite en 1951, un an après « Jacques ».

Maintenant, Jacques et Roberta sont mariés. Et les parents de Jacques pensent, en toute logique, que le temps est venu pour leur fils de « produire », mais, ironie du sort, ce sont des œufs que Roberta pond sur la scène, des œufs qui se multiplient sans cesse, jusqu'à la scène finale où les personnages sont littéralement engloutis par eux. La pièce se termine par le « Vive la production ! », suivi du caquettement de Roberta. Nous n'avons malheureusement pas la place, dans le cadre de cette étude, de pénétrer en détail dans chacune de ces œuvres ; notons simplement que, dans « Jacques » comme dans « L'avenir est dans les œufs », l'objet est toujours là, et il occupe une place primordiale.

Ainsi, les trois nez, les trois bouches, les quatre yeux et les neuf doigts à la main gauche de Roberta dans « Jacques », les œufs à la puissance n dans « L'avenir est dans les œufs », tous ces objets sont la concrétisation physique sur scène de la cocasserie tragique du monde moderne. Et la prolifération de tous ces objets (nez multipliés, œufs, etc.) traduit bien l'engloutissement progressif de l'humain (ou ce qu'il en reste) dans le monde effrayant des objets, qui poussent et se multiplient à une allure folle, et pour ainsi dire, quasi logarithmique.

Si Ionesco a affublé Roberta de trois nez, trois bouches, quatre yeux et neuf doigts à la main gauche, ce n'est pas uniquement dans un but comique, rappelant le cirque : c'est la représentation concrète de l'objet-nez-bouche-œil accaparateur, et poussant la plaisanterie jusqu'à s'emparer de la personne physique de Roberta. Dans la « Leçon », la folie n'était que folie du verbe-objet, qui finissait tragiquement ; dans « Jacques », la folie s'est incrustée on ne peut plus profondément dans l'humain. En cela, le personnage *physique* de Roberta est un personnage tragique, et non comique, ou tous les deux.

> Comme le dit Pronko, «n'est-ce pas plutôt le monde des objets, qui, par une espèce de revanche, se soulève et écrase de sa masse énorme tout ce qui peut rester d'humain sur terre ? [...] Ici encore, le langage se déchaîne, les mots ne sont plus utilisés comme jetons, mais, vidés de sens, ne sont là que pour eux-mêmes, parce qu'ils ont été suggérés par un autre mot ou par un son. Ainsi, Jacques est-il un « mononstre », un « vilenain », et un « actographe ». Sa mère a été pour lui « une amie, un mari, un marin » (Théâtre d'Avant-Garde, p. 99-100).

« VICTIMES DU DEVOIR » est un « pseudo-drame », dit Ionesco : pour la première fois, l'auteur met en scène un personnage qui laisse transparaître de temps à autre des vapeurs d'angoisse, de désirs et de rêves. Il y a même quelquefois une brève échappée de lyrisme.

C'est le drame d'un homme seul, qui a vécu (ou n'est-ce qu'un rêve ?) un instant de bonheur, il y a très longtemps. Mais là aussi, pourtant, les objets surgissent et dévorent bientôt l'espace tout entier : ici, ce sont des tasses de café, des centaines de tasses de café que Madeleine pose, de plus en plus nombreuses, sur la table, sur la cheminée, partout ; elles s'amoncellent, et cela va de pair avec l'amoncellement « *physique* » des termes : « Avale, mastique, avale, mastique ! », accompagnés du bourrage de morceaux de pain que le policier inflige à Choubert pour l'obliger à se souvenir d'un certain Mallot que le policier recherche on ne sait trop pourquoi. Ce bourrage de miches de pain, la répétition des mots « Avale, mastique », les tasses de café, matérialisent concrètement — de façon « palpable » — l'aliénation de Choubert, dans une société industrialisée. Là aussi, en effet, les personnages ne peuvent communiquer entre eux, car les objets les en empêchent, qu'on appelle objets les morceaux de pain, les tasses de café ou les mots-devenus-objets.

Ces mots-objets sont prononcés de plus en plus vite (toujours la progression logarithmique, chez Ionesco) par le policier, et bientôt repris par Madeleine, Nicolas et Choubert lui-même : on se lance ces mots, comme on se lancerait des tasses de café, et la pièce se termine par un chorus de Madeleine-Choubert-Nicolas-le-policier-la-dame : « Avalez ! Mastiquez ! Avalez ! Mastiquez ! ». Le monde des objets est à avaler, sinon c'est lui qui nous déglutira. La guerre froide entre le monde des objets et celui des hommes tourne à la guerre effective, avec le développement intensif de la société industrielle. Il n'y a plus assez de place pour ces deux derniers mondes (antagonistes) sur la terre : c'est à celui qui éliminera l'autre le premier.

« AMÉDÉE, ou COMMENT S'EN DÉBARRASSER » est une « comédie » (l'appellation est de Ionesco) en trois actes qui, comme à l'accoutumée, tourne au tragique. Si, comme le dit très justement Michel CORVIN, « l'angoisse devant la vieillesse, la stupidité des rites familiaux et sociaux, l'usure du temps, l'incompréhension réciproque des individus, le silence et la mort, telles sont les constantes obsessions de Ionesco » (« Le Théâtre Nouveau en France », p. 64), alors cette pièce reflète à elle seule, toutes les obsessions de Ionesco.

Amédée et Madeleine se sont aimés, il y a quinze ans (mais se sont-ils vraiment aimés ?) et depuis, un cadavre mystérieux grandit petit à petit dans leur chambre à coucher, au fil des jours, des mois, des années ; il devient si encombrant qu'ils décident de sortir ses pieds gargantuesques dans le salon où ils se trouvent. En même temps, des champignons poussent partout dans la maison : sur le plancher, dans la chambre à coucher, puis sur les murs, au plafond, vraiment partout.

À la fin du deuxième acte, les jambes de ce cadavre-objet (comme frappé de « progression géométrique... la maladie incurable des morts », fait remarquer Amédée, dans la pièce — et ici, l'idée de progression logarithmique chez Ionesco est on ne peut plus précisée et visualisée sur la scène) poussent à une vitesse si folle et démesurée qu'on s'attend à tout bout de champ qu'elles enfoncent la porte d'entrée de l'appartement. Aussi Amédée et Madeleine se sentent-ils affolés ; prisonniers du cadavre qu'ils ont créé à eux deux (de leur amour défunt, visualisé et matérialisé physiquement sur scène, dans le sens où Artaud disait : « C'est le passage intempestif, brusque, d'une image pensée à une image vraie qu'il faut voir réaliser sur la scène : par exemple, un homme qui blasphème doit VOIR se matérialiser brusquement devant lui, en traits *réels*, l'image de son blasphème »), ils ne peuvent plus sortir de chez eux, et sont ainsi condamnés à vivre le restant de leurs jours dans cette situation.

Mais le corps du cadavre continue toujours de pousser, il faut absolument faire quelque chose. Amédée décide de se débarrasser du cadavre : il le sort par la fenêtre, et le traîne dans les rues, profitant de la nuit pour que personne ne s'aperçoive de son fardeau pour le moins énigmatique. Mais la police veille : poursuivi, Amédée ne trouve plus qu'une seule échappatoire : porté par le cadavre, il s'élève dans les airs... « et va disparaître dans la Voie Lactée » [1].

---

(1) On retrouvera le même procédé scénique dans « Le piéton de l'air ».

Nous n'insisterons pas sur le sens profond de la pièce, et nous ne nous demanderons pas s'il s'agit ici d'un théâtre du fantastique, ou d'un théâtre surréaliste. Ce qu'il est intéressant pour nous de noter, par contre, c'est qu'à travers ce commentaire sur l'amour et le mariage, Ionesco emploie une dramaturgie scénique qui lui est particulière (et que nous avons d'ailleurs retrouvée dans ses autres pièces, mais à un degré moindre), pour faire communiquer au public ses obsessions profondes (dont la principale, rappelons-le, est son sentiment quasi physique de l'angoisse métaphysique devant le tragique de la condition humaine) : il utilise une masse proliférante d'objets (champignons qui pullulent, cadavre qui grandit à un point tel que les spectateurs s'en sentent eux-mêmes pénétrés) pour représenter l'échec des communications humaines, faisant des hommes des solitudes tout à fait impénétrables les unes aux autres, en d'autres termes, des objets (lisses, polis, pleins d' « être » : des « en-soi »), tandis que le monde des objets-choses acquiert petit à petit une réalité de plus en plus humaine.

Le cadavre grandit, comme nourri par des vitamines à très forte dose, les champignons poussent, il s'établit bientôt un monde qui se suffit à lui-même, qui prend littéralement la place d'Amédée et de Madeleine, un monde qui entretient de plus en plus des rapports visuels, physiques et concrets avec le public, tandis que s'estompent lentement les faux liens que les spectateurs ont cru un instant entretenir avec les personnages-acteurs.

À la fin de la pièce, tout se renverse, on s'aperçoit que les vrais acteurs de la pièce étaient le cadavre et les champignons. Afin de montrer que cela correspondait bien à ce que Ionesco voulait lui-même, et qu'il ne s'agit pas ici d'une interprétation personnelle, nous le citerons lui-même :

« Pour « Amédée », je voulais des pieds d'un mètre

cinquante. Serreau [son metteur en scène] hésitait. Il allait commander des pieds de soixante-quinze centimètres. Il trouvait que c'était déjà trop grand. Je lui ai dit que des pieds de 75 cm, c'était presque des *pieds normaux,* que cela allait faire « grand Guignol » ; pour que leur apparition soit vraiment fantastique et non pas grandguignolesque, il fallait aller bien au-delà des proportions normales. Serreau voulait bien échapper au réalisme, tout en n'osant pas aller franchement au-delà du réalisme. Donner au cadavre des pieds d'un mètre cinquante, cela lui paraissait excessif : finalement, il les a faits quand même. Depuis, Serreau a mieux que compris ; pour « Amédée », à l'Odéon-Théâtre de France, il avait vraiment réussi à escamoter toutes les dimensions. À la fin, lorsque le personnage s'envole, il avait réussi à en faire une fête extraordinaire. Il y avait entre autres une sorte d'énorme boule lumineuse qui était accrochée au cintre, qui tournait et qui envoyait des lumières dans toute la salle ; il y avait des étoiles, des *événements visuels* de toutes sortes, une kermesse astrale » (Entretien accordé au « Figaro Littéraire », n° 1034, 10.2.66. Rapporteur : Claude Bonnefoy).

Si nous reproduisons ce texte, c'est pour bien montrer l'importance primordiale que Ionesco donnait à l'aspect physique du cadavre, qui est ainsi véritablement son personnage central, son « héros ».

Il ne voulait pas faire du « grand guignol », mais représenter physiquement sur scène l'*image* d'un amour mort, comme le préconisait Artaud.

Même un metteur en scène comme Jean-Marie SERREAU, qu'on considère généralement comme l'un des metteurs en scène les plus courageux du théâtre contemporain, et l'un des plus expérimentaux, a été effrayé, un moment, par l'exigence de Ionesco, en ce qui concernait le « mètre cinquante » des pieds ! C'est dire ici l'importance accordée au jugement du public, la peur de trop le heurter dans ses habitudes mentales, en un mot : la peur de trop « choquer ».

L'enfer, pour Ionesco, ce ne sont plus « les autres », (comme disait Sartre dans « Huis-Clos »), l'Enfer — et à travers Ionesco, c'est la société occidentale industrielle qui parle, lui donnant simplement l'occasion de l'exprimer — c'est la mainmise ipso facto et sans appel du monde des objets sur le monde de l'homme. Michel CORVIN l'a très bien vu :

> « Le langage qu'on prenait pour le produit d'une vie intérieure, d'une spiritualité pure, n'est tout au plus que le reflet d'un intérieur bourgeois, envahi *d'objets morts* [...]. Amédée et sa femme sont définitivement coupés du monde extérieur : c'est la forme moderne et familière de l'Enfer » (Le théâtre nouveau en France, p. 63).

L'homme portait beau, et prétendait dominer, mais le piège se referme sur lui, et il se trouve finalement pris dans les rets des objets. Comme le dit Pronko :

> « Dans « La cantatrice chauve », « La Leçon », « Jacques », « L'avenir est dans les œufs », et « Amédée », les mots sont devenus des objets, des choses qui, par leur présence même, refoulent le sens qui, sans eux, pouvait exister [...]. Avec la multiplication des objets, qui parlent leur propre langage scénique, cesseront de s'accentuer le comportement mécanique ds personnages et l'anarchie du langage » (Théâtre d'Avant-Garde, p. 101-103).

Dans « L'IMPROMPTU DE L'ALMA, ou LE CAMÉLÉON DU BERGER », — et le titre fait qu'on ne peut ne pas

penser ici à « L'impromptu de Versailles », de Molière et à
« L'impromptu de Paris », de Giraudoux — c'est Ionesco
lui-même qui se met en scène par lui-même. Bartholemeus I,
directeur de théâtre et critique dramatique, puis Bartholemeus
II et III, docteurs en « théâtralogie », viennent lui demander
une pièce inscrite dans la ligne du nouveau théâtre. Il est
très significatif de noter ici que Ionesco ait appelé le critique
dramatique et ces « docteurs en théâtralogie » (qu'il exècre
au plus haut point, il l'a dit à maintes reprises), successivement Bartholemeus II et III.

N'oublions pas que Roland BARTHES (Bartholemeus,
vu sous trois aspects ou finalement peut-être en un seul, car
au bout d'un moment, nous confondons les trois Bartholemeus, tellement ils parlent le même langage, emprunté, sté-
réotypé, et pour tout dire : figé) est le critique le plus tenace
de Ionesco, le démolissant complètement, en le qualifiant,
rappelons-le, de « démystificateur mystifié ».

Cette pièce est donc une espèce de règlement de compte
entre Ionesco et Barthes. Toutefois, il est intéressant de souligner, pour nous, la tentative d'explication que Ionesco semble donner à Barthes, et au public du même coup, de sa
conception du nouveau théâtre :

> « Je ne sais comment raconter mes pièces ... Tout est
> dans les répliques, dans le jeu, dans les images scéni-
> ques, c'est très visuel, comme toujours ... C'est une
> image, une première réplique, qui déclenche toujours,
> chez moi, le mécanisme de la création, ensuite, je me
> laisse porter par mes propres personnages, je ne sais
> jamais où je vais exactement ... Toute pièce est, pour
> moi, une aventure, une chasse, une découverte d'un
> univers qui se révèle à moi-même, de la présence
> duquel je suis le premier à être étonné ... » (op. cit.).

Tout ce que les trois Bartholemeus trouvent à lui répondre peut se résumer en : « Et la costumologie ? Et la décorologie ? Et la spectaco-sociopsychologie ? Et la théâtrologie ? » Le fossé, pour Ionesco, se creuse de plus en plus profondément entre les tenants dogmatiques du psychologisme au théâtre, et ceux qui vivent intensément leur situation d'hommes du « théâtre nouveau », situation qui ne fait que refléter la société dans laquelle ils se trouvent insérés, et à laquelle ils s'opposent en essayant — comme l'a fait Ionesco, l'un des premiers — de faire éclater le langage et la scène traditionnels, qui ne sont plus adaptés à la complexité du monde moderne (et à la société industrielle qui la sous-tend).

Avec « LE NOUVEAU LOCATAIRE », c'est de toute évidence le monde-objet, qui, physiquement, prend le dessus.

Un nouveau locataire « tente » d'occuper son appartement. Nous avons dit « tente », parce que c'est une véritable lutte qu'il doit mener contre les objets qui bientôt, l'entourent de partout, et l'étouffent, au sens propre du terme. Les déménageurs en effet, à une cadence... logarithmique, remplissent tout l'espace vital de l'appartement. Meubles de tous genres, buffets, tables, chaises, vases, fleurs, « mangent » l'espace ; les fenêtres, à ce rythme, sont vite bouchées, l'escalier obstrué, les rues paralysées, la Seine ne coule plus, l'univers entier est saturé d'objets. Comble de l'humour noir et démoniaque de Ionesco : le locataire, qu'on ne voit plus, écrasé par les meubles, demande quand même aux déménageurs d'éteindre la lumière avant de partir. Ils s'exécutent, et la scène (la salle, le public) est plongé pendant un moment dans une obscurité totale, avant la chute du rideau : c'est la fin du monde, l'apocalypse, sentie physiquement par les spectateurs. L'homme est définitivement enterré par l'Objet-Roi (nous pensons à l' « Ubu-Roi » de Jarry, devenu objet chez Ionesco), qui règne alors tranquillement et dans le silence le plus absolu, le silence de la matière inerte, sur un monde désormais privé d'âmes humaines. Et c'est là, nous semble-t-il, que Ionesco rejoint Beckett : ce nihilisme total, Ionesco y arrive lentement, par étapes progressives, pourrait-on dire, mais les mouvements se précipitent vers la fin de ses pièces jusqu'à aboutir à ce noir complet, tandis que Beckett nous installe d'emblée (qu'on pense à « En attendant Godot », « O les beaux jours », « Comédie ») dans cette atmosphère de solitude irrémédiable, où la communication est, dès le départ, impossible entre les êtres.

En cela, Beckett est un auteur spécifiquement tragique, puisque nous sommes installés ex-nihilo dans cet univers aride et sec, alors que Ionesco est un auteur tragi-comique : c'est le rire qui aboutit, chez lui, au désespoir final, ou du moins, le déclenche, le met en branle, en quelque sorte. Ses pièces sont du vaudeville à résonance tragique, au départ, et du tragique à résonance de vaudeville, à la fin.

Michel CORVIN l'a fort bien vu :

> « Les personnages de Beckett n'en finissent pas de finir. En s'installant dans un état intemporel, ils échappent à la mort, à la différence de ceux de Ionesco qui sont inéluctablement entraînés vers une fin, une catastrophe » (Le théâtre nouveau en France, p. 69-70).

Et, ce n'est pas par hasard si J.M. DOMENACH parle à ce sujet d'une « infra-tragédie » du quotidien, du banal, du dérisoire :

> « Les personnages de Ionesco et de Beckett ne remontent pas leur destin, ils le descendent », écrit-il, « pas d'affrontement, pas de paroxysme tragique, mais des gens qui s'engloutissent dans le temps, dans la société, dans les choses » (Résurrection de la tragédie, p. 1011).

En effet, leur théâtre est le théâtre de la tragédie d'une époque, celle de la société industrielle occidentale et des hommes-robots, mécanisés à outrance, aliénés par et dans l'objet-souverain qu'ils croyaient pouvoir apprivoiser.

« Les termes sont inversés, c'est la fatalité qui est mobile, et c'est l'homme qui est arrêté. Cette fatalité, Kafka l'avait installée dans les bureaucraties et les immeubles de banlieue [1] ; avec Ionesco, elle prolifère dans les objets et ce n'est pas par hasard que l'angoisse de Winnie (personnage central de « O les beaux jours », de Beckett) se fixe sur le contenu de son sac interminablement inventorié : son passé est là, réduit à ces pauvres choses qui sont les seules preuves tangibles, dans l'incandescence qui l'entoure, qu'elle ait eu sa vie, ses joies, qu'elle ait duré à la manière humaine, qui incorpore le changement à la permanence », écrit encore Domenach (op. cit., p. 1009).

Ionesco a pu dire à propos de « TUEUR SANS GA-GES » : « Dans le fond, cette pièce est l'expression d'une angoisse et d'une interrogation dont j'attends moi-même la réponse » (conférence donnée aux étudiants de l'Université du Théâtre des Nations, en 1962). Ce son de cloche se retrouve presque mot pour mot chez Robbe-Grillet :

« La fonction de l'art n'est jamais d'illustrer une vérité — ou même une interrogation — connue à l'avance, mais de *mettre au monde des interrogations* (et aussi peut-être, à terme, des réponses) qui ne se connaissent pas encore elles-mêmes » (« Pour un nouveau roman », p. 14).

---

[1] Notons au passage que l'action du « Nouveau Locataire » se situe dans un tel immeuble.

Et en fait, cette pièce pose un point d'interrogation, en même temps qu'elle marque un tournant dans l'œuvre théâtrale de Ionesco : elle reflète l'angoisse devant la mort que Ionesco avoue avoir toujours éprouvée à un degré quelconque (ici, elle est exacerbée) : ce sera son thème préférentiel, à partir de « Tueur sans gages », qui inaugure ainsi un cycle nouveau dans la thématique ionesquienne. Et ce n'est pas un hasard si dans « RHINOCÉROS », nous retrouvons le même personnage, Bérenger, en quête d'un bonheur qu'il sait (mais le sait-il ?) illusoire.

C'est la tragique situation d'un homme en proie à ses contradictions, et victime de son ignorance du monde industrialisé qui l'entoure. Le monologue final de « Tueur sans gages » constitue effectivement un très beau « morceau de littérature » (nous émettons ici l'hypothèse que le Bérenger de « Tueur sans gages » et de « Rhinocéros » est le cousin germain — sinon le frère de sang — du Jean de « La soif et la faim », surtout le Jean éthéré du deuxième épisode).

Et précisément, à partir de là, Ionesco semble avoir trouvé un second souffle : dans « Tueur sans gages », dans « Rhinocéros », dans « Le piéton de l'air », dans « La soif et la faim », dans « Le Roi se meurt », dans « Jeu de massacre » et dans « Macbett », il ne fait plus de l'anti-théâtre (au sens où Claude MAURIAC — auteur de « La conversation », pièce située dans le courant du nouveau langage théâtral — disait : « Alittérature ») [1], mais il intègre l'anti-théâtre dans le théâtre de caractères, situé à la limite du théâtre psychologique. Il va même plus loin, en écrivant deux pièces shakespeariennes des temps modernes : « Le roi se meurt », et « Macbett », où il redonne au langage parlé (le langage litté-

---

(1) Cf. Claude Mauriac : « L'alittérature contemporaine », Paris, Albin Michel, 1958.

raire) une place de choix dans sa dramaturgie. On ne rit plus (ou si peu) chez le Ionesco de la seconde période : le langage n'est plus maltraité, torturé, martyrisé, réduit à ses composantes sonores. Mais, paradoxalement, à partir de ce moment, Ionesco ne nous intéresse plus, car ce qu'il écrit maintenant, — et qu'on nous permette ici d'exprimer un jugement personnel — d'autres l'ont écrit, et beaucoup mieux que lui. Comme le dit Michel CORVIN : « La dérision n'est plus la dominante du théâtre de Ionesco, et le lieu commun est en train d'y redevenir vérité » (Le théâtre en France, p. 66).

De son côté, Elsa TRIOLET, dans un article intitulé « Ionesco : Exégèse des lieux communs », publié dans « Les lettres françaises » (mars 1966), écrit, commentant sa pièce : « La soif et la faim » :

> « Voilà que ces lieux communs dont Ionesco avait fait la matière première de son humour, ses briques de dérision, voilà que ces vêtements de confection qu'il montrait pour mieux les arracher, étaient devenus l'œuvre elle-même ! Voilà que Ionesco a créé lui-même un drame, un mélodrame courant de littérature de nos jours [...]. L'auteur reprend à son compte un lieu commun de nos jours, avec ce sérieux pathétique et mortel. Mortel pour la pièce, l'auteur et les spectateurs » [1].

Pour en revenir à « TUEUR SANS GAGES », il faudrait noter cependant que Ionesco ne tourne pas carrément le dos aux procédés du « nouveau langage théâtral » : il utilise un décor fait uniquement de lumières (pour représenter visuellement, avec de la lumière, la cité radieuse, précise-t-il dans ses indications scéniques). Et dans « Rhinocéros », la

---

(1) Nous renvoyons le lecteur à l'analyse que nous avons faite de la pièce (point IV, pages 105-106).

métamorphose de Jean en rhinocéros (les personnages de
cette pièce sont en effet atteints d'une maladie pour le moins
étrange : la « rhinocérite ») se fait sous nos propres yeux :
la voix devient rauque, la peau tourne au vert, une bosse lui
pousse sur le front. On pense un peu aux champignons qui
poussaient sur les murs d' « Amédée » : les objets, là aussi,
envahissent l'espace, et l'homme se transforme physiquement,
sous nos yeux, en objet-rhinocéros. Seul Bérenger restera
humain jusqu'au bout, dans ce monde ravagé par la rhinocérite. Mais, les critiques (et le public, à leur suite) se sont
accordés à donner à la pièce un sens politique (tant à Düssel-
dorf, en Allemagne, où eut lieu la Première Mondiale de la
pièce, le 1ᵉʳ novembre 1959, qu'à Paris, où la mise en scène
de Jean-Louis BARRAULT insiste lourdement sur les références à la période nazie : la rhinocérite, c'est le nazisme),
où le Rhinocéros est le symbole du S.S. nazi, et où les personnages atteints de rhinocérite sont des collaborateurs.

Dès lors, la pièce ne peut plus être considérée comme
la dénonciation du langage en tant que tel. Les personnages
s'expriment en « bon français », Bérenger DIT ce qu'il pense
d'une façon cohérente, et la pièce est une « histoire » à
intrigue, avec un commencement, un milieu et une fin. C'est
presque du théâtre réaliste et naturaliste, en tout cas *didactique* [1], ces genres de théâtre contre lesquels Ionesco s'éle-

---

(1) Répondant à cette question, Ionesco avoue dans « Les cahiers libres
   de la Jeunesse » (nᵒ 2, 15 mars 1960, p. 13) :
   « Admettons que vous me prenez en flagrant délit de *contradiction* et que j'ai été tenté de faire du « théâtre engagé », de
   plaider et d'accuser. *Mais nous nous contredisons tous, plus
   ou moins, dans la vie.* Les plus importants philosophes se
   contredisent à l'intérieur même de leur système [...]. Je ne
   crois pas qu'il faille surmonter, *résoudre les contradictions.*
   Ce serait s'appauvrir. Il faut laisser les contradictions s'épa-
   nouir en toute liberté ; les antagonismes se réuniront d'eux-
   mêmes, peut-être, tout en s'opposant en un équilibre dynamique. On verra ce que cela va donner ».

vait férocement naguère. On trouve très rarement dans
« Rhinocéros » le Ionesco des premiers temps : en fait, seul
le personnage du logicien rappelle la période de « La cantatrice chauve » :

« La chat a quatre pattes. Isidore et Fricot ont chacun
quatre pattes. Donc Isidore et Fricot sont chats », dit le
Logicien. « — Mon chien aussi a quatre pattes », rétorque le
Vieux Monsieur. « Alors, c'est un chat », conclut le Logicien ».

Ces réparties pour dénoncer la sclérose du langage courant devenu syllogisme, à la suite de « l'organisation rationnelle du travail (formellement) libre » (c'est une expression
de Max WEBER), ne constituent plus, dans « Rhinocéros »,
qu'un léger rappel du Ionesco de « La cantatrice chauve »,
et de « La Leçon ».

À partir de « Tueur sans gages », Ionesco s'inscrit en
fait dans la grande tradition humaniste du théâtre : « Rhinocéros », à la limite, aurait très bien pu être écrite (en mieux)
par Sartre. Avec « Tueur sans gages » et « Rhinocéros »
(sans parler de « Le Roi se meurt », « La soif et la faim »,
« Macbett »), le diapason est désaccordé : Ionesco « retourne
sa veste », et se met en costume d'apparat. Il n'expérimente
plus, il fait du théâtre psychologique, le propre du théâtre
psychologique étant l'identification du spectateur au « héros »
sympathique (ici, Bérenger).

Alors que le théâtre du nouveau langage « distancie »
(dans une certaine mesure) le spectacle proposé du spectateur : c'est le célèbre « effet d'éloignement » (en allemand :
verfremdungseffekt), préconisé par BRECHT, et dont il est
hors de propos d'analyser ici les composantes [1].

(1) Voir à ce sujet l'ouvrage de Bernard DORT : « Lecture de
Brecht » (Seuil).

Disons simplement que la « distanciation » brechtienne permet au spectateur d'analyser À FROID ce qu'il a tiré d'une pièce expérimentale, *après* la représentation [1].

Ce processus de « recul » par rapport au spectacle — et que Brecht appelle la « distanciation » — est indispensable pour juger une pièce *en toute liberté d'esprit* ; pour ce faire, il ne faut à aucun prix utiliser des techniques de scène (ou de texte) permettant l'identification du spectateur au héros de la pièce.

Nous l'avons dit, nous le répétons une seconde fois pour bien montrer la limite de notre analyse : il y aurait tout un travail à faire sur l'influence de Brecht sur le théâtre du nouveau langage : voilà pourquoi il ne peut être question ici d'examiner ce problème. Nous le signalons seulement — au passage — , en prenant garde de ne pas confondre Brecht (dont le théâtre est éminemment *politique*) avec le théâtre du nouveau langage : nous avons uniquement parlé d'une « influence » possible du premier sur le second.

Il nous semble cependant important d'ouvrir ici une courte parenthèse, afin de dissiper tout de suite les malentendus qui peuvent surgir, à la suite de ces analyses, très incomplètes.

Il faut distinguer deux niveaux — pour présenter les choses assez grossièrement — de théâtre du nouveau langage (avec cependant, un niveau intermédiaire) :

— celui de Ionesco (ainsi, nous le verrons plus loin, que ceux de Beckett, d'Adamov et de Tardieu) est un théâtre

---

(1) Il est bien entendu que nous « adaptons » ici les théories de Brecht au théâtre du nouveau langage. Nous ne faisons pas l'*historique* de l' « effet d'éloignement » ; voilà pourquoi nous ne parlons même pas de Piscator et de ses épigones.

où les relations d'objets à objets ont pris le pas sur les relations de personnes à personnes (il n'est donc pas étonnant de voir Gabriel MARCEL s'indigner dans le numéro de mars 1966 des « Nouvelles Littéraires », après avoir vu « La soif et la faim », de Ionesco, en emportant de la pièce une « impression désolante d'indigence dans le saugrenu »).

L'attitude du spectateur est ici *analytique*, « distanciée », il peut juger la pièce du « dehors » (par sa « tête », son esprit), bien que touché *épidermiquement* (« les nerfs et les sens », dit Artaud) par le côté *visuel* du spectacle. On peut parler ici d'*une* certaine forme de « distanciation ».

— niveau intermédiaire : le théâtre du nouveau langage de Jean GENET, qui est un théâtre *cérémoniel, rituel,* un théâtre de *mythes* : Sartre dit que l'âme de Genet est « essentiellement religieuse », dans « Saint-Genet, comédien et martyr ».

Il importe peu que ce soit la religion du Mal pour le Mal à laquelle Genet se voue avec une passion mystique : il n'en demeure pas moins que c'est AUSSI une religion. Mais chez Genet (surtout dans « Les Nègres », et nous pensons plus spécifiquement aux représentations données en 1960 au « Théâtre de Lutèce »), les spectateurs *font partie* du drame qui se joue sous leurs yeux. Ils ne sont pas seulement spectateurs passifs, Genet leur demande d'y *tenir un rôle,* celui de « voyeurs blancs » [1].

Ils prennent ainsi une part active dans le spectacle, qui devient par là un peu LEUR spectacle. Comme le dit Sartre : « Dans les pièces de Genet, chaque acteur doit jouer le rôle d'un personnage qui joue un rôle » (op. cit.).

---

[1] « Les Nègres », c'est une cérémonie mythique, interprétée par une troupe de nègres mimant un meurtre rituel qui a lieu tous les jours, et dans laquelle le rôle des « masques » a une importance primordiale.

Les niveaux d'être (apparence ou réalité, et de quelle réalité s'agit-il ?) sont ainsi multipliés à l'infini, comme dans les nombreux jeux de miroirs qui existent dans la quasi-totalité des pièces de Genet [1] (« Les Bonnes » et « Le Balcon », entre autres).

La formule de Valéry : « Je suis, étant me voyant me voir », trouve ici sa stricte application, dans les personnages de Genet (se réfléchissant en d'interminables jeux de miroirs).

Tout ceci pour dire que les spectateurs des « Nègres » ne se « distancient » pas, au sens brechtien du terme, par rapport au spectacle, puisqu'on leur demande, au contraire, d'y participer (d'une certaine façon, du moins).

D'autre part, dans la mesure où ce spectacle est un spectacle rituel et cérémoniel, par conséquent se rattachant aux cérémonies vaudou haïtiennes, ou aux célèbres « messes noires » qui survivent encore de nos jours dans certaines sociétés (pour ne prendre qu'un seul exemple, pensons au « Ku Klux Klan », qui connaît aujourd'hui un regain de faveur auprès d'un certain « public »), il devient dès lors impensable de parler de « distanciation », le propre d'une telle cérémonie étant la participation complète et totale des spectateurs, qui deviennent (dans l'esprit de Genet) des acteurs de ladite cérémonie religieuse (car c'est d'une « cérémonie religieuse » qu'il s'agit en dernière analyse).

Les spectateurs deviennent acteurs : dans ce niveau intermédiaire, permettant le passage progressif du premier au second niveau, la « distanciation » brechtienne ne joue déjà plus. Mais c'est encore un spectacle « écrit » (que nous propose Genet), conçu et préparé à l'avance, qui est fina-

---

[1] Qu'on pense au film : « Mademoiselle », dont Jean Genet fut le scénariste, également.

lement *représenté* (au sens étymologique de « représentation ») aux spectateurs : ceux-ci prennent une « part active » au spectacle, soit, mais dans des cadres limités, institutionnalisés, et qui sont ceux de la pièce.

Ils n'ont toujours aucune *improvisation* à réaliser, ils n'inventent encore rien, ils ne *jouent* pas, de leur propre gré, un mythe archétypique, comme cela sera le cas dans certains happenings : tout simplement, sans pour autant *s'identifier* aux acteurs, ils ne s'en distancient néanmoins pas.

— Deuxième niveau : le vrai bond sera franchi avec l'apparition du happening, d'abord lui aussi institutionnalisé (c'est-à-dire à l'intérieur de certains *cadres* limitatifs : thème d'improvisation donné au départ, etc.), ensuite semi-institutionnalisé, enfin complètement « autogéré » : voilà la véritable « cérémonie », à l'état pur, dont rêvait Artaud, totalement réalisée, en dehors de tout cadre restreignant, de quelque nature qu'il puisse être.

Nous en reparlerons dans le chapitre consacré à cette forme « ultra » du théâtre du nouveau langage ; nous avons cité cet exemple ici pour montrer que le théâtre du nouveau langage n'a pas encore des structures délimitées une fois pour toutes et pour de bon, qu'il évolue sans cesse, dans ses formes et dans son contenu, et que nous assistons, depuis Ionesco, au développement rapide d'un phénomène théâtral nouveau, qui a vu le jour *en même temps* que le développement intensif de la société post-industrielle dans le monde occidental.

Et déjà, avant Ionesco, le premier théâtre libre d'Antoine (Paris, 1887) et ensuite le mouvement « Dada » et le surréalisme engendrèrent une véritable révolution dans le domaine artistique en général, révolution qui faisait pendant au développement des trusts, des monopoles et du grand capital financier, lequel développement atteignit très vite des proportions vertigineuses.

À titre indicatif, il est peut-être bon de rappeler ici (car le mot « Dada » — c'est une constatation empirique — fait aujourd'hui sourire !) que le mouvement dada comptait parmi ses membres des personnalités artistiques aussi importantes qu'Aragon, Bergson, Cocteau, Gide, Breton [1], Charlot, Claudel, Picasso, Giacometti, Gorki, Max Jacob, Maeterlinck, Darius Milhaud, Jean Paulhan, Valéry, Raymond Radiguet, Cendrars, Eluard.

Pour en revenir à « l'effet d'éloignement » de Brecht, nous venons de voir que, si certaines œuvres du théâtre du nouveau langage utilisent ce procédé, le happening l'exclut automatiquement, car qui dit happening pose comme postulat de départ une participation complète des « spectateurs ».

En fait, il n'y a plus de spectateurs, puisqu'il n'y a pas de « texte » ou de scénario préétabli, prêt à être joué ; ce sont, à proprement parler, les spectateurs qui créent leur spectacle, qui inventent les « thèmes de jeu » : le spectacle sera ce que les spectateurs voudront qu'il soit. Dans ce cas, l'éventuel « distanciateur » (au sens brechtien) n'est plus qu'un « voyeur » (au sens de Robbe-Grillet), purement et simplement. Fermons la parenthèse à ce sujet.

Pour en revenir à Ionesco, nous nous apercevons que nous étions sur le point de porter un jugement de valeur sur son œuvre « deuxième manière », ce qui n'est certainement pas notre propos.

---

(1) À propos de la mort d'André BRETON, Ionesco déclare : « Je le mets sur le même plan que Einstein, Freud, Kafka, c'est-à-dire que je le considère comme un des quatre ou cinq grands réformateurs de la pensée d'aujourd'hui. Son œuvre, nous en avons tous profité ». (in « Le Figaro » du 30 septembre 1966, p. 25).

Disons simplement qu'à partir de « Tueur sans gages »,
Ionesco n'entre plus dans le cadre de notre étude, car on ne
peut plus le considérer comme un dramaturge du théâtre du
nouveau langage, ayant décidé de s'exprimer autrement, à
l'aide précisément de ce même langage qu'il s'acharnait à
condamner et à remettre totalement en question, lors de ses
premiers écrits.

Aurait-il abouti, au terme de ses recherches, à une
impasse dans l'expression scénique, à un chemin sans issue ?
Cela est probable, si l'on se réfère aux différents entretiens
qu'il a accordés à ce sujet à la presse parisienne [1].

Citons simplement la dernière réplique de Bérenger le
héros de « Rhinocéros » : « Je suis le dernier homme, je le
resterai jusqu'au bout ! Je ne capitule pas ! »

On voit par là comment Ionesco a totalement changé
d'attitude, face au phénomène théâtral. Il ne suggère plus, il
impose, les spectateurs ne sont plus atteints au niveau du
langage-objet, du langage disloqué et fragmenté, mais au
niveau du *discours,* au niveau de l'Idée.

Ionesco, qui disait autrefois : « L'avant-garde, c'est la
liberté » (Notes et contre notes, p. 37), qui disait qu'il fallait
« rendre au langage sa virginité, car le cliché, c'est ce qui
avilit, à travers le langage, certaines réalités essentielles qui
ont perdu leur fraîcheur, que l'on doit redécouvrir comme
l'on déterre des villes ensevelies sous le sable » (op. cit.,
p. 108), Ionesco donc semble avoir changé de perspective
depuis « Tueur sans gages ».

Une comparaison avec Beckett s'impose : car Beckett,
bien au contraire, semble aller de pièce en pièce vers un

---

(1) Notamment « Le Figaro Littéraire » du 10-2-66, et « Les Nouvelles Littéraires », du 3-2-66. Voir également les entretiens qu'il
nous a accordés, et que nous avons publiés sous le titre : « Ionesco
à cœur ouvert » (Cercle du Livre de France, Montréal, 1970).

dépouillement scénique de plus en plus total. Depuis « En attendant Godot », on croyait qu'il ne pouvait aller plus loin dans sa description de la solitude humaine. Et puis, coup sur coup, ce fut « Fin de Partie », « La Dernière bande », « O les beaux jours », et finalement « Comédie », qui dépasse tout ce que l'on peut imaginer possible (et réalisable) au théâtre : c'est la chute vertigineuse jusque dans les tréfonds de l'abîme humainement concevable, dans une zone si étroite que le « néant y jouxte l'existence » (M. Corvin : « Le théâtre nouveau en France », p. 72).

Nous aurons le loisir d'y revenir en détail dans le chapitre consacré à Beckett.

En ce qui concerne l'espèce de « revirement » dans l'œuvre de Ionesco, à partir de « Tueur sans gages », il existe également une autre interprétation possible. Dans un ouvrage datant de mai 1966, Geneviève SERREAU observe que dans cette dernière pièce, « Bérenger n'a pour toute arme que le langage, face au Tueur : maniée avec aisance au début, l'arme ne tarde pas à s'émousser, à s'enrayer : c'est que le langage charrie, mêlé à des cris sincères, toute une morale apprise, dérisoire, qui se décompose face à l'évidence brute de la MORT » (« Histoire du Nouveau Théâtre », p. 54-55).

Et plus loin, après avoir noté que « Le Roi se meurt » a pour thème le vieillissement et la mort, elle écrit : « Ionesco y tente, par l'art, d'exorciser une très vieille angoisse » (op. cit., p. 59).

Cette « très vieille angoisse », c'est bien entendu, un archétype : l'angoisse de la mort. Dès lors, Ionesco n'a plus pour but premier de démystifier le langage (bien qu'il en demeure des relents dans la seconde partie de son œuvre, son second souffle, en quelque sorte), mais d'exorciser l'angoisse personnelle qu'il éprouve face à la mort, au dessèchement, à la calcination définitive de l'être humain. Aussi, ne parvient-il plus à « se distancier » vis-à-vis de ses pièces et de ses personnages, et à faire œuvre de novateur en ce domaine.

À cet égard, et pour ne prendre qu'un seul exemple, « Une mort très douce », de Simone de Beauvoir (Gallimard, 1965) est un témoignage beaucoup plus bouleversant sur l'expérience presque *vécue* de la mort [1].

Ionesco, traitant de la mort, ne pouvait sans doute qu'écrire des pièces de type « didactique ». Citons à ce sujet un très beau passage de « Tropique du Capricorne », de Henri MILLER :

> « Se dégageant de l'alphabet grossier grâce auquel il communique avec les hommes archaïques de l'univers, un LANGAGE NEUF se forme et se bâtit, qui se taille un chemin à travers la langue morte de l'époque, comme la TSF à travers un orage. Il n'y a rien de magique dans cette longueur d'onde, pas plus que dans le ventre de la mère. Les hommes sont seuls et ne peuvent communiquer entre eux parce que toutes leurs inventions ne parlent que de MORT. *La mort est silencieuse, elle n'a pas de lèvres, La mort n'a jamais rien exprimé* » (op. cit., p. 419).

---

(1) Dans sa très fine analyse de la pensée beauvoirienne, Francis JEANSON fait observer que « dans la profonde horreur que cette conscience éprouve à l'égard de la mort (et qu'il ne faut pas confondre avec l'espèce de refus que de tout son être elle oppose au vieillissement), il y a sans doute une certaine ambivalence, où l'aspect de *désir* (sous-jacent à tout rêve) serait représenté par la tentation de s'approprier l'être en renonçant à l'existence, — la mort intervient ici comme l'événement suprême, la forme-limite de la possession, le *viol absolu* » (« Simone de Beauvoir ou l'entreprise de vivre », p. 68. C'est l'auteur qui souligne).

Aussi, quand Ionesco entreprend la lourde tâche de nous « dire » la mort (qui est en fait, « *indicible* », mais *suggérable*), il échoue dans sa tentative de nous la « raconter ».

Pensons un moment à Bérenger, face au Tueur :

> « Je doute de l'utilité de la vie, du sens de la vie, de mes valeurs, et de toutes les dialectiques [...]. Soyez philosophe : si tout est vanité, si la charité est vanité, le crime aussi n'est que vanité [...]. Vous tuez sans raison, dans ce cas, je vous prie sans raison, je vous implore, oui, arrêtez-vous [...]. Vous tuez pour rien, épargnez pour rien. Laissez les gens vivre tranquilles, vivre stupidement, laissez-les tous, et même les policiers ... Promettez-le moi : interrompez-vous au moins pendant un mois ... » (Ionesco : « Tueur sans gages », in « Théâtre II », p. 169-170).

Ailleurs, dans ce même monologue (qui fait dix pages), Bérenger dit :

> « Vous voulez détruire le monde parce que vous pensez que le monde est condamné au malheur. N'est-ce pas ? (page 163) Peut-être voulez-vous guérir les gens de la hantise de la mort ? Vous pensez, d'autres l'ont pensé avant vous, que l'homme est l'animal malade, qu'il le sera toujours, malgré tous les progrès sociaux, techniques ou scientifiques, et vous voulez sans doute pratiquer une sorte d'euthanasie universelle ? [...] Laissez-les mourir d'eux-mêmes, bientôt il ne sera plus question de rien. Tout s'éteindra, tout finira de soi-même. Ne précipitez pas les événements : c'est inutile » (p. 165), etc. etc. etc., avec, pour conclure, cette belle envolée lyrique :

> « Oh ... que ma force est faible contre ta froide détermination, contre ta cruauté sans merci ! ... Et que

peuvent les balles elles-mêmes contre l'énergie infinie de ton obstination ? [...] Mon Dieu, on ne peut rien faire ! ... Que peut-on faire ... Que peut-on faire ... »
(p. 171).

Certains critiques (comme G. Serreau, par exemple, dans son ouvrage déjà cité) n'ont vu dans ce monologue que la preuve d'un talent lyrique et poétique admirable, encore inconnu chez cet auteur, et venu se surajouter à ses autres qualités dramatiques. Il se peut bien. Mais, pour nous, pour ce qui concerne *notre* sujet, il n'en reste pas moins évident que Ionesco essaye de rompre avec ses pièces précédentes (pièces du « Nouveau Langage Théâtral »), pour inaugurer un nouveau cycle, avec le monologue de Bérenger dans « Tueur sans gages » comme charnière.

Si la « mort est silencieuse et n'a pas de lèvres », si « elle n'a jamais rien exprimé » (comme le dit H. Miller), du moins est-il toujours possible de la « suggérer », au théâtre — comme de nombreuses pièces de Beckett, en fait la quasi-totalité de son œuvre, aussi bien romanesque que théâtrale — avec ce que nous avons appelé un « nouveau langage », et non de nous la DIRE, de nous la réciter, d'essayer de nous la montrer avec ces mêmes mots que Ionesco en personne qualifiait, il n'y a pas si longtemps, d'*usés* et de *sclérosés*.

En d'autres termes, à partir de « Tueur sans gages », Ionesco se prend à son propre piège, celui de la « litote » ou de la « parlerie », pour employer le mot de Heidegger. Il se prend « au sérieux », en prenant au « sérieux » les mots qu'il avait jusqu'ici coutume de dénoncer, comme *faux* moyens de communication (au théâtre, tout au moins).

Pour en revenir aux premières pièces de Ionesco, il nous

en reste deux [1] à examiner, celles que nous avions volontairement laissées pour la fin.

Il s'agit de « La cantatrice chauve » et de « Les chaises ». En effet, dans un ouvrage que nous avons publié il y a quelque temps [2], nous analysons en détail le contenu de ces deux pièces, cet examen étant par ailleurs suivi de quatre longs entretiens que nous avait accordés Ionesco en 1968-69. Qu'il nous soit donc permis d'y référer le lecteur. Nous nous bornerons ici à en faire ressortir les points saillants.

Si « La cantatrice chauve » désarçonne le vieux public de théâtre par le saugrenu de sa teneur, elle remporta néanmoins — et assez vite — les suffrages quasi unanimes des jeunes spectateurs, curieux de nouveautés. Ce qu'il faut également noter, c'est que cette pièce fut traduite en 30 langues et jouée dans plus de 50 pays, provoquant sous toutes les latitudes le même retentissement et le même engouement. Serait-ce un signe distinctif de notre temps qui fait qu'on réagit plus ou moins de la même façon aux mêmes thèmes, dans tous ces pays ?

Dans cette pièce, Ionesco bouscule les conventions absurdes qui régissent le monde actuel, et démonte systématiquement les mécanismes et les lois qui faisaient foi dans la société bourgeoise, et ce, en démontant le mécanisme d'horlogerie fondamental : celui de la langue, des règles grammaticales et syntaxiques. Ce qui explique, en partie, pourquoi cette pièce souleva dès sa création un haro d'indignations de

---

(1) Nous excluons de nos analyses ses courtes pièces en un acte : « Le maître », « Délire à deux », « La lacune », « La jeune fille à marier », « Scène à 4 », car elles ne font que reprendre sur le plan de l'anecdote, les grands thèmes que nous avons étudiés en détail à travers ses pièces « magistrales ».

(2) « Ionesco à cœur ouvert », Montréal, Le Cercle du Livre de France, 1970 (120 pages).

la part des notables du théâtre, et donna lieu à ce qui devait s'avérer être un véritable scandale.

Pourquoi ? En somme, cette pièce fait triompher d'élémentaires vérités, comme c'est le cas de tous les auteurs comiques, d'Aristophane à Molière. Chez Ionesco cependant, et notamment dans « La cantatrice chauve », il y a quelque chose de plus : le langage ne traduit et ne véhicule pas la

pensée, les mots et les vocables qu'il utilise étant dénués de toute signification. Ils sont sémantiquement neutres, la chaîne syntagmatique étant brisée tout le long de la pièce. Aussi, sa « Cantatrice chauve » est une histoire de sourds, où prévaut l'invention verbale en délire ; elle met en relief l'absurdité et la nullité des rapports d'un couple anglais (Monsieur et Madame Smith), en « relation » avec un autre couple anglais (Monsieur et Madame Martin), qui se gargarisent de mots vides de sens afin de meubler un silence qui, lui, est lourd de sens.

Ces « dialogues » à quatre sont déroutants à plus d'un égard. Le spectateur, lui, patiente jusqu'à la fin, jusqu'à la dernière répartie, et pense qu'on va lui mettre en mains les clés du mystère, qu'il va s'y retrouver enfin dans ce déluge de voyelles et de consonnes jetées pêle-mêle sur la scène, qu'on va le sortir bientôt de ce labyrinthe abyssal, de cette maison de fous furieux. En vain. Car jusqu'à la fin, il restera sur sa faim. Lui qui voulait « comprendre » (enfin !), il se rend compte, furieux, qu'il n'y a strictement rien à « comprendre ». Il y a, tout simplement, ce verbiage incohérent qui s'auto-alimente du début à la fin, qui atteint sa forme paroxystique dans les dernières répliques, et qui ne semble trouver sa raison d'être que pour peupler le Silence Fondamental dans lequel vivent sans doute les Smith et les Martin. En définitive, c'est ce Silence qui constitue le thème prépondérant de la pièce, le reste n'étant — au sens littéral, cette fois — que « littérature ».

Voici, à titres d'exemples, quelques extraits de cette pièce, qui édifieront le lecteur sur les tenants et aboutissants du « message » véhiculé par Ionesco.

Voici d'abord comment Ionesco décrit le décor de la pièce :

« Intérieur bourgeois anglais, avec des fauteuils anglais. Soirée anglaise. Monsieur Smith, Anglais, dans son fauteuil anglais et ses pantoufles anglaises, fume sa pipe anglaise et lit un journal anglais, près d'un feu anglais. Il a des lunettes anglaises, une petite moustache grise, anglaise. À côté de lui, dans un autre fauteuil anglais, Madame Smith, Anglaise, raccommode des chaussettes anglaises. Un long moment de silence anglais.

« La pendule anglaise frappe 17 coups anglais ». [1] Madame Smith :

> « Tiens, il est neuf heures. Nous avons mangé de la soupe, du poisson, des pommes de terre au lard, de la salade anglaise. Les enfants ont bu de l'eau anglaise. Nous avons bien mangé ce soir. C'est parce que nous habitons dans les environs de Londres et que notre nom est Smith... Les pommes de terre sont très bonnes avec le lard, l'huile de la salade n'était pas rance. L'huile de l'épicier du coin est de bien meilleure qualité que l'huile de l'épicier d'en face, elle est

---

(1) Dans certaines mises en scène, en particulier celle qui fut présentée à Montréal et à la suite de laquelle nous avions organisé une Discussion de Groupe, ce texte est lu par un présentateur — ou à la rigueur, diffusé par un haut-parleur — pour essayer de situer d'ores et déjà le niveau où l'on doit placer la pièce.

même meilleure que l'huile de l'épicier du bas de la côte. Mais je ne veux pas dire que leur huile à eux soit mauvaise... Pourtant c'est toujours l'huile de l'épicier du coin qui est la meilleure... Mary a bien cuit les pommes de terre, cette fois-ci. La dernière fois elle ne les avait pas bien fait cuire. Je ne les aime que lorsqu'elles sont bien cuites... Le poisson était frais. Je m'en suis léché les babines. J'en ai pris deux fois. Non, trois fois. Ça me fait aller aux cabinets. Toi aussi tu en as pris trois fois, tu en as pris moins que les deux premières fois, tandis que moi, j'en ai pris beaucoup plus. J'ai mieux mangé que toi, ce soir. Comment ça se fait ? D'habitude, c'est toi qui manges le plus. Ce n'est pas l'appétit qui te manque... Cependant la soupe était peut-être un peu trop salée,... » etc. etc. etc.

Plus loin :

« On ne fait pas briller ses lunettes avec du cirage noir. Oui, mais avec l'argent, on peut acheter tout ce qu'on veut. J'aime mieux tuer un lapin que de chanter dans le jardin. Kakatoes, kakatoes... (Madame Smith répète ce mot dix fois de suite). Quelle cascade de cascades, quelle cascade de cascades (même jeu de Monsieur Martin). Les chiens ont des puces, les chiens ont des puces. Cactus, coccyx, cocus, cacardard ! cochon ! Encaqueur, tu nous encaques. J'aime mieux pondre un oeuf que voler un boeuf [...]. Touche pas ma babouche. Bouge pas la babouche. Touche à la mouche, mouche pas la touche. La mouche bouge. Mouche ta bouche. Mouche la chasse, escarmoucheur escarmouché ! Scaramouche ! Sainte-Nitouche ! T'en as une couche ! Tu m'embouches ! Sainte-Nitouche touche ma cartouche [...]. Le pape [1] dérape ! Le pape n'a pas de soupape. La soupape a un pape. Bazar, Balzac, Bazaine, Bizarre, Beaux-arts, baisers ! A, e, i, o, u, a, e, i ... B, c, d, e, f, g, l, m, n, p, r. ? De l'ail, à l'eau, du lait, à l'ail ! Teuff, teuff ! (dix fois de suite). C'est pas par là ! C'est ! Par ! I ! Ci ! », et puis tous ensemble : « C'est pas par là, c'est par ici (dix fois de suite) » (pp. 53-55 de « La cantatrice chauve »). [2]

« La cantatrice chauve » a dit Ionesco, lors d'une causerie faite à Lausanne en novembre 1954 (et reproduite dans ses « Notes et contre-notes », page 142), « est la seule de mes pièces considérée par la critique comme purement *comique*. Là encore, pourtant, le comique me semble être l'expression de l'insolite. Mais l'insolite ne peut surgir, à mon

---

(1) Rappelons le vers de J. Prévert : « La pipe du papa au pape Pie XII pue », in « La crosse à l'envers » (poème publié dans : « Paroles »). Notons également que le passage consacré aux variations — par associations d'idées et rapprochement par sons phonétiques — relatives à la mouche, sera repris, en images cette fois, dans son sketch de cinéma : « La colère », dont nous avons déjà parlé dans ce chapitre.

(2) À titre simplement indicatif, rappelons ici l'interprétation pathologique de tels phénomènes (bien que toute comparaison soit ici hors de propos) : « La désintégration du langage, chez les sujets atteints de démence dégénérative, est le résultat de perturbations de nature différente. Il n'est pas possible de réduire à un commun dénominateur : l'appauvrissement initial du vocabulaire, le rabâchage, le défaut du mot, la simplification et les désordres de la syntaxe, les paraphrasies sémantiques (un mot pour un autre), les paraphrasies phonétiques (mots déformés), les difficultés arthriques puis les itérations verbales (palilalie verbale, syllabaire, logoclonie) qui jalonnent la désintégration du langage de ces éléments » (H. Sinclair et al. : « Quelques aspects de la désintégration des notions de temps à travers des épreuves morpho-syntaxiques de langage et à travers des épreuves opératoires, chez des vieillards atteints de démence dégénérative », in *Bulletin de Psychologie*, numéro spécial consacré aux « Aspects du langage », no 247, XIX, 8-12, page 745). Notre perspective d'analyse n'étant pas « clinique », nous ne considérerons donc pas cet aspect du phénomène.

avis, que du plus terne, du plus quelconque quotidien, de la prose de tous les jours, en le suivant jusqu'au delà de ses limites. Sentir l'absurdité du quotidien et du langage, son invraisemblance, c'est déjà l'avoir dépassée ; pour la dépasser, *il faut d'abord s'y enfoncer*. Le comique, c'est de l'insolite pur ; rien ne me paraît plus surprenant que le banal ; le surréel est là, à la portée de nos mains, dans le bavardage de tous les jours. »

Ionesco a appelé sa pièce une « anti-pièce » : on comprend aisément pourquoi. Comment Ionesco en est-il venu à écrire « La cantatrice chauve » ? Il paraît [1] que, voulant apprendre l'Anglais assez vite, il a ouvert un jour la méthode « Assimil » et a découvert tout un monde nouveau. Il fut frappé par l'absurdité des clichés qui parlaient du « plafond en haut, du plancher en bas, ou du fait qu'il y avait sept jours dans une semaine » : « J'y vis », dit-il dans un entretien paru dans « Le Monde » du 16 octobre 1955, « la confirmation de ce qui m'avait toujours frappé : *la vacuité totale du langage* ».

Les phrases qu'il lui fallait apprendre dans la méthode « Assimil » étaient sous forme de dialogues : et c'est ainsi que naquit sa première pièce : « La cantatrice chauve ».

Tout ce que disent les Smith et les Martin vient presque phrase pour phrase de ce manuel d'anglais. Ionesco n'a fait qu'y ajouter les associations d'idées (un peu à la manière de Jacques Prévert pour ses poèmes) [2], se basant pour cela — également — sur certaines expériences linguistiques du surréalisme, et sur les « Exercices de style » (Gallimard) de

---

(1) Voir dans « Paris-Théâtre », nᵒ 156 (1960), l'entretien accordé à Claude Damiens (page 2).
(2) Voir les poèmes et récits de J. Prévert : « Paroles, « Spectacles », « La Pluie et le beau temps », « Fatras », tous parus chez Gallimard (collec. « Le point du jour »).

Raymond Queneau : « Je conçois un théâtre pur ; pour cela il faut détruire le langage habituel, cohérent, rationaliste, et faire du texte un prétexte pour un jeu de théâtre », écrit-il dans les « Cahiers des quatre Saisons » (n° d'octobre 1955). Ailleurs, il écrit :

> « Le but de mon théâtre est de s'attaquer à un langage périmé, tenter de le tourner en dérision pour en montrer ses limites, ses insuffisances, tenter de le faire éclater, car tout langage s'use, se sclérose, se vide » (*Cahiers Renaud-Barrault*, n° 29, février 1960, page 12).

Et c'est sous cet angle, précisément, que Ionesco rejoint Antonin Artaud, en se donnant pour tâche de « briser le langage pour le reconstituer et pour toucher la vie » (*Cahiers Renaud-Barrault*, mai 1958).

Jacques Poliéri, l'un des metteurs en scène des plus expérimentaux qui existent actuellement en France, pense à ce sujet qu'une certaine préoccupation du geste, l'introduction du mot-objet en tant que personnage propre dans l'action dramatique (quand elle existe) chez Ionesco, a été directement influencée par Artaud, quand il disait qu'il voulait que « les choses de la scène, toutes bourdonnantes de signification, s'ordonnent et montrent des figures » (Le théâtre et son double).

D'ailleurs, Ionesco en est fort conscient, puisqu'il ne peut ignorer que lorsqu'il tente de faire exploser le langage, dans son impossibilité de contenir des significations, il se réfère implicitement à Artaud qui, dans « Le théâtre et son double », préconisait justement de « faire la métaphysique du langage articulé, lui rendre ses possibilités d'*ébranlement physique*, restituer aux intonations le pouvoir de déchirer et de manifester réellement quelque chose, se retourner contre le langage et ses sources bassement utilitaires ». (op. cit., page 56).

Tout cela, nous le retrouvons précisément dans « La cantatrice chauve », la pièce de Ionesco qui a peut-être fait verser le plus d'encre. Le grand mérite de Ionesco, c'est d'avoir su appliquer sur scène les théories du « théâtre de la cruauté » que voulait instaurer Artaud qui, rappelons-le ici, n'a écrit qu'une seule pièce de théâtre, qui ne fut d'ailleurs presque jamais jouée — (il s'agit de « Jet de sang », « les Cenci » mis à part).

Nous l'avons vu, par les larges extraits que nous avons donnés de « La cantatrice chauve » : Ionesco a pratiquement créé de toutes pièces, et sur la scène, un « lieu physique et concret », et il lui a fait parler son langage concret : et ce langage concret (le mot-objet) satisfait d'abord les SENS tout en « échappant au langage articulé » (c'est la citation d'Artaud que nous avons choisi comme exergue à notre volume).

D'ailleurs, Ionesco ira encore plus loin dans ce sens, dans « Les Chaises », en juxtaposant au mot-objet l'objet-objet (les chaises) qui, à eux deux, formeront un alliage si puissant qu'ils empêcheront physiquement les deux vieux d'établir cette communication entre eux, et qu'ils souhaitent pourtant si ardemment, et depuis si longtemps.

Chez Sartre, c'étaient les Autres qui rendaient la communication face à face impossible (dans « Huis-Clos », sa pièce la plus achevée) ; ici, ce sont littéralement les objets : ils encombrent tout l'univers, et on ne peut s'atteindre à travers et malgré leur présence quasi-obsédante. Leur masse concrète est visible sur scène, c'est la contre-épreuve solide et matérielle de l'effroyable solitude humaine, contre-épreuve mise au diapason des sociétés industrielles modernes. Il n'y a plus des « mots *et* des choses » [1] mais les MOTS SONT DES CHOSES.

Avant d'en terminer avec « La cantatrice chauve », il serait sans doute bon de voir comment Ionesco lui-même interprète sa pièce :

> « La cantatrice chauve » est une parodie du théâtre de Boulevard, une parodie du théâtre tout court, une critique des clichés du langage et du comportement automatique des gens. Elle est aussi l'expression d'un sentiment de l'insolite dans le quotidien, un insolite qui se révèle à l'intérieur même de la banalité la plus usée. On a dit que c'était une tentative de désarticulation du langage, ou de destruction du théâtre ; on a dit que c'était un théâtre abstrait, puisqu'il n'y a pas d'action dans cette pièce ; on a dit que c'était du comique pur ou la pièce d'un nouveau Labiche, utilisant toutes les recettes du comique le plus tradition-nel. On a appelé cela de l'AVANT-GARDE, bien que personne ne soit d'accord sur la définition de ce mot [2] ; on a dit que c'était du théâtre à l'état pur,

---

(1) Cf. « Les mots et les choses » de M. Foucault : « Les hétérotopies (comme on en trouve si fréquemment chez Borges) inquiètent, sans doute parce qu'elles minent secrètement le langage, parce qu'elles empêchent de nommer ceci ET cela, parce qu'elles brisent les noms communs ou les enchevêtrent, parce qu'elles ruinent d'avance la « syntaxe », et pas seulement celle qui construit les phrases, — celle moins manifeste qui fait « tenir ensemble » (à côté et en face les uns des autres) les mots ET les choses (...) les hétérotopies dessè-chent le propos, arrêtent les mots sur eux-mêmes, contestent, dès sa racine, toute possibilité de grammaire ; elles dénouent les mythes et frappent de stérilité le lyrisme des phrases » (pp. 9-10).

(2) Pourtant, dans une conférence donnée à Helsinki, en 1959, et pu-bliée dans « Le théâtre dans le monde » (1959, vol. III, no 3), Ionesco tente de définir ce terme : « J'ai appris que l'avant-garde, ce sont les éléments précédant une force armée de terre, de mer,

bien que personne non plus ne sache exactement ce que c'est que le théâtre à l'état pur. Moi, je dis que ce n'est qu'un jeu tout à fait gratuit, car le jeu gratuit est chargé de toutes sortes de significations qui ressortent du jeu même. Pour moi, c'est DANS et GRÂCE à la création artistique que l'*intention* ou les *intentions* se précisent. La construction n'est que le surgissement de l'édifice intérieur se laissant ainsi découvrir » (*Notes et contre-notes,* page 143).

Quant aux « Chaises », qui est peut-être la plus belle pièce que Ionesco ait écrite, nous nous contenterons de rappeler [1] que c'est le drame de deux vieux gâteaux qui croient ou font semblant de croire qu'ils reçoivent quelques amis (une multitude d'amis), pour rompre leur effroyable solitude, et ils finissent par se suicider après moult péripéties. En fait, les deux vieillards servent de pivot-charpente à une construction pure, à une architecture en mouvement continuel qu'est une pièce de théâtre pour Ionesco.

D'ailleurs, comme le fait remarquer Pronko dans son ouvrage, dans quelle mesure ces deux vieux ne sont-ils pas l'exacte réplique, la copie conforme des deux clochards d' « En attendant Godot », de Beckett ? Dans quelle mesure cette attente, sans fin, ne reflète pas, dans nos sociétés actuelles, une même attente d'un Messie mythique qui viendrait sauver l'humanité de l'apocalypse qu'elles pressentent confu-

---

ou de l'air, pour préparer son entrée en fonction. Ainsi, analogiquement, l'avant-garde au théâtre serait constituée par un petit groupe d'auteurs de choc, suivis à quelque distance par le gros de la troupe (...). De toute façon, ce que l'on appelle le théâtre d'avant-garde, ou le nouveau théâtre (...) est un théâtre semblant avoir par son expression, sa recherche, sa difficulté, une qualité supérieure. »

(1) Voir notre analyse de cette pièce dans « Ionesco à cœur ouvert » (op. cit.).

sément ? (que cette apocalypse prenne la figure du danger nucléo-atomique, du danger chinois — pour les Américains — ou de n'importe quel autre aspect qu'elle pourrait avoir). Il n'est d'ailleurs pas nécessaire que ce Messie soit un Messie-Christ, un Messie-Héros (Hitler, pour les Nazis) ferait tout aussi bien l'affaire.

Il serait d'ailleurs très intéressant d'analyser en profondeur ce phénomène de l'attente, qu'on trouve dans toutes les œuvres (ou presque) du théâtre du nouveau langage (on attend toujours quelque chose ou quelqu'un), mais cela dépasse le cadre de notre travail.

Que dit Ionesco de sa pièce ?

« Dans « Les Chaises », (les objets) servent à exprimer le non-sens, l'arbitraire, une vacuité de la réalité, du langage, de la pensée humaine, et surtout à encombrer le plateau de plus en plus avec ce vide, à envelopper sans cesse, *comme de vêtements de paroles,* les absences de personnes, les trous de la réalité, car il ne faut jamais laisser parler les vieux en dehors de « la présence de cette absence », à laquelle ils doivent se référer constamment, qu'ils doivent constamment entretenir, embrasser, faute de quoi l'irréalisme ne pourrait être suggéré, car il ne peut être créé que par opposition permanente à ce qui est visible. Il faut beaucoup de gestes, de la presque-pantomime, de lumières, du son, d'objets qui bougent [1], de portes qui s'ouvrent et qui se referment et s'ouvrent à nouveau, pour créer ce vide, pour qu'il grandisse et ronge tout :

---

(1) Ce qui constitue justement pour nous, l'essence du théâtre du nouveau langage. « Qu'il suffise de rappeler l'abondance ou la dimension excessive des accessoires et meubles dans l'œuvre de Tardieu ou Ionesco, pour souligner le rôle de véritables ACTEURS DU DRAME que peuvent jouer ces éléments scéniques » (**R. Ravar et P. Anrieu :** « **Le spectateur au théâtre »,** page 18).

on ne peut créer l'absence que par opposition à des présences. Et tout ceci ne nuirait pas au mouvement, tous les objets dynamiques, c'est le mouvement même (la structure, disons-nous) de la pièce » (Notes et contre-notes, pages 167-168).

Ce texte est trop éloquent par lui-même pour que nous éprouvions le besoin de le commenter. Aussi, nous contenterons-nous de citer à nouveau l'auteur : « On aurait pu rendre tous les personnages [1] visibles, si on avait trouvé le moyen de rendre perceptible au théâtre, de façon saisissante, leur réalité insaisissable. Il faut qu'à la fin, cela devienne parfaitement choquant [...]. Il faudrait que la lumière redevienne pauvre, jaunâtre, puisqu'elle suit l'action et que maintenant la fête est finie [...].

Par les moyens du langage, des gestes, du jeu, des accessoires, exprimer le vide, exprimer l'absence. Exprimer les regrets, les remords. Irréalité du réel. Chaos originaire. La voix à la fin, bruit du monde, rumeurs, débris de monde, le monde s'en va en fumée, en sons et couleurs qui s'éteignent, les derniers fondements s'écroulent, ou plutôt se disloquent. Ou fondent dans une sorte de nuit. Ou dans une éclatante, aveuglante lumière. Les voix à la fin : bruit du monde, nous, les spectateurs [...]. Je crois inventer une langue, je m'aperçois que tout le monde la parle. Le théâtre peut très bien être le seul lieu où vraiment rien ne se passe. L'endroit privilégié où rien ne se passerait » (op. cit., p. 170).

Pour expliquer la fin des « Chaises », enfin :

« Le monde est désert. Peuplé de fantômes aux voix plaintives, il murmure des chants d'amour sur les débris de mon néant ! Revenez pourtant, douces ima-

---

(1) Il s'agit, bien entendu, des invités, invisibles dans la pièce.

ges, écrit Gérard de Nerval, dans « Promenades et souvenirs ». Ce serait ça, peut-être, moins la douceur ». (op. cit., pp. 169-171).

Encore une fois, si nous avons tenu à citer si longuement l'auteur, c'est bien pour montrer quelles ont été ses intentions originales. Il nous a paru en effet essentiel de cerner de très près, à travers toute l'œuvre d'un des auteurs les plus représentatifs du théâtre du nouveau langage, les grands thèmes et les structures formelles de sa démarche et de son cheminement dramatiques.

Comme le dit Pronko, commentant les « Chaises » de Ionesco : « Un mot en suggère un autre, à cause du Son, et sans nul égard pour le sens. Exemple : — Au moins les as-tu convoqués ? demande la vieille. — Le Pape, les papillons, et les papiers ? répond le vieux. Des mots se répètent si fréquemment qu'il n'en reste qu'un SON totalement vidé de sens, comme lorsque quelqu'un répète son propre nom si longtemps qu'il devient simplement un OBJET EN SOI » (*Théâtre d'Avant-Garde,* page 109).

On le voit : le son-objet, le bruit-objet, la lumière-objet (les éclairages, au théâtre), le décor-objet, le mot-objet, sont plus importants, dans l'état actuel des choses (dans la mesure où ils deviennent de plus en plus une hantise, une obsession caractéristique de notre époque industrielle), que les « motivations psychologiques » traditionnelles des individus. Le psychologisme au théâtre est en effet dépassé (depuis une quinzaine d'années), ainsi que dans le nouveau roman. Ionesco le dit lui-même :

« Je voudrais pouvoir, pour ma part, dépouiller l'action théâtrale de ce qu'elle a de particulier : son intrigue, les traits accidentels de ses personnages, leurs noms, leur appartenance sociale, leur cadre historique,

les raisons apparentes du conflit dramatique, toutes
justifications, toutes explications, toute la LOGIQUE
du conflit. Le conflit existerait, autrement, il n'y aurait
pas théâtre, *mais on n'en connaîtrait pas la raison.*
Le dramatisme, sa grandeur et sa vérité, résident dans
le fait qu'il n'est pas explicable. Au théâtre, on veut
MOTIVER. Et dans le théâtre d'aujourd'hui, on veut
le faire de plus en plus. De cette façon, on le rabaisse.
Avec des chœurs parlés et un mime central, soliste [1],
on arriverait par des *gestes exemplaires,* quelques paroles et des MOUVEMENTS PURS, à exprimer le
CONFLIT PUR, le DRAME PUR, dans sa vérité
essentielle, l'état existentiel même, son auto-déchire-
ment et ses déchirements perpétuels : réalité pure,
a-logique, a-psychologique [2] (au-delà de ce qu'on
appelle aujourd'hui *absurde et non-absurde),* des pul-
sions, impulsions, expulsions. Mais comment arriver à
représenter le non-représentable ? comment figurer le
non-figuratif, non figurer le figuratif ? C'est bien difficile. *Tâchons au moins d'inventer un langage qui ne
serait qu'au Théâtre »* (*Notes et contre-notes,* page
195).

Et Robbe-Grillet (pour ce qui est du nouveau roman),
de son côté, refuse de la même façon le « psychologisme »
classique en littérature : « Le récit, tel que le conçoivent nos
critiques académiques — et bien des lecteurs à leur suite —
représente un *ordre.* Cet ordre, que l'on peut en effet qualifier de naturel, est lié à tout un système, rationaliste et
organisateur, dont l'épanouissement correspond à la prise du
pouvoir par la *classe bourgeoise* [...] . Avec cette forme nar-

---

(1) Comme cela fut réalisé dans « Job, ou l'anneau d'or », pièce de
R. Bantzé créée au Théâtre Mouffetard, en novembre 1965.
(2) Et non pas il-logique et anti-psychologique.

rative, dont on comprend qu'elle demeure pour beaucoup comme un paradis perdu du roman, quelques certitudes importantes avaient cours : la confiance en particulier, dans une LOGIQUE des choses, juste et rationnelle » (*Pour un nouveau roman*, pp. 36-37).

Ainsi, pour Robbe-Grillet, le monde dans lequel nous vivons aujourd'hui, ici et maintenant, est un monde a-logique (non pas il-logique, mais a-logique, sans logique, comme pour Ionesco) :

> « Le développement des thèmes, chez Faulkner, par exemple, et leurs associations multiples, bouleversent toute chronologie, au point de paraître souvent réenfouir, nouer au fur et à mesure ce que le récit vient de révéler. Chez Beckett lui-même, il ne manque pas d'événements, mais qui sont sans cesse en train de se contester, de se mettre en doute, de se détruire, si bien que la même phrase peut contenir une constatation et sa négation immédiate. En somme, ce n'est pas l'anecdote qui fait défaut, c'est seulement son caractère de certitude, sa tranquillité, son innocence » (op. cit., page 38).

Et un peu plus loin :

> « On était en droit d'espérer que l'homme et les choses allaient être décrassés de leur « romantisme systématique », pour reprendre ce terme cher à Lukacs, et qu'enfin, ils pourraient être seulement ce qu'ils SONT. La réalité ne serait plus sans cesse située *ailleurs*, mais *ici et maintenant*, sans ambiguïté. Le monde ne trouverait pas sa justification dans un sens caché, quel qu'il soit ; son existence ne résiderait plus que dans sa *présence concrète*, solide, matérielle ; au-delà de ce que nous VOYONS [de ce que nous percevons

par nos SENS], il n'y aurait désormais plus rien »
(op. cit., page 44).

Robbe-Grillet rejoint ici Ionesco, dans son refus de distinguer le FOND d'une œuvre de sa FORME :

> « Le Formalisme (pour ceux qui nous critiquent)
> serait un souci trop marqué de la FORME — et, dans
> le cas précis de la technique romanesque — aux dépens
> de l'histoire et de sa signification ».

Et il ajoute avec une pointe d'ironie, teintée d'amertume :

> « Ce vieux bateau crevé — l'opposition scolaire de la
> forme et du fond — n'a donc pas encore fait nau-
> frage ? »

Il explique plus loin, en quoi réside en fait la nouveauté
du nouveau roman : comme pour une symphonie, une peinture, c'est dans sa FORME que réside la réalité (et la seule)
du nouveau roman :

> « Il n'y a pas, pour un écrivain, deux manières pos-
> sibles d'écrire un même livre. Quand il pense à un
> roman futur, c'est *toujours* une écriture qui d'abord
> lui occupe l'esprit, et réclame sa main.

> Il a en tête des mouvements de phrase, des ARCHI-
> TECTURES, un vocabulaire, des constructions gram-
> maticales, exactement comme un peintre a en tête des
> LIGNES et des COULEURS » (op. cit., pp. 48-49).

Et :

> « Les mots et les phrases deviennent aussi des OB-
> JETS, dont la forme pourra donner lieu plus tard
> aux mêmes analyses » (page 110).

Encore :

> « Dans les constructions romanesques futures, *gestes*
> et *objets* seront là, avant d'être *quelque chose ;* et ils
> seront encore là après, DURS, inaltérables, présents
> pour toujours et comme se moquant de leur propre
> sens, ce sens qui cherche en vain à les *réduire* au rôle
> d'ustensiles précaires, de tissu provisoire et honteux
> à quoi seule aurait donné forme — et de façon déli-
> bérée — la vérité humaine supérieure qui s'y est
> exprimée, pour aussitôt rejeter cet auxiliaire gênant
> dans l'oubli, dans les ténèbres » (page 23).

Enfin :

> « Si le lecteur [le spectateur, au théâtre] a quelquefois
> du mal à se retrouver dans le roman moderne [le
> spectacle moderne], c'est de la *même façon* qu'il se
> perd quelquefois dans le monde même où il vit, lors-
> que tout cède autour de lui des vieilles constructions
> et des vieilles normes [...]. Si les objets sont, comme
> on dit, plus HUMAINS (quand ils sont décrits par
> Balzac, par exemple) que les nôtres, c'est seulement
> que la situation de l'homme dans le monde qu'il habite
> n'est plus aujourd'hui la même qu'il y a cent ans ».
> (op. cit., pp. 147-148).

Le monde n'est ni insignifiant ni absurde, par lui-même :
il EST tout simplement ; les auteurs du nouveau roman,
tout aussi bien que ceux du nouveau théâtre, essayent de
le décrire, tel qu'il est ... devenu !

CONCLUSION

Nous terminerons cet essai sur Ionesco, en le citant une dernière fois, l'avantage de cette citation étant qu'elle résume en quelques phrases, toute la thématique du « théâtre du nouveau langage » :

> « Ce qu'on appelait l'unité de l'action est détruite au profit d'une autre sorte de construction : la progression dramatique résulte (et c'est en cela, ainsi, que Weingarten apporte du « nouveau ») de l'enchaînement des images obsessionnelles, du langage des gestes, de la liberté des jeux de scène qui prennent le pas sur le mot, devenu simple soutien de l'imagerie dynamique.

> Il me semble qu'il y a, au théâtre, (chez Amos KENAN[1] chez Weingarten [2], chez Roland DUBILLARD [3]), une évolution très intéressante de l'ex-

_____

(1) Auteur dramatique, dont la pièce « *Le Lion* » fut jouée il y a quelques années, au Théâtre de Lutèce, à Paris.

(2) Dont la pièce la plus connue est : « *Akara* ». Signalons au passage que Weingarten, comme Ionesco, accorde une importance primordiale au rythme et à la musique des sons prononcés, tout en tâchant de décortiquer le langage-objet pour le remplacer par une espèce d'idiome, qui tiendrait beaucoup plus d'un espéranto (où les néologismes seraient rois) que d'un langage possédant une syntaxe classique. Ainsi, dans « Akara » : « Nous passons en 4, double la somme en 7 pince oreilles, récapitulons en 8 : floche marnière, quinte minette, fodre-fil, migre mort, je gagne, c'est moi qui gagne ».
Weingarten a aussi écrit une pièce intitulée « Les Nourrices », qui fut représentée en 1965, à Montréal, au Théâtre des Saltimbanques : une discussion de groupe avec un échantillon du public a suivi l'une des représentations.

(3) Auteur de « *Naïves hirondelles* » (montées au Théâtre de Poche, à Paris, en 1962), et de la « *Maison d'os* » (sa pièce la plus expérimentale), représentée au Théâtre de Lutèce.

pression dramatique, aboutissant à l'*annulation de la littérature* pour le plus grand bien de la force théâtrale. Le même processus a eu lieu dans la peinture, dans la poésie. Le langage discursif avait complètement éclaté, devenant image, expression directe, miroir brisé ou non. C'est cette « pureté » de l'expression dégagée de ce qui lui est impropre, littérature, philosophie, discours, que le théâtre semble atteindre aujourd'hui, avec des auteurs allant de Boris Vian à Weingarten, à Dubillard. Le langage de leur pensée est bien celui de la poésie, par-delà les schèmes des philosophes, langage d'essai, d'audace, de recherche, de découverte, saisissant la vérité sur le vif » (Extrait d'un entretien accordé au journal « COMBAT », décembre 1961).

Comme le dit Martin ESSLIN, « la satire féroce de Ionesco tend à détruire l'erreur rationaliste selon laquelle le langage seul peut communiquer l'expérience humaine d'une personne à une autre [1] [...] . Le théâtre de Ionesco est un théâtre poétique, un théâtre qui cherche à communiquer des *états d'âme*, qui sont des choses extrêmement difficiles à communiquer ; car le langage, formé en grande partie de symboles préfabriqués et fixés, tend à obscurcir plutôt qu'à révéler l'expérience personnelle. C'est pourquoi Ionesco a parlé de son œuvre comme d'une tentative pour communiquer l'incommunicable. Le langage, parce qu'il est conceptuel et, par conséquent, schématique et vague, et parce qu'il s'est desséché en clichés sans âme, constitue un obstacle plutôt qu'un moyen de vraie communication » (Théâtre de l'Absurde, p. 187).

Un autre point qu'il nous semble très important de dégager dans cette conclusion : c'est le « décentrement » du Sujet

---

[1] On l'a vu précédemment, il ne s'agit pas seulement d'*expérience* au sens commun du terme.

(pour employer la terminologie de J. LACAN), qui se retrouve en « sous-jacent » dans toute l'œuvre de Ionesco.
Comme nous l'avons vu également chez Robbe-Grillet, par
exemple, le sujet (au sens classique) n'est plus : c'est l'objet
qui mène la ronde.

À ce propos, nous aimerions élever le débat à un niveau
philosophique, en rappelant avec B. Pingaud, «qu'on ne parle
plus (aujourd'hui) de « conscience » ou de « sujet », mais
de « règles », de « codes », de « systèmes » ; on ne dit plus
que l'homme « fait le sens », mais que le sens « advient à
l'homme » ; on n'est plus *existentialiste,* mais *structuraliste* »
(Introduction au n⁰ 30 de la revue : « L'ARC », numéro consacré à Sartre, Cf. p. 1).

Dans cette même revue, Sartre écrit à cet égard :

> « Que nous disent Lacan et les psychanalystes qui se
> réclament de lui ? L'homme ne pense pas, il *est pensé,*
> comme il *est parlé* pour certains linguistes. Le sujet,
> dans ce processus, n'occupe plus une position centrale.
> *Il est un élément parmi d'autres,* l'essentiel étant la
> « couche », ou si vous préférez, la *structure* dans
> laquelle il est pris et qui le constitue [...]. L'Ego
> n'a pas d'existence en soi, *il est construit,* et son rôle
> reste purement passif. Il n'est pas un acteur, mais un
> point de rencontre, le *lieu d'un conflit de forces* »
> (op. cit., p. 91-92).

Mais Sartre ajoute plus loin :

> « Peu importe que ce sujet soit ou non décentré.
> L'essentiel n'est pas ce qu'on a fait de l'homme, mais
> *ce qu'il fait de ce qu'on a fait de lui* (c'est l'auteur
> qui souligne). Ce qu'on a fait de l'homme, ce sont les
> structures, les ensembles signifiants qu'étudient les

sciences humaines. Ce qu'il fait, c'est l'histoire elle-même, le dépassement réel de ces structures dans une praxis totalisatrice » (op. cit., p. 95).

Nous voilà donc ramenés au débat de la synchronie (les structures) et de la diachronie (l'histoire). Nous n'examinerons pas ce point dans cette conclusion partielle, puisque nous lui réservons une analyse plus détaillée dans le tome II de cet ouvrage (Cf. chap. V, point 3 : « De l'Art Permutationnel à Lévi-Strauss »).

Nous avons tout simplement voulu poser cette question en termes philosophiques.

L'œuvre de Ionesco peut être analysée de façon telle qu'il puisse être possible de la placer dans un ENSEMBLE STRUCTURÉ plus vaste, et qui est un phénomène social d'époque.

CHAPITRE QUATRIÈME

Samuel BECKETT, ou le langage en miettes

> « Rien ne se passe, personne ne vient, personne ne s'en va, c'est terrible ».
>
> (Estragon, dans « En attendant Godot » de Beckett, p. 70).
>
> « ....comme si l'ordre donné avait mis longtemps à lui parvenir, à travers des *étendues de sable et d'eau stagnante* ... ».
>
> (Robbe-Grillet : « Le Voyeur », p. 78).

ŒUVRES DE SAMUEL BECKETT.

(Toutes ces œuvres ont été publiées par les Éditions de Minuit, sauf indication contraire).

A. — *SES ESSAIS :* 1. — sur James Joyce : « Our exagmination round His Factification for Incamination of « Work in Progress » » (Shakespeare et Compagnie, Paris, 1929 et à Londres en 1961).

2. — « Proust » (New-York, Éditions «Grove Press », 1959). Ecrit en 1931.

3. — « More pricks than kicks » (recueil de nouvelles, non traduites en français).

B. — *SES ROMANS :*

1 — Murphy (1947)
2 — Molloy (1951)

3 — Malone meurt (1952)
4 — L'innommable (1953)
5 — Nouvelles et textes pour rien (1955)
6 — Comment c'est (1961)
7 — Imagination morte imaginez (1965)
8 — « Comédie », et actes divers [1] (actes non encore joués sur scène, à l'exception de « Comédie » et de « Va-et-Vient » (1966, 100 pages). Les « actes divers » ont pour titres respectifs : « Va-et-Vient », « Cascando », « Paroles et Musique », « Dis Joe » et « Acte sans paroles II ».
9 — « Assez » (1966).
9 bis « Watt », 1953 (en anglais, Éditions Olympia Press) et 1968 (en français, Éditions de Minuit)
10 — Têtes-Mortes (1969)
11 — Premier amour (1970)
12 — Mercier et Camier (1970)
13 — Le dépeupleur (1971)

C. — *AU CINÉMA :*

1. « FILM », présenté au Festival de Venise en août 1965, dans une mise en scène de Alan SCHNEIDER et de l'auteur, avec Buster KEATON, comme personnage principal. (Court métrage *muet* en noir et blanc, 20 minutes).

2. L'adaptation cinématographique de sa pièce « CO-

---

(1) Nous mettons cet ouvrage dans la catégorie des romans, car la plupart des pièces qui s'y trouvent (« Comédie » exceptée) n'ont pas encore été représentées. Ces pièces restent donc un document de travail, sous forme de « textes imprimés », et qu'il nous faut donc appréhender en tant que tels, c'est-à-dire : comme « textes », et non comme des « pièces ».

MÉDIE », par Jean-Marie SERREAU, Jean RAVEL et Marin KARMITZ. (1966).

« Comédie » fut présentée au Festival de Venise, 1966.

D. — *SES PIÈCES :*

1. — « En attendant Godot » (titre anglais : « Waiting for Godot »). En deux actes, créée le 5 janvier 1953, au Théâtre de Babylone (Paris), dans une mise en scène de Roger BLIN.

2. — « Fin de partie » (titre anglais : « Endgame ») créée en français le 1er avril 1957, au « Royal Court Theatre » (Londres). Reprise le même mois à Paris, au Studio des Champs-Elysées. Mise en scène de Roger BLIN.

3. — « Acte sans paroles, I », créée le 1er avril 1957, au « Royal Court Theatre » (Londres), et repris le même mois à Paris, au Studio des Champs-Elysées. Mise en scène de Roger BLIN.

4. — « Tous ceux qui tombent » (1957). Titre anglais : « All that fall ». Pièce radiophonique, traduite en français par le dramaturge Robert PINGET. Donnée pour la première fois, en janvier 1957, au 3e programme de la BBC.

5. — « Cendres » (titre anglais : « Embers »), pièce radiophonique donnée à la BBC de Londres le 24.6.59, en même temps que :

6. — « Acte sans paroles, II » (1959)

7. — « La dernière bande » (1960). Titre anglais : « Krapp's last tape ». Créée à Paris, au Théâtre

Récamier, dans une mise en scène de Roger BLIN. Reprise au T.N.P. le 13.2.1961.

8. — « O les beaux jours » (2 actes), créée le 21.10. 1963 à l'Odéon-Théâtre de France, dans une mise en scène de Roger BLIN, avec Madeleine Renaud, dans le rôle de Winnie, et Jean-Louis Barrault dans celui de Willie.

9. — « Comédie », créée en juin 1964, au Théâtre d'Essai du Musée des Arts Décoratifs (Paris), avec Delphine Seyrig. Mise en scène de Jean-Marie SERREAU. Reprise à l'Odéon-Théâtre de France le 28.2.1966, avec au même programme une autre courte pièce de lui : « Va-et-vient » (qu'il appelle un « dramaticule »), deux pièces de Ionesco : « Délire à deux » et « La lacune », et une pièce de Robert PINGET : « L'hypothèse ».

10. — Enfin, l'adaptation théâtrale que Daniel JOSKI a réalisée de son roman : « Molloy », fut créée le 1.11.1965 à Genève, par le Théâtre de l'Atelier.

11. — Signalons également qu'une de ses dernières pièces: « Dis Joe », fut montée en Allemagne.

12. — « *Cascando* » (pièce radiophonique pour Musique et Voix) fut donnée à l'ORTF le 13 octobre 1963.

I. PLACE DE BECKETT DANS LA DRAMATURGIE DU NOUVEAU LANGAGE THÉÂTRAL.

Nous avons cité en exergue de ce chapitre une phrase du « Voyeur », de Robbe-Grillet. Comme nous l'avons fait pour Ionesco, nous constaterons, ici aussi, une analogie de type structural entre les œuvres de Beckett et celles du nouveau roman. D'ailleurs, Beckett, à la différence de Ionesco (si on excepte ses « Notes et Contre-Notes », qui ne sont qu'un rassemblement de ses articles et courts écrits), peut être considéré comme un auteur du nouveau roman, lui aussi, quand on pense qu'il a déjà à son actif dix sept œuvres littéraires, à côté de son œuvre théâtrale : ses romans ne font qu'expliquer ses pièces, dans leur propre style, ils se dessinent en filigrane derrière chacune de ses œuvres théâtrales.

Ainsi, pour ne prendre qu'un seul exemple (car il ne saurait être question de nous attarder longuement sur ses romans), dans « Comment c'est », il n'existe aucune ponctuation, à quelque degré que ce soit, du début à la fin du livre, pas de points, pas de virgules, pas de lettres en majuscules, absolument aucun « signe » ponctuel. Cela, nous le retrouvons dans ses pièces, surtout dans la dernière : « Comédie », où le débit des paroles ne semble entrecoupé par aucune pause, aucune halte, sinon par le changement forcé des porteurs de paroles (les acteurs-marionnettes) : et même quand la parole passe d'un personnage à un autre, d'une bouche à une autre, d'un souffle à un autre, la parole ne fait que se continuer, monotone, coulante, dans son imbroglio initial.

Il n'y a aucune raison apparente pour que tel personnage dise ceci plutôt que cela, il n'y a aucune raison psychologiquement cohérente pour que la parole « passe » d'un tel à un tel ; le premier acteur aurait tout aussi bien pu continuer sur sa lancée, mais non : il « passe la balle » au deuxième acteur, et celui-ci au troisième, peut-être pour reprendre son souffle (c'est la seule raison psychologique convenable), car le débit est tel qu'il ne laisse aucune place à un arrêt, à un repos, à un changement de ton, aussi infime soit-il.

« Comédie » est une pièce théâtralement non-ponctuée, elle est l'exacte réplique — théâtrale — de « Comment c'est », œuvre romanesque sans ponctuation aucune.

En d'autres termes, voir jouer « Comédie », c'est l'équivalent de lire « Comment c'est » d'un seul souffle.

Comme le fait remarquer Ludovic JANVIER, « en sabordant le récit de type intentionnel au moment même où il est en train de vivre ses recherches théâtrales, Beckett dénonce l'inefficacité du langage dans la fonction de recherche où il l'avait engagé » (Pour Samuel Beckett, p. 87).

Il importe peu ici de savoir que Beckett a été, à un moment de sa vie, le secrétaire particulier de James JOYCE (en 1928), et qu'il a par conséquent pu être influencé dans « Comment c'est » — et dans toute son œuvre théâtrale — par le monologue final de Molly Bloom dans « Ulysse » ; il importe peu de savoir qu'il a écrit, dans sa jeunesse, un essai sur Marcel Proust, et d'établir des correspondances (que certains chercheurs considèrent comme très frappantes) entre « À la recherche du temps perdu » et ses propres tentatives expérimentales-théâtrales de la dislocation du temps et de l'espace. Ludovic Janvier y insiste tout particulièrement dans l'ouvrage déjà cité [1].

Beckett lui-même résume sa position en ces termes : « Le temps s'est fait espace, il n'y en aura plus » (« Nouvelles et Textes pour rien », p. 182).

---

[1] Cf. surtout le chapitre intitulé « Le temps à deux » (pp. 89-114), dans lequel l'auteur insiste sur le fait que « c'est dans l'espace-temps que le personnage va prendre sa vraie dimension : il va vivre le temps et l'espace d'une façon tout à fait originale » (p. 92).

Rappelons ici que nous ne faisons pas une étude littéraire des œuvres du nouveau théâtre. Beckett et Ionesco ne nous intéressent que dans la mesure où ils ont inventé un langage nouveau, propre au théâtre de notre temps, où leurs essais de communication au public ont été plus ou moins bien perçus par ce dernier, selon leurs intentions originelles.

S'intéresser aux influences qu'a subies Beckett fait l'objet d'une analyse d'histoire du théâtre.

Aussi laisserons-nous volontairement de côté toutes les questions traitant des influences particulières sur ces auteurs, pour ne nous pencher que sur leurs œuvres prises intrinsèquement, comme des entités, ou des totalités, et — comme nous l'avons fait pour Ionesco — nous nous demanderons dans quelle mesure ces œuvres se placent dans un *courant social généralisé,* celui de nos sociétés industrielles (ou en voie de post-industrialisation massive).

Nous commencerons par citer, en guise d'introduction à la thématique de Beckett, un passage du « Voyeur » de Robbe-Grillet (puisque nous vivons dans une civilisation « voyeuriste »), et nous verrons qu'il existe, ici aussi, une grande analogie entre ces deux auteurs, dans leurs préoccupations majeures :

> « Et Mathias parlait toujours, sans la moindre conviction désormais, emporté par le flot de ses propres phrases à travers la lande déserte, à travers les dunes successives où nulle trace de végétation ne subsistait, à travers la pierraille et le sable (...) . Il parlait. Et le sol, de phrase en phrase, se dérobait un peu plus sous ses pas » (op. cit., p. 215).

On ne peut ne pas penser au personnage de Winnie dans « O les beaux jours », de Beckett : elle aussi, nous le verrons

en détail à l'analyse de la pièce (au point III), est emportée
par le flot ininterrompu de ses propres paroles, elle aussi parle, parle, parle, égrène le chapelet de ses souvenirs dans un
univers aride et sec, physiquement représenté (et ressenti par
le public) sur la scène nue, sans décor, à moins qu'on n'appelle « décor » cette espèce de talus égratigné et ridé, au
sommet duquel Winnie est enterrée jusqu'au buste, au premier acte, jusqu'au cou, au deuxième.

Là aussi, le spectateur a l'impression concrètement éprouvée — dans son corps — de dunes, de sables mouvants (caractéristiques de notre civilisation engloutissante), de pierraille grise, où nulle trace de végétation ne subsiste. Et au fur et
à mesure qu'elle parle, de plus en plus vite, de manière de
plus en plus saccadée, le sol se dérobe sous elle, l'engloutis-
sant dans ses profondeurs, dans ses boyaux, seule sa tête
émergera du gouffre où elle s'enlise.

C'est comme si Beckett avait voulu *représenter* physiquement sur scène l'échec de la parole, l'échec des mots dans leur
tentative de communication : l'enterrement de Winnie reflè-
terait, en quelque sorte, l'ensevelissement définitif de la parole-objet. L'homme redevient singe, à la limite.

D'ailleurs, on imagine fort bien un troisième acte où la
tête de Winnie aura elle aussi disparu complètement, où on
n'entendrait plus rien : les derniers hommes sur terre viennent de disparaître à tout jamais. L'univers appartient désormais aux seules « choses », aux objets : à la pierraille, aux
dunes, aux sables. Chez Ionesco, on pouvait parler de « per-
sonnalisation » des objets ; chez Beckett, c'est le nihilisme
total, absolu : même les objets offrant une certaine solidité,
une certaine rondeur ou des aspérités sur quoi on pourrait à
la rigueur se raccrocher (l'en-soi sartrien : des « pleins d'ê-
tre ») n'existent plus, il n'y a plus que du vent, des pierres

grises informes — comme le talus d' « O les beaux jours », sur lequel Willie n'arrive pas à grimper, ne pouvant se raccrocher à aucune aspérité de terrain — du sable, en un mot : le monde de Beckett est un monde de l' « impalpabilité » [1].

On ne peut toucher le vent, les grains de sable fuient à travers nos doigts, et la pierraille est partout identique à elle-même : c'est dans le monde de l'identité que les derniers hommes, les survivants, ou les « sursitaires », pour employer encore une expression de Sartre, sont engloutis : irrécupérables [2].

En ce sens, Beckett est beaucoup plus pessimiste que Ionesco : ce dernier avait toujours recours au rire démystificateur pour se moquer de notre condition humaine. Beckett nous condamne sans aucune possibilité d'appel, et avec une telle force que nous n'avons même plus la ressource d'en rire, ni même, si on y réfléchit, d'en pleurer : car pour pleurer, il faut encore avoir des larmes en réserve. Le monde dépeint par Beckett est un monde lunaire, si aride et si sec, que même les larmes n'y ont pas de place : c'est le monde de l'identité.

Dans « Comédie », il ira même plus loin que dans « O les beaux jours » : les trois personnages de « Comédie » sont définitivement coupés (au sens propre et concret du terme) les uns des autres, chacun dans une cruche (l'îlot-type), le spectateur n'apercevant que leur tête, et ne parlant — pour ne rien dire, ou si peu — que lorsqu'ils sont pris dans le halo d'un projecteur dont la lumière ne les éclaire jamais les trois à la fois (sauf au tout début de la pièce, lors des premières répliques, et ce uniquement dans le but de nous montrer la

---

(1) Qu'on nous pardonne ce néologisme, mais il exprime très exactement, à notre sens, ce que Beckett tient à faire sentir au public.
(2) On peut supposer que l'engloutissement de Winnie fait suite à celui de toute l'humanité. C'est d'une certaine manière, le dernier spécimen humain, témoignant pour toute l'humanité.

situation d'ensemble), mais un à un, les deux autres visages
demeurant pendant ce temps dans le noir.

Il n'est plus besoin ici de nous « montrer » (de nous
« faire voir ») le désert aride de l'humanité — comme dans
« O les beaux jours » — humanité sans doute détruite par
une guerre nucléaire déclenchée à cause de l'impossibilité de
survie des sociétés industrielles en compétition, et dans lesquelles l'homme-objet se trouve de plus en plus annihilé [1].

Dans « Comédie », dont le titre est paradoxal quand on
pense au « tragique » qui en découle — mais la comédie,
n'est-ce pas précisément une tragédie larvée ? — la scène est
inexistante : les décors, ce ne sont pas les cruches (qu'on devine à peine dans le noir, puisque seules les têtes sont éclairées), c'est la lumière, ce sont les trois têtes, c'est la parole
débitée à toute allure, comme forcenée et reprise à tour de
rôle par chacun des trois protagonistes (mais sont-ce des protagonistes, au sens habituellement donné à ce terme, puisqu'ils
ne se voient pas et regardent le public en permanence, d'un
œil fixe, terne, cendré, immuable ?).

Nous sommes en plein dans l'univers de la contingence,
ce qui est dit par l'acteur A peut très bien avoir été dit par
l'acteur B (Beckett ne leur donne pas de nom, il les appelle
F1, F2 et H, deux femmes, un homme)... sans que cela puisse porter à conséquence, car rien ne serait changé : nous
l'avons dit, il n'y a aucune RAISON (au sens cartésien) pour
que telle réplique soit prononcée par tel acteur, et à la limite,
il n'y a aucune raison au spectacle tout entier, pris dans son
ensemble — mis à part l'histoire parodiée du sempiternel
« triangle » du Théâtre de Boulevard : le mari, la femme et

---

[1] Qu'on nous permette de nous référer ici à un film qui illustre on
ne peut mieux ce phénomène : il s'agit d' « Alphaville », de Godard, promoteur du nouveau cinéma.

la maîtresse — mais ce serait véritablement mutiler l'intention profonde de Beckett que de s'arrêter à cet aspect anecdotique de l'œuvre, en n'y voyant qu'une parodie de la « scène à trois ».

En réalité, cette pièce pose de manière explicite le problème d'un nouveau langage théâtral, un langage de lumière exclusivement, reléguant par là même la parole au domaine des « accessoires de théâtre ». C'est la parole-devenue-objet qui constitue le décor de la pièce, comme nous l'avons noté un peu plus haut, et la lumière son nouveau langage. Autrement dit, la lumière PARLE plus (c'est-à-dire qu'elle SIGNI-FIE plus) que la parole débitée par les acteurs.

Dans la première mise en scène américaine de « En attendant Godot », on demanda (c'était Alan Schneider) à Beckett : « Que signifie Godot ? », et Beckett répondit :

« Si je le savais, je l'aurais dit dans la pièce ».

Et en effet, « En attendant Godot » est une pièce de suggestion, c'est-à-dire non-didactique, non-discursive : Godot, c'est peut-être God (Dieu) que Vladimir et Estragon attendent sans que jamais il ne vienne. Il ne faut pas oublier que Beckett, comme James Joyce, comme Brendan Behan, comme Synge et Sean O'Casey, est d'origine irlandaise, et qu'il baigne dans son enfance dans une atmosphère profondément catholique (bien que lui-même soit d'origine protestante) : Beckett rejette Dieu, non pas tellement avec une force hargneuse, mais plutôt par une *apparence* d'indifférence totale à son égard. Il n'en parle pas, ou si peu (God, dans « En attendant Godot », mais ce n'est là qu'une interprétation possible parmi beaucoup d'autres). Dieu, c'est une absence, pour Beckett, mais c'est une absence-présence, en quelque sorte. Car on le sent toujours sous-jacent et comme présent derrière l'ossature générale de l'œuvre : « Tout ici est faute, on ne sait pas pourquoi, on ne sait pas de quoi, on ne sait pas envers qui : quelqu'un, dit-on », écrit-il dans « L'innommable ». Et Geneviève Serreau écrit de son côté :

> « On n'a jamais exprimé de façon plus littérale cette dialectique du temps et de l'intemporel, qui fonde aussi toute l'œuvre de Proust. Proust, prisonnier dans la prison du temps et cherchant à saisir, au-delà, par la mémoire, par l'art, un moi essentiel, affranchi de l'ordre du temps, qui serait le « vrai moi ». Et c'est peut-être cela, Godot ?... Objet d'une attente, Godot est le contour idéal d'une absence » (« Histoire du Nouveau Théâtre », p. 95).

Mais Godot, cela peut être aussi nous-mêmes : « En attendant Godot » peut, tout aussi bien, être interprétée comme une pièce en quête d'un « moi profond, universel » : que sommes-nous, qui sommes-nous, communiquons-nous et si oui, avec qui et comment, de quelle façon ?

Cette série de questions métaphysiques restera, on s'en doute, sans réponse : c'est au spectateur de chercher, il n'y a pas de recette donnée une fois pour toutes et pour de bon dans le théâtre du nouveau langage.

Dans la deuxième pièce de Beckett, « Fin de partie », Hamm demandera à Clov : « On n'est pas en train de... de... signifier quelque chose ? » Clov répondra : « Signifier ? nous, signifier ? (rire bref) Ah, elle est bonne ! »

Cette réplique est capitale, et représentative de toute l'œuvre de Beckett. Son théâtre est un théâtre de la « non-signification signifiante » : et le langage-parole fait faillite, quand il s'agit de vouloir découvrir et communiquer au spectateur la tragédie métaphysique de l'homme moderne.

« Il n'est pas de communication, parce qu'il n'existe pas

de MOYENS de communication », écrivait-il déjà dans son essai sur Proust (qui date de 1931). Il pensait alors aux moyens de communication offerts par le langage-parole discursif romanesque. Il a changé de perspective, par la suite, lorsqu'il découvrit tout ce que le théâtre pouvait lui offrir : des lumières (qu'on pense à « Comédie »), des décors stylisés (qu'on pense à l'arbre nu et dépouillé de « En attendant Godot », qui, avec l'espace blanc du plateau — sous une lumière crue — constituent les seuls décors de la pièce), des objets (qu'on pense aux poubelles de « Fin de partie », aux cruches de « Comédie », au magnétophone de « La dernière bande »), des perspectives scéniques et concrètement représentables de la solitude humaine (qu'on pense à « O les beaux jours »), de la parole-en-tant-qu'objet enfin (qu'on pense surtout à « Comédie », où la parole-objet subit un traitement particulier).

Dans son essai sur « Work in progress » (Le travail en progrès, non traduit en français), de J. Joyce, il signale que « la forme, la structure et le ton d'une expression artistique ne peuvent être séparés de son sens, de son contenu conceptuel, car l'œuvre d'art et son sens forment un TOUT indissoluble : ce qui est dit est indissolublement lié à la *manière* dont c'est dit et ne pourrait être dit d'aucune autre façon » [1]. « Je m'intéresse à la FORME des idées, même si je ne crois pas en elles. C'est la FORME qui importe », dit-il également [2].

---

(1) Rapprochons ce texte de celui de Ionesco, où il dit : « Qu'est-ce que l'histoire de l'art, de la littérature, sinon en premier lieu, l'histoire de son expression, l'histoire de son langage ? L'expression est pour moi FOND et FORME à la fois. Aborder le problème de la littérature par l'étude de son expression, c'est aussi aborder son fond, atteindre son essence » (Notes et contre-notes, p. 85).

(2) Cité par Harold Hobson et Alan Schneider, dans « Théâtre de l'Absurde » (p. 41 et 50), de Martin Esslin.

Ainsi, chez Beckett [1], nous relevons une évolution qui va du fond incommunicable à la forme des idées, même si ces idées ne correspondent pas très exactement à ce qu'il pense lui-même : il s'agira, à partir de « O les beaux jours », de savoir QUELLES formes donner à ses pièces, mieux : à ses *spectacles*, pour faire communiquer, malgré tout et envers le langage-parole, par les sens, l'innommable solitude de l'homme contemporain [2], et plus généralement, de l'homme « de tous les temps et de toutes les sociétés » (comme le disait Ionesco à son sujet).

Il n'est pas ici de notre propos d'analyser les influences qu'a pu avoir J. Joyce sur S. Beckett, nous l'avons déjà dit [3]. Mais il serait par contre intéressant de rapprocher la thématique de Beckett, d'une part au courant culturel de démystification de l'intrigue et du langage-parole (qui s'est fait jour déjà avec Joyce), et d'autre part à la thématique des dramaturges du « nouveau langage » de son époque, afin de dégager leur fond commun.

Nous l'avons déjà maintes fois rapproché de Ionesco, dans le troisième chapitre de ce travail. Comme nous ne pouvons prendre tous les auteurs du nouveau langage théâtral sans allonger considérablement cet essai, nous choisirons quel-

(1) Cet « enragé d'absolu », comme l'appelle G. Serreau, chez qui une permanente exigence à l'égard de son œuvre la situe « à l'extrême, à la limite, là où le cheminement de la parole indéfiniment asymptote à la courbe du silence, le frôle presque sans toutefois s'y perdre » (op. cit., p. 97).
(2) Son roman : « L'innommable », commence ainsi : « Où maintenant ? Quand maintenant ? Qui maintenant ? »
(3) On pourra lire sur ce thème les intéressants développements de Lionel ABEL : « Joyce the Father, Beckett the Son » (Joyce le Père, Beckett le Fils), in « The new leader » (New-York, 14.12. 1959). En ce qui concerne l'œuvre de Joyce, se reporter tout particulièrement à l'analyse magistrale que Umberto ECO en a faite dans : « L'œuvre ouverte », ch. VI (pp. 169-289).

ques-uns des plus représentatifs, pour bien montrer qu'il s'agit ici d'un « phénomène social », et non d'une tentative isolée.

Enfin, dans une troisième phase, nous essayerons d'analyser en profondeur chacune des pièces de S. Beckett, en les mettant en corrélation avec les phénomènes culturel et social contemporains.

II. — LA DÉMYSTIFICATION DE L'INTRIGUE ET LES ÉPIGONES DE BECKETT

> « Pour Robbe-Grillet, la première pièce de Beckett constitue une démonstration presque idéale de cette présence opaque, butée, têtue, qu'oppose le nouveau « personnage » littéraire à ses prédécesseurs, tels qu'on les retrouve toujours dans les romans d'analyse psychologique, le théâtre d'idées, en un mot, dans la littérature « explicative » ».
>
> B. Morrissette : « Les idées de Robbe-Grillet sur Beckett », in « Configuration critique de Beckett », p. 62.

1. — La démystification de l'intrigue classique

Dans sa pertinente analyse des œuvres de Joyce, et disséquant le célèbre « Finnegans Wake », avec des instruments conceptuels véritablement opératoires, Umberto ECO dénonce l'histoire à intrigue classique, et l'oppose aux nouvelles formes du récit (romanesque ou théâtral), où l'art consiste à engendrer, au niveau des structures techniques, un énoncé de type absolument formel, et où la seule loi en vigueur, qui régisse l'existence de cet univers formel (pris comme une entité, et donc se suffisant complètement à lui-même) est sa stricte cohérence interne.

Il nous est impossible d'aller plus avant dans l'analyse, sans très brièvement exposer les idées-clefs d'Éco, quant à la signification de l'œuvre ouverte. Pour Éco,

> « l'œuvre est un objet doté de *propriétés structurales* qui permettent, mais aussi coordonnent, la succession des interprétations, l'évolution des perspectives » (p. 10). Et les « œuvres ouvertes en mouvement se caractérisent par une invitation à *faire l'œuvre avec l'auteur*. À un niveau plus vaste (...) ce type d'œu-

vres, bien que matériellement achevées, restent *ouvertes* à une continuelle germination de relations internes, qu'il appartient à *chacun* de découvrir et de choisir au cours même de sa perception. Plus généralement encore, toute œuvre d'art (. . .) reste *ouverte* à une série virtuellement infinie de lectures possibles : chacune de ces lectures fait revivre l'œuvre selon une perspective, un goût, une « exécution personnelle » » (p. 35).

À titre d'exemple, rappelons ici la polémique Barthes-Picard à propos de l'interprétation de l'œuvre de Racine, en particulier. On sait que Roland Barthes, dans « Sur Racine » (Seuil), propose une interprétation toute personnelle de l'œuvre de Racine. De son côté, Lucien Goldmann, dans « Le Dieu Caché », dégage les lignes de force d'une «structure » intellectuelle et positive des écrits de Racine, en s'efforçant de montrer que cette structure constitue — de par la nature paradoxale de l'homme — l'essence commune du jansénisme extrémiste, des « Pensées » de Pascal au théâtre de Racine, en passant par la philosophie critique de Kant.

Ce faisant, il renouvelait l'interprétation figée et scolastique qu'on s'en faisait jusqu'ici. En cela, les ouvrages de Barthes et de Goldmann sont des essais, des tentatives d'*ouverture,* d'*élargissement* de l'œuvre de Racine, l'analysant avec des concepts opératoires nouveaux, ceux de « structures mentales », de « structurations compartimentales », etc.

Fermons la parenthèse, et revenons à l'examen des théories d'Éco. Pour ce dernier,

> « la poétique de l'œuvre en mouvement (et en partie aussi, celle de l'œuvre ouverte) instaure un nouveau type de rapports entre l'artiste et son public, un nouveau fonctionnement de la perception esthétique : elle assure au produit artistique une place nouvelle

dans la société » (p. 37). Enfin : « La notion d'œuvre ouverte n'est pas une catégorie critique, mais un modèle hypothétique, élaboré à partir d'un grand nombre d'analyses concrètes, et permettant de désigner plus commodément l'une des tendances de l'art contemporain » (p. 306). Et un peu plus loin : « De même que nous avons parlé de la structure d'un objet (en l'occurrence, l'œuvre d'art), il nous semble possible de parler de la *structure d'une opération ou d'un procédé :* qu'il s'agisse de l'opération qui produit une œuvre ou de la recherche du savant (qui aboutit à des définitions, à des objets hypothétiques, ou encore à des réalités considérées provisoirement comme stables). C'est en ce sens que nous avons pu parler de l'œuvre ouverte », conclut Éco, « comme métaphore épistémologique : les poétiques de l'œuvre ouverte présentent des caractères structuraux semblables à ceux d'autres opérations culturelles » (p. 309).

Il est significatif que ces définitions puissent s'appliquer, mot pour mot, à chacune des pièces de Beckett (ou à chacun de ses romans), et plus généralement, à toutes les pièces qui se situent dans le registre du théâtre du nouveau langage.

Ce n'est donc pas par hasard si, de son côté, Jean THIBAUDEAU intitule l'un de ses ouvrages : « Ouverture » (Seuil, 1966, 173 pages), et si le critique littéraire Philippe BOYER conclut ainsi son analyse du livre :

> « Nous acceptons aujourd'hui sans difficulté que d'un point, l'on puisse mener bon nombre de parallèles à une droite, que le tort et la raison cohabitent en bonne intelligence, que les morales elles-mêmes aillent défricher de nouveaux continents, par delà le bien et le mal. Il reste peut-être à se demander si le temps n'est pas venu justement de l' « Ouverture », fût-ce en nos

délassements de lecteur, le temps d'apprendre à lire des *langues neuves,* plus riches de leurs incertitudes, qui sont les langues de notre temps » (in « Esprit », n° 7-8, juillet-août 1966, p. 151).

Éco, Beckett, Thibaudeau, Boyer : un philosophe-esthète, un auteur dramatique, un romancier, un critique littéraire (sans parler de l'art permutationnel d'Abraham Moles, du spatio et lumino-dynamisme de Nicolas Schöffer, du happening de Jean-Jacques Lebel, que nous examinerons dans le tome II de ce travail) : le thème de l'« ouverture » — et d'œuvre ouverte — est véritablement un *phénomène social d'époque.*

Ceci dit, nous pouvons à présent nous pencher sur le phénomène de démystification de l'intrigue, autant romanesque que théâtrale. Pour ce faire, nous allons encore avoir recours à des textes d'Éco, qui font la lumière sur ce point.

Nous attirons l'attention du lecteur sur le fait que nous pouvons facilement extrapoler ces textes — élaborés au sujet de l'œuvre de Joyce — aux structures de l'œuvre, romanesque et théâtrale, de Beckett :

> « On peut découvrir dans l'œuvre de Joyce », écrit Éco, « une remise en question des notions de temps, d'iden-tité et de rapport causal, qui évoque certaines des hypothèses les plus hardies de la cosmologie, au-delà même des perspectives déjà inquiétantes de la relati-vité (...). Dans le roman traditionnel, l'établissement de chaînes causales ouvertes : un événement A (par exemple, le propos de Julien Sorel) est considéré de façon non équivoque comme la cause d'une série d'é-vénements B, C, D, (le meurtre de madame de Rênal, le supplice de Julien, la douleur de Mathilde), et il n'est pas possible d'attribuer, par exemple, le coup de

pistolet tiré par Julien au fait que Mademoiselle de la
Môle ira plus tard rechercher sa tête coupée. Dans un
livre comme « Finnegans Wake », de Joyce [1], il en
va tout autrement. Selon la manière dont un mot est
interprété, la situation envisagée dans les pages précédentes se trouve complètement modifiée ; de même,
suivant la façon dont on interprète une allusion, l'i-
dentité d'un personnage est remise en question et déformée. La fin du livre n'est pas déterminée par la
manière dont il commence, et on peut dire que son
commencement est déterminé par la manière dont il
finit. La phrase terminale conditionne la phrase initia-
le, non pas au sens d'une nécessité artistique (pour
l'unité stylistique de l'œuvre), mais au sens le plus
banal, au sens *grammatical* et *syntaxique*. Il n'est pas
difficile en littérature, au niveau de l'intrigue, d'abolir
les individus et de provoquer la présence simultanée
des personnages historiquement très éloignés : c'est
exactement ce qui se passe dans maint roman de scien-
ce-fiction ; une fois admis le principe de la réversa-
bilité du temps, le héros peut parfaitement rencontrer
Napoléon et s'entretenir avec lui. Mais dans « Finnegans Wake » [et dans les pièces du nouveau langage
théâtral, ajoutons-nous], la coprésence de diverses personnalités historiques s'effectue en vertu de conditions
proprement STRUCTURALES et SÉMANTIQUES ;
c'est au niveau du discours qu'est né l'ordre causal
auquel nous sommes habitués, et que sont instaurées
les chaînes sémantiques fermées en vertu desquelles
l'œuvre, dans son ensemble, apparaît comme extrêmement « ouverte ». Ainsi, diverses interprétations épisté-
mologiques sont possibles : on peut voir dans « Finne-

---

(1) Ou un livre de Robbe-Grillet (« La maison de rendez-vous », notamment) ou une œuvre de Beckett, ajoutons-nous.

gans Wake », plus encore que dans « Ulysse », un univers relativiste, où chaque mot devient un élément spatio-temporel (« les mots changent de sens en fonction de l'observateur, il s'établit une simultanéité sémantique qui rompt l'enchaînement de cause à effet », écrit John Peale BISHOP [1]) dont les relations avec les autres événements se modifient selon la position de l'observateur (selon sa réaction devant la provocation sémantique que contient chaque terme) (...). Une telle hypothèse cosmologique semble trouver sa réalisation dans une œuvre où chaque clef interprétative utilisée détermine une autre *direction de lecture*, mais ramène obstinément le lecteur à un (...) même thème fondamental (...) « Finnegans Wake » est une épiphanie de la structure cosmique devenue *langage* » (« L'œuvre ouverte », pp. 274-278).

À bien y réfléchir (et c'est ce que nous tâcherons de montrer plus loin, à la lumière de l'analyse systématique des pièces de Beckett), on trouve dans cet important extrait de l'ouvrage d'Éco toute la thématique qui ressort des ouvrages — aussi bien romanesques que théâtraux — de Beckett, et du même coup, de la tendance générale de l'art qui lui est contemporain, en passant par Robbe-Grillet [2] et le nouveau ro-

---

(1) Dans son essai sur « Finnegans Wake ». in « The Collected Essays of J. P. BISHOP », (London-New-York, Ch. Scribner's Sons, 1948, p. 500 et suivantes).

(2) Chez qui aussi, rappelons-le ici, chaque clef interprétative utilisée — par chaque lecteur — détermine une direction de lecture différente. mais ramène obstinément tous les lecteurs au même thème fondamental. Qu'on pense donc aux « Gommes », roman policier, histoire modernisée d'Œdipe, ou — selon l'interprétation qu'en donne Goldmann — doit-on y voir « le mécanisme d'une société qui efface toute trace de désordre vivant et de réalité de l'individu » ? (« Pour une sociologie du roman », p. 308).

man, par Godard [1] et le nouveau cinéma, par P. Schæffer et la musique concrète, par N. Schöffer et la sculpture spatio-dynamique, par A. Moles et l'art permutationnel, etc.

Nous aurons l'occasion de revenir ultérieurement [2], et en détail, sur ces créateurs de nouveau langage, et nous verrons alors comment musique, sculpture et art permutationnel s'intègrent en fait dans l'art théâtral proprement dit.

À l'instar de Beckett, qui disait que « Finnegans Wake » ne traite pas DE quelque chose, mais qu'il ÉTAIT lui-même quelque chose (dans son essai sur « Work in Progress »), nous pouvons tout aussi bien dire, en adoptant la même démarche méthodologique, que les œuvres de Beckett — comme celles du nouveau langage théâtral en général — ne nous parlent pas DE notre civilisation industrielle moderne, mais qu'elles SONT plutôt l'exacte réplique (sur le plan théâtral, pour Beckett et Ionesco, littéraire, pour Robbe-Grillet, N. Sarraute, etc., cinématographique, pour Godard et Resnais, etc.) de cette société industrielle, mécanisée à outrance, et au sein de laquelle l'homme n'est plus qu'un objet parmi d'autres.

Nous terminerons ce premier point en citant A. Robbe-Grillet qui, à propos de son film : « Trans-Europ-Express », a déclaré à la presse : « Mon film précédent, «L'immortelle », était un film de plans fixes, indéformables, définitifs, de personnages figés dans leurs gestes. Ici c'est le contraire. L'idée est née au cours d'un voyage dans le train, le TEE. Les doubles vitres assurant à la fois la visibilité maximum du paysage réel et de ses reflets, l'insonorisation exclut le monde extérieur, comme dans un film se déroulant sans

(1) Qu'on pense ici à son film : « Masculin-Féminin », véritable « œuvre ouverte », pour parler comme Eco. « J'hésite, j'hésite », dit l'héroïne du film, qui se clôt sur une hésitation renouvelée, laissant au spectateur le soin de tirer ses conclusions, chacun de sa façon propre.
(2) Dans notre tome II.

bande sonore. Avec des routes et des maisons et des rails, dont peu à peu on ne discerne plus, à cause du jeu des vitres, *dans quel sens* ils se déroulent. TOUT EST AUTRE ET TOUT EST LUI — OU SOI. C'est cette *non-identification* que j'ai poursuivie. L'incessant écoulement, le chemin et la démarche confondus. Les acteurs restent à la fois eux-mêmes et personnages. Ma femme, un des producteurs, moi-même, nous jouons notre propre rôle, DEVENANT ainsi mes héros *suscités par l'imaginaire comme par le réel.*

Cependant ceux-ci mêmes sont impliqués dans des démarches fausses ou qui les trompent. Le gangster ne transporte pas de la drogue ; il le croit seulement, les dangers sont des *épreuves,* pas des réalités.

Pourtant ce « héros » sera jugé sur la manière dont il les abordera, donc ils EXISTERONT POUR LUI.

La prostituée n'est pas une prostituée, c'est un rôle qu'elle doit jouer dans le film même, assez pour en mourir, à moins qu'elle ne meure, justement, parce qu'elle n'est pas une prostituée » (Textes recueillis par Anne Capelle, in « Unifrance Film », n° 317, du 15 septembre 1966, p. 652).

La démystification de l'intrigue classique est ici mise en évidence : le gangster court des dangers qui n'existent pas objectivement, la prostituée n'est pas une prostituée, et bientôt, incapable de distinguer entre les faux ennemis et les vrais, perdu en outre « dans le labyrinthe » de ses troubles passions, le (faux ?) gangster tombe finalement entre les mains de la police, avant d'avoir pu accomplir sa première mission réelle (mais est-elle *réelle ?*).

L'imaginaire et le réel sont ainsi intimement liés de telle sorte que « tout est autre et tout est lui, ou soi », comme le dit si justement Robbe-Grillet. La démystification de l'intrigue classique, c'est, en définitive, l'établissement d'un univers de « non-identification » « (qu'est-ce qui est vrai, qu'est-ce qui ne l'est pas ?) comme seule « réalité ».

2. — Les épigones de Beckett

> « Le langage, cette élocution de non-rencontre où l'absence a trop peu de chance de passer à l'être, cette sous-conversation de malheur où les mots s'annulent constamment et ne font qu'additionner leurs insuffisances ».
> Ludovic JANVIER : « Pour Samuel Beckett » (p. 79).

En ce qui concerne les dramaturges du nouveau langage, contemporains de Beckett, nous examinerons successivement quelques aspects des œuvres d'Arthur ADAMOV, (décédé à Paris le 15 mars 1970), de Jean TARDIEU, de Jean GENET, avec, toujours en filigrane, Antonin ARTAUD.

A. Adamov écrit dans « L'aveu » : « La dégradation du langage est l'expression du mal profond de notre époque. La disparition de toute signification est nettement liée à la dégradation du langage et, toutes deux à leur tour, à la perte de la foi, à la disparition des rites et des mythes sacrés [1] (...). L'idée me vint de montrer sur la scène, le plus grossièrement et le plus *visiblement* possible, la solitude humaine, l'absence de communication : ce fut : « La Parodie » » (p. 23).

Dans « L'invasion » (parue dans le Tome I du Théâtre d'Adamov), le héros, Pierre, s'écrie : « Ce qu'il me faut, ce n'est pas le SENS des mots, c'est leur VOLUME et leur

---

[1] On sait combien ce thème est cher à Artaud. Cf. notamment « Le théâtre et son double », in « Œuvres complètes » (T. IV), pp. 11-18.

CORPS MOUVANT [1] ... Je ne chercherai plus rien ... J'attendrai dans le silence, immobile » (p. 94).

Cette immobilité voulue, revendiquée, ce silence innommable, font penser aux personnages de Beckett : Vladimir et Estragon attendent Godot ... sans se faire trop d'illusion sur son éventuelle apparition. En fait, ils n'attendent plus rien ni personne. Winnie n'attend plus rien non plus, dans « O les beaux jours », le vieux Krapp partage le même lot dans « La dernière bande », ainsi que Clov et Hamm dans « Fin de partie » :

> « J'ai à parler, c'est vague. J'ai à parler, n'ayant rien
> à dire, rien que les paroles des autres ... ne voulant
> pas parler, j'ai à parler ... j'ai la mer à boire, il y a
> donc une mer ... » écrit Beckett dans son roman :
> « L'innommable » (p. 55). Et aussi :

> « Il faut dire des mots, tant qu'il y en a, il faut les
> dire, jusqu'à ce qu'ils me trouvent, jusqu'à ce qu'ils me
> disent, étrange peine, étrange faute, il faut continuer
> (...) ça va être moi, ça va être le silence, on ne sait
> pas, il faut continuer, je vais continuer » (op. cit.,
> p. 261-262).

Pour Adamov, « la manifestation d'un contenu doit coïncider littéralement, concrètement, corporellement avec le contenu lui-même » (Préface de « La Parodie », p. 23).

> « Dans cette poussée du geste *pour son propre compte*,
> je vois apparaître une dimension dont le langage seul
> ne peut rendre compte, mais en revanche, quand le

---

(1) On pense ici à Bergson, et à sa théorie de la fluidité du mouvement de la conscience : les mots sont ainsi saisis, non plus dans leur signification, mais dans leur mobilité et leur volume physico-sonore, dans leur « champ dynamique », pour employer l'expression de Kurt LEWIN.

langage est pris dans le rythme du corps devenu autonome, alors, les discours les plus ordinaires, les plus
quotidiens, retrouvent un pouvoir que l'on est libre
d'appeler encore poésie et que je me contenterai de
dire « efficace » » (op. cit., p. 23).

On le voit clairement : Adamov, Beckett, Ionesco, participent tous les trois, dans leurs conceptions respectives du
nouveau théâtre, à un « phénomène social d'époque » : le
mot n'arrive plus à traduire les réalités psychologiquement
complexes de notre temps, il faut lui ajouter le geste, le langage des objets, les techniques du mimodrame, les lumières
(nous pensons à « Comédie », de Beckett), qui constituent les
assises mêmes du nouveau langage théâtral.

Comme le fait observer M. Corvin, dans « Le Théâtre
Nouveau en France » :

> « Tout, dans le théâtre d'Adamov, se passe sur la
> scène, tout est visible, concret. Comme chez Ionesco et
> Weingarten, il a trouvé des équivalents littéraux de
> la solitude et de la peur (...). D'où l'importance des
> indications scéniques, des gestes et des accessoires.
> Adamov exploite la valeur obsessionnelle d'un monta-
> ge accéléré des scènes, ainsi que des bruits, des cris
> et des voix (diffusés par haut-parleur). La mise en scè-
> ne fait partie intégrante du texte » (p. 86).

Et là aussi, l'objet, la machine à sous (dans sa pièce :
« Ping-Pong ») prend une telle importance qu'il en devient
non seulement l'épicentre et le seul personnage de la pièce
qui soit d'envergure, mais également le reflet exact des
« monstres d'aujourd'hui ».

Qu'est-ce à dire, sinon qu'Adamov s'inscrit, lui aussi,
dans la lignée tracée par Beckett et Ionesco, pour dénoncer
les ravages accomplis par la société industrielle moderne, dans

laquelle l'homme n'a plus sa place, dans laquelle l'homme est perdu, écrasé par la monstrueuse machinerie — qu'on appelle « machinerie » les grands ensembles de type HLM, les cerveaux électroniques, les fusées spatiales ou le « système » de la société industrielle en entier.

Chez Jean Tardieu, le langage est tellement mouvant qu'il finit par prendre la place de la danse et de la musique [1] : il DEVIENT en fait chant et musique, dont les modulations sont répercutées jusqu'aux tréfonds du spectateur ; nous pensons ici aux « Amants du métro » (Tardieu appelle cette pièce un « ballet comique sans danse et sans musique »), et plus particulièrement à sa « Conversation-Symphonietta », dans laquelle, sous la direction d'un « chef d'orchestre », les mots — désincarnés — (voyelles et consonnes à l'état pur, isolées de tout contexte de signification) sont comme chantés par les acteurs-exécutants, avec trois mouvements : allegro ma non troppo, andante sostenuto et scherzo vivace. C'est de la musique sérielle « mise en théâtre », ce sont les bruits du monde industriel (des onomatopées, des aboiements) qui sont théâtralisés. [2]

Dans « Une voix sans personne » (sans personnage visible sur la scène), on n'entend plus qu'une voix, venant des coulisses, et qui égrène le chapelet de ses souvenirs, tandis qu'un éclairage approprié balaye l'espace scénique et les objets selon les sentiments évoqués par cette voix absente-présente :

---

(1) Il nous semble significatif que Tardieu ait publié ses pièces en un acte sous le titre : « Théâtre de chambre » (I), pour bien montrer les accointances de son théâtre — musical — avec la musique de chambre. Encore qu'on ne danse pas, dans son théâtre, et on y chante encore moins. Il n'empêche que Tardieu reste un « virtuose », à la manière d'un musicien.

(2) Nous pensons ici à l'excellente mise en scène qu'a réalisée Jorge Lavelli à la Maison des Etats-Unis de la Cité Universitaire de Paris, en 1962.

ainsi, la voix humaine (débitant des mots) se trouve-t-elle désincarnée, et seuls l'éclairage et le décor *jouent* pour créer l'atmosphère de la pièce. En réalité, ce sont eux qui sont les seuls et véritables personnages de la pièce. Là aussi, on retrouve le thème de « Comédie », avec cette différence que dans cette dernière pièce, on peut voir le visage des acteurs ; mais ces visages sont quasiment immobiles, inamovibles, on aurait très bien pu ne pas les montrer : en fait, ce sont des visages absents-présents, des espèces de masques, des façades, en un mot : des objets inanimés et sans vie, presque sans souffle. Nous rejoignons ici, et dans son sens plein, le rêve d'Artaud : un théâtre véritablement « incantatoire ».

« La sonate et les trois messieurs » ressemble par bien des aspects à la « Conversation-Symphonietta ». D'ailleurs, elle a pour sous-titre : « Comment parler musique ».

Là aussi, trois mouvements découpent le rythme de la pièce : le « largo », l' « andante » et la « finale ». Il s'agit de trois messieurs, assis sur des chaises disposées en demi-cercle, face au public, et, nous dit l'auteur, qui « se racontent sur le ton de la conversation la plus banale, *ce qui s'est passé* dans un morceau de musique qu'ils ont entendu au concert. Il n'y a pas de décor », souligne l'auteur (op. cit., p. 119).

Un échantillon de la conversation qui a lieu, et qui rappelle le Ionesco de « La cantatrice chauve » : les mots sont des mots-objets, décortiqués, désymbolisés [1].

Le personnage C, dit à propos de la musique entendue au concert : « Même, un moment, ça a monté rudement !

---

[1] D'ailleurs, ici aussi, les personnages n'ont pas de nom, ils sont tous les trois identiques, et par conséquent, sont interchangeables, comme les Smith et les Martin de « La Cantatrice chauve ». Tardieu les étiquette (pour la forme) A, B et C.

> B : C'est monté, monté, monté très haut.
>
> C : Oui, ça montait, puis ça s'arrêtait ; puis ça montait, ça montait, ça montait !
>
> A : Et ça montait vite ?
>
> C : Ça montait très vite.
>
> A : Si vite que ça ?
>
> B : Plus vite que ça.
>
> C : Plus vite encore.
>
> B : Plus vite.
>
> C : Plus vite.
>
> A : Vite, vite, vite, vite ?
>
> C : Très vite.
>
> B : Très vite.
>
> C : Très vite.
>
> B : Très, très vite.
>
> C : Très, très, très vite, etc. etc. »
>
> (op. cit., p. 125).

Il n'est pas jusqu'à Jean Genet qui n'ait formulé, à sa façon, cette idée de « théâtre incantatoire », si chère à Artaud. Comme le fait remarquer M. Esslin dans son ouvrage : « Théâtre de l'Absurde »,

> « bien que le théâtre de Genet diffère sous bien des aspects par sa méthode et son point de vue, de celui de Ionesco, Beckett, Adamov et Tardieu, il a beaucoup en commun avec eux — l'abandon de la conception traditionnelle du personnage et de ses motivations, la dévaluation du langage, comme moyen de communication et de compréhension, le sujet de toute intention didactique, et la confrontation du spectateur avec son isolement, avec les faits cruels d'un monde dur »
> (p. 228).

En effet, pour Genet, le langage devient véritablement une *incantation* plutôt qu'une communication. C'est le « théâtre magique » d'Artaud, devenu chair et os et sang sur la scène : le mot ne recouvre plus une idée, un concept, mais fait *magiquement* apparaître la chose et l'objet évoqués. Le mot devient « magique » [1] : il suffit de penser, par exemple, aux « Nègres » (que Genet appelle une « tragédie de la réprobation »), ou aux « Bonnes », ou encore au « Balcon » : « Ici, la comédie, l'apparence se gardent pures, la fête intacte », dit la meneuse de jeu du « Balcon ».

Et de quelle fête peut-il être question sinon de la Fête Magique des peuples dits primitifs, de la Fête Incantatoire, dans laquelle l'objet est identifié, assimilé, et *incorporé* (à la limite) aux personnages ? Si on prend pour acquis que l'incantation, la substitution magique et l'incorporation sont les principaux éléments du « rite », on ne peut ne pas qualifier alors le théâtre de Genet comme étant le théâtre-rituel-type, tel que l'a imaginé Artaud dans « Le Théâtre et son double » : « Il y a rupture entre les choses et les paroles, les idées, les signes qui en sont la représentation » (op. cit., p. 8).

Artaud dénie donc toute réalité au théâtre communément appelé « psychologique » (c'est-à-dire : de caractère et d'intrigue) et propose un « retour au mythe et à la magie ». C'est ce qu'a pleinement réalisé J. Genet, nous semble-t-il :

> « Tout ce qui agit est une cruauté. C'est sur cette idée d'action poussée à bout, et extrême, que le théâtre doit se renouveler », écrit encore Artaud (op. cit., p. 91).

Le théâtre de Genet est avant tout un théâtre magique

---

(1) Se référer aux écrits de Marcel Mauss, de Lévy-Brühl et de Lévi-Strauss, sur les sociétés primitives.

de la cruauté : il y a cruauté dans « Les Bonnes » [1] dans le « Balcon », dans « Les Nègres », dans « Haute Surveillance », dans « Les Paravents », et dans le film « Mademoiselle », dont il fut le scénariste [2]. D'ailleurs l'influence d'Artaud, nous l'avons vu, ne se répercutera pas seulement sur Genet (qui l'a néanmoins le mieux assimilé, en ce qui concerne son théâtre rituel et cérémoniel, sans doute à cause de sa condition de paria de la société), mais plus globalement, sur la quasi-totalité des dramaturges du nouveau langage théâtral [3].

Partant du théâtre balinais, Artaud, l'un des premiers à en parler d'une manière aussi systématique, réclame au théâtre un langage gestuel et mimodramatique, pour remplacer le langage dialogué qui « n'appartient pas spécialement à la scène, mais au livre » (op. cit., p. 38).

Il propose donc un langage muet : formes, volumes, lumières, mouvement, mime et gestus :

---

(1) Le même événement, effectivement vécu par les sœurs Papin en février 1933, au Mans (cf. « Les Temps Modernes » nº 210, novembre 1963, pp. 868-913) a donné lieu à l'élaboration scénique des « Bonnes », par J. Genet, et à la réalisation cinématographique, quelques années plus tard, des « Abysses », dont Jean Vauthier fut l'un des scénaristes. L'exposé des « Temps Modernes » est rédigé par le Docteur Louis LE GUILLANT.

(2) Notons à propos de ce film l'importance extraordinaire donnée aux jeux de miroirs, dont Genet est si friand.

(3) Par « dramaturges », nous entendons non seulement les auteurs, mais aussi les metteurs en scène, architectes-décorateurs, musiciens de scène, éclairagistes, etc., car, nous le verrons dans le tome II, au chapitre consacré à l'architecture scénique, il n'y a plus aujourd'hui des « pièces de théâtre », mais des « textes pour spectacle » (selon le mot de J. Languirand) où toute l'équipe du « spectacle » prend une part active dans son élaboration, sa mise en chantier et sa réalisation définitive. C'est le spectacle dans sa «totalité» — sa « totalisation en cours », pour employer le mot de Sartre — qui constitue un *langage codé*, et non plus la « parole » de scène classique.

« Le domaine du théâtre n'est pas psychologique, mais plastique et physique, il faut le dire. Et il ne s'agit pas de savoir si le langage physique du théâtre est capable d'arriver aux mêmes résolutions psychologiques que le langage des mots, s'il peut exprimer des sentiments et des passions aussi bien que les mots, mais s'il n'y a pas dans le domaine de la pensée et de l'intelligence des *attitudes* que les mots sont incapables de rendre et que les gestes et tout ce qui participe du *langage dans l'espace* atteignent avec plus de précision qu'eux » (op. cit., p. 76). Et plus loin :

« Il ne s'agit pas de supprimer la parole au théâtre [1] mais de lui faire changer sa destination, et surtout de réduire sa place » (p. 77). Et encore :

« Sous la poésie des textes, il y a la poésie tout court, sans forme et sans textes » (p. 83), (...) « car je pose en principe que les mots ne veulent pas tout dire et que par nature et à cause de leur caractère déterminé, fixé une fois pour toutes, ils s'arrêtent et paralysent la pensée au lieu d'en permettre et d'en favoriser le développement... J'ajoute au langage parlé un *autre langage* et j'essaie de rendre sa vieille efficacité magique, son efficacité envoûtante, intégrale, au langage de la parole » (pp. 118-119).

Nous avons tenu à citer longuement Artaud, pour bien mettre en évidence que Ionesco, Beckett et leurs épigones n'ont fait qu'appliquer (presque à la lettre, mais sur le plan de la scène) les théories d'Artaud.

---

(1) Nous avons vu que Tardieu (dans « Une voix sans personne ») et Beckett (dans « Acte sans paroles », I et II) l'ont effectivement complètement éliminée.

Nous allons maintenant voir, plus en détail, et par l'analyse des principales pièces de Beckett, comment s'est réalisée la transmutation pratique des idées d'Artaud.

III. — ANALYSE DES PIÈCES DE BECKETT

> « La condition de l'homme, dit Heidegger, c'est
> *d'être là*. Probablement, est-ce le théâtre, plus
> que tout autre mode de représentation du réel,
> qui reproduit le plus naturellement cette situa-
> tion. Le personnage de théâtre EST EN SCÈNE,
> c'est sa première qualité : il est LÀ ».
>
> (Robbe-Grillet : « Pour un nouveau roman »,
> p. 121. C'est l'auteur qui souligne).

1. — L'attente

> « Dans l'état de dégénérescence où nous sommes,
> c'est par la PEAU qu'on fera rentrer la méta-
> physique dans les esprits ».
>
> Artaud : « Premier Manifeste du Théâtre de la
> Cruauté », in « *Œuvres complètes* » (tome IV),
> p. 118 (« La Cruauté »).

Comme l'a fait remarquer M. Corvin, « En attendant Godot », c'est le Mythe de Sisyphe de l'attente (op. cit., p. 67).
Et L. Janvier fait observer de son côté que « Godot est le nom
de l'attente » (op. cit., p. 97).

Comme dans toutes les pièces de Beckett, c'est une attente à deux : tous les personnages de Beckett vont deux par
deux, en couple : Vladimir-Estragon, et Lucky-Pozzo, dans
« En attendant Godot », Hamm-Clov et Nagg-Nell, dans « Fin
de partie », Willie-Winnie dans « O les beaux jours », le vieux
Krapp et le Krapp plus jeune du magnétophone dans « La
dernière bande », les rapports dyadiques du mari et de sa
femme d'une part, de l'amant et de sa maîtresse de l'autre,
et même du mari et de l'amant (bien qu'ils ne soient tous deux
qu'une seule et même personne) dans « Comédie », Madame
Rooney et son mari, dans « Tous ceux qui tombent ».

« Ne me touche pas ! Ne me demande rien ! Ne me dis rien ! Reste avec moi ! » dit Estragon à Vladimir, dans « En attendant Godot ». S'il faut attendre un Godot énigmatique, autant l'attendre à deux, et se tenir compagnie... en attendant mieux. Raconter la pièce est une entreprise impossible[1] :

Vladimir et Estragon (surnommés Didi et Gogo) attendent Godot au premier acte. Ils ne font rien d'autre : c'est vraiment le drame de l'attente à l'état brut, non décanté, non dégrossi, et Beckett nous sert le plat « tout cru ».

> « « En attendant Godot » est une « action » où tendresse et cruauté, lumière et ombre, s'équilibrent et habitent vigoureusement cet espace-temps immobile et recommencé qui est la zone humaine. Sur une aire dénudée, c'était la rencontre de quatre effondrements avec un mouvement perpétuel », écrit L. Janvier à ce sujet (op. cit., p. 103). Et plus loin :

> « En attendant Godot n'est pas un enfer, c'est un lieu de *neutralité* et même d'un certain bonheur dans le plus « noir » de la déréliction, dans ce qui devrait être senti comme le « noir » de la déréliction mais n'est en fait, pour ces agis et ces attentifs, que le tout venant de la condition humaine » (p. 103).

Mais « En attendant Godot », c'est aussi le Mythe de

---

(1) Comme l'écrit Pierre Mélèse dans son ouvrage : « *Beckett* », « Godot, comme la commedia dell'arte est avant tout un *spectacle* qui ne prend sa valeur qu'à la scène, un jeu d'acteurs, dans lequel les thèmes abordés, l'équilibre des scènes, les lazzi, les types mêmes sont soumis à la *représentation*. On peut tenter de l'EXPLIQUER, d'en dégager les grandes lignes, les traits essentiels, les effets comiques ; mais pour parler vraiment de Godot, il faudrait la voix de Charlie Chaplin ou de Fratellini, l'expérience du plateau ou de la piste » (op. cit., pp. 48-49).

l'attente [1] : le temps, comme le fait remarquer M. Corvin,
  « n'est plus, comme dans le roman et le théâtre traditionnels, mouvement dramatique qui emporte les personnages dans une durée pleine où le passé est gros
  du présent, mais *succession d'instants* ponctuels, statiques, et sans passé (...). Les personnages de Beckett
  sont happés par l'oubli et n'en finissent pas de finir »
  (op. cit., p. 69).

Survient un autre couple, Pozzo et Lucky, le maître et
l'esclave. Il ne se passe toujours rien, du point de vue de l'intrigue : l'action n'avance pas, elle ne recule pas non plus, elle
reste au « point mort ». On parle, on reparle, on dit, et rien
n'arrive. Aucune « histoire », aucun déroulement psychologique, aucun dénouement. La seule fois où Lucky ouvre la bouche, c'est pour émettre une suite de SONS qui dure une bonne
dizaine de minutes sur la scène :

  « ... plus grave les pierres bref je reprends hélas hélas
  abandonnés inachevés la tête la tête hélas les pierres
  couard couard tennis ... les pierres ... si calmes ...
  inachevées ... » (p. 75).

Ce charabia cacophonique est un des thèmes fondamentaux de Beckett : la voix se donne en spectacle, et les mots

_____

(1) Dans son étude : « Contribution à l'étude des concepts de pulsion
de mort et d'agressivité chez Freud », Igor CARUSO écrit ceci, qui
nous semble très important :
  « L'homme ne cesse de remplacer l'espoir déficient par l'adu-
  lation de soi-même, par la superstition, par des consolations
  lénifiantes et des mensonges exaltants. Car l'espoir est difficile à supporter : l'espoir ENGAGE l'homme. Il l'engage à
  une vision dialectique du monde, et donc à un mode dialectique de pensée : le mode de pensée qui soit le plus exigeant
  au monde. *Car l'homme ne peut espérer vraiment que lorsque
  sa situation et son attitude peuvent aussi bien démentir l'espoir.* Sinon, ce ne serait pas la « praxis » de l'espoir, mais une
  attente mystique : hélas, *l'attente de Godot* » (op. cit., p. 28.
  C'est l'auteur qui souligne.)

n'existent qu'en tant que musique, que refrain, que bruits vocaux. On retrouvera la même chose dans son roman : « L'innommable » (« comme une bête née en cage de bêtes nées en cage de bêtes nées en cage de bêtes nées en cage, etc. »), p. 204) et dans « Comment c'est » (« nous laissons nos sacs à ceux qui n'en ont pas besoin nous prenons leurs sacs à ceux qui vont en avoir besoin nous partons sans sac nous en trouvons un nous pouvons voyager », p. 135). Et dans « Fin de partie », Clov demande : « À quoi je sers ? » — « À me donner la réplique », lui répond Hamm (p. 89). La parole est le dernier stade avant l'engloutissement final dans le néant et le silence des pierres : « Le silence, un mot sur le silence, sous le silence, c'est le pire : parler du silence, puis m'y enfoncer » (L'innommable, p. 242).

Le deuxième acte ne fait que répéter le premier, avec quelques variantes. La solitude humaine est insupportable pour le spectateur, qui, pendant toute la durée de la pièce, souffre physiquement, et presque « dans ses entrailles », aurait dit Artaud, de l'atmosphère étouffante dégagée par cette situation.

Il n'y a même pas de décor, pour alimenter l'imagination : un arbre, quelques feuilles (deux ou trois, pas plus, précise Beckett) au deuxième acte seulement (au premier, l'arbre est nu), et tout le reste de la scène est sec, épouvantablement sec. Une lumière blanche et crue pendant toute la durée de la pièce, et c'est tout.

> « La structure de Godot pourrait être décrite comme circulaire : une insistance sur la similitude, la monotonie, l'incessante répétition », écrit L. Pronko dans son « Théâtre d'Avant-Garde » (p. 44) [1].

---

[1] On trouvera de très intéressants développements à ce sujet, et surtout le théâtre de Beckett — sauf « Ô les beaux jours », « Comé-

Le leitmotiv qui revient sans cesse dans le courant de la pièce (mais peut-on parler ici d'un « courant », puisque tant les personnages que l'action sont statiques, figés à tout jamais dans le temps, définitivement inamovibles ? « Le temps s'est arrêté », fait remarquer Vladimir, à un moment) est le suivant :

> « Estragon : Allons nous-en.
> Vladimir : On ne peut pas.
> Estragon : Pourquoi ?
> Vladimir : On attend Godot. »

Ces répliques sont répétées six fois dans la pièce, textuellement. C'est la première pièce de la contingence et de l'identité absolues : rien n'arrive, tout peut arriver, pourquoi dire cela au lieu de ceci et vice-versa : le spectateur reste sur sa soif, il n'y a pas de solution, pas de commencement, pas de fin, « cela continue ». Beckett ne propose aucune recette pour s'en sortir, cela est, et c'est ainsi. C'est au public de trouver les issues, si issues il y a.

Robbe-Grillet, parlant d' « En attendant Godot », pense que c'est « peu de dire qu'il ne s'y passe rien. C'est moins que

---

die », et ce qu'il a écrit après, car Beckett ne les avait pas encore conçues au moment de la publication de l'ouvrage — dans « Théâtre d'avant-garde » (pp. 37-80), et notamment les différentes interprétations que les spécialistes ont pu en donner.

Par exemple, Charles McCOY fournit une interprétation biblique de la pièce, en rapprochant le texte de Beckett à celui des Proverbes 13.12 de la Bible (« Waiting for Godot : a biblical appraisal », in « Religion in life », automne 1959).

Cette interprétation rejoint en un certain sens ce qu'écrivait Artaud dans son « Premier Manifeste du Théâtre de la Cruauté » : « (Les mythes) peuvent créer une sorte d'équation passionnante entre l'Homme, la Société, la Nature, et les Objets » (p. 107). Mais « ces idées qui touchent à la Création, au Devenir, au Chaos, et sont toutes d'ordre cosmique, fournissent une première notion d'un domaine dont le théâtre s'est totalement déshabitué ». (p. 107. Ceci a été évidemment écrit *avant* l'apparition du théâtre de Beckett).

rien qu'il faudrait écrire : comme si nous assistions à une espèce de régression au-delà du rien » (Pour un nouveau roman, p. 128-129). Et plus loin : « Ici, pas de malentendu : pas plus de pensée que de belle parole ; l'une comme l'autre ne figure dans le texte que sous forme de parodie, d'*envers* (c'est nous qui soulignons. Cf. « L'envers et l'endroit », de Camus), une fois de plus, ou de cadavre. La parole, c'est le « crépuscule » décrit par Pozzo (...) . Dans cet univers où le temps ne coule pas, les mots *avant* et *après* n'ont aucun sens : seule compte la situation *présente* ».

J.-L. Moreno dirait, dans sa terminologie propre, que c'est le « hic et nunc » qui seul compte, comme en situation psychodramatique [1].

Robbe-Grillet ajoute :

> « Nous saisissons tout à coup, en les regardant, cette fonction majeure de la représentation théâtrale : montrer en quoi consiste le fait d'ÊTRE LÀ. Car c'est cela, précisément, que nous n'avions pas vu avec autant de netteté, si peu de concessions et tant d'évidence. Le personnage de théâtre, le plus souvent, ne fait que *jouer un rôle,* comme le font autour de nous ceux qui se dérobent à leur propre existence. Dans la pièce de Beckett, au contraire, tout se passe comme si les deux vagabonds se trouvaient en scène SANS AVOIR DE RÔLE (...) seuls en scène, debout, inutiles, sans avenir ni passé, irrémédiablement présents » (op. cit., p. 131).

Nous laisserons de côté, quant à nous, les interprétations

---

[1] Cf. dans le chapitre VII de ce travail (Tome II), consacré aux liens du psychodrame et du « happening », l'entretien que Moreno nous a accordé, lors du IIe Congrès International de Psychodrame (Barcelone, 29 août - 3 septembre 1966) .

mythico-religieuses de la pièce : Godot, c'est le « petit Dieu »,
dit encore Rosette Lamont dans « La farce métaphysique de
Beckett », et l'arbre squelettique rappellerait, d'après Pronko,
une potence et une croix — instrument de torture et symbole
religieux — ainsi que les divers arbres de la littérature mythique. Cela est affaire de spécialistes théâtrologues, qui ont d'ailleurs fourni une abondante littérature en se penchant sur
l'œuvre de Beckett.

En ce qui nous concerne, nous voudrions essayer de dégager de cette pièce (ainsi que de toute son œuvre théâtrale,
car toutes ses pièces sont étroitement liées) la manière dont
Beckett s'est pris pour communiquer au spectateur sa thématique, l'ineffable solitude humaine et l'impossibilité de communication entre les êtres, écrasés par la civilisation de l'objet. Pronko, d'ailleurs, reconnaît implicitement cet aspect de
l'œuvre beckettienne, quand il écrit : « Il est typique de l'u-
nivers de Beckett que les réconforts attendus soient de nature
physique, et ne reflètent aucune préoccupation spirituelle »
(op. cit., p. 52).

« En attendant Godot », ce « témoignage lucide sur le
néant de l'existence humaine » [1] participe en effet du théâtre gestuel et mimique, où les objets remplacent petit à petit
la parole, et que nous avons défini comme étant le théâtre du
nouveau langage. C'est ce que M. Esslin appelle un théâtre
« sur-sensoriel », et ce que nous appelons un théâtre « épidermique » : c'est par l'épiderme que les spectateurs ressentent
l'horreur de la solitude humaine. Pierre Marcabru l'a fort bien
expliqué dans un article de la revue « ARTS » (datant de

---

(1) Comme le dit Alfonso SASTRE, dramaturge espagnol, dans :
« Sieta Notas sobre Esperando a Godot » (7 notes sur *En attendant
Godot*), in « *Primer acto* », nº 1 (Avril 1957).

1961), intitulé : « En attendant Godot : 1953, pièce d'Avant-Garde, 1961 : spectacle officiel ». Il y écrit en substance :

> « Ce qui domine, c'est une horreur physique, et non pas métaphysique, de la condition humaine. Tout est *charnellement ressenti*. Et on a là un petit précis de la décomposition des corps. C'est au niveau de l'écriture (scénique s'entend) que tout se joue (...) . Ce qui frappe, ce sont les exercices du langage (...) . On y découvre des inventions d'architecte, des symétries, des pierres d'angle, tout un travail de précision avec des points d'équilibre, ses délicats ajustements, ses tensions qui se contrarient (...) [1] *L'estomac seul est atteint* [2]. Et c'est la grande force d'«En attendant Godot » : le cœur remonté, le malaise demeure. Ce malaise, comme dans toutes les pièces de Beckett, tient à une sorte de passion pour le morbide, pour le pourrissement, pour la déconfiture des chairs et des cervelles. Un écœurement fasciné par tout ce qui se décompose sur pied. Des mines de gourmet devant une viande faisandée. Une sorte de génie dans la manière de renifler la gangrène. Des odeurs et du pus » (p. 14).

Des odeurs et du pus, effectivement. Nous appelions ce théâtre « épidermique », il faudrait aussi ajouter « olfactif ». Car c'est par les « nerfs et les sens » que le théâtre du nouveau langage se propose de « passer la rampe ». Ou alors, il ne passera pas du tout.

« Dans un monde qui a perdu sa signification, le lan-

---

(1) Ce véritable travail d'architecte et de menuisier, nous le retrouvons également chez Robbe-Grillet, dans « La jalousie », dans « Dans le labyrinthe » et plus encore dans « La maison de rendez-vous ».
(2) C'est cela que cherchait précisément Beckett en écrivant sa pièce. Et c'est d'ailleurs par là qu'il rejoint les essais du théâtre-happening, dont nous parlerons dans notre tome II.

gage lui-même devient un bourdonnement dépourvu de sens », notait M. Esslin (op. cit., p. 77).

Beckett cherche patiemment, mais opiniâtrement, à atteindre son public par-delà le langage-parole : ses « Actes sans parole » (I et II) montrent très bien ses intentions : Beckett veut se passer des mots. Ainsi, dans « En attendant Godot », Vladimir et Estragon essayent-ils de s'en aller, à la fin du deuxième acte : « Allons-y », dit le premier. « Allons-y » rétorque le second : ils ne bougent pas. Il y a contradiction entre les paroles et l'acte. D'où l'extrême importance accordée par Beckett aux techniques du mimodrame et du « gestus » théâtral.

On pourrait multiplier les exemples à l'infini ; Nicklaus Gessner — qui a écrit une thèse sur Beckett — a répertorié dix types de dislocation du langage dans « En attendant Godot » : ils vont du simple malentendu et des sens multiples donnés à un mot, aboutissant à des quiproquos cocasses (l'impossibilité de communication entre les êtres se traduisant ici par l'impossibilité de parler le même langage), aux monologues, clichés, stéréotypes, etc. Le langage ne peut à lui seul aider à la communication, bien au contraire : il brouille les pistes, ajoute au non-sens originel. Et pourtant, Beckett utilise ce même langage dans ses pièces « écrites » (Acte sans parole » I et II sont des pièces mimodramatiques) : « Que voulez-vous, *c'est les mots,* on n'a rien d'autre », dit-il à N. Gessner qui l'interrogeait à ce sujet.

Dans son roman : « Murphy », il écrit : « Célia se sent éclaboussée de mots, à peine prononcés, tombaient en poussière, chaque mot aboli, avant de pouvoir revêtir un sens, par le mot qui suivait » (p. 35). C'est la même démarche intentionnelle que Beckett suit dans ses pièces : chaque réplique efface la précédente, il n'y a pas continuité à l'inté-

rieur de la structure syntaxique, on ne comprend pas la nécessité de telle réplique à tel endroit plutôt qu'à tel autre,
rien n'est justifié, tout semble « gratuit » (au sens gidien du
terme, de la même manière que le héros des « Caves du Va-
tican » pousse « gratuitement » — pour rien — un homme
qu'il ne connaissait pas dans le vide, du train où ils se trou-
vaient tous les deux). On est plongé dans l'arbitraire : c'est
par la non-nécessité du langage (ici ou ailleurs importe peu)
que Beckett essaye de le faire éclater et de faire ressentir par
le spectateur sa propre aliénation dans un monde automatisé,
automatisme qui ressemble étrangement aux automatismes
et clichés stéréotypés du langage courant. L'être humain, aujourd'hui, est insaisissable en profondeur (où il entre tant de
contradictions, inhérentes à sa situation) et dans sa fluidité
en perpétuel mouvement : l'homme moderne est — paraît —
statique, comme est statique le langage qu'il utilise pour
essayer d'établir (en vain) la communication avec l'Autre.
L'homme beckettien, englouti dans les rouages bien huilés
de la société industrielle, n'a même plus le loisir de se
« payer » des illusions : il est indéniablement, irrémédiablement SEUL ; seul, statique et identique à lui-même, aux différents échelons de cette société industrielle qui l'englobe et
l'anonymise.

> « Ne pas vouloir dire, ne pas savoir ce qu'on veut
> dire, ne pas pouvoir ce qu'on croit qu'on veut dire,
> et toujours dire ou *presque,* voilà ce qu'il importe de
> ne pas perdre de vue », écrit Beckett dans « Molloy »
> (p. 40).

Ce que Molloy dit là, Beckett le dit également, à travers tous ses personnages de théâtre. Son théâtre (comme
ses derniers livres : « Comment c'est », « Imagination morte
imaginez », « Têtes-Mortes », « Le Dépeupleur ») est un
théâtre de balbutiements, un théâtre « fœtal » : c'est l'hom-

me nouveau, face à la société industrielle. Ou plutôt, pris *dans* l'engrenage de la société industrielle, car qui dit « face » dit deux partenaires en présence, se faisant face, alors que dans la conception beckettienne, l'homme est annihilé, détruit, enterré par cette société (Winnie est précisément *enterrée* jusqu'au cou dans « O les beaux jours »). Et nous nous opposons formellement à P. Marcabru quand il conclut son article en écrivant :

> « On en arrive ainsi à un théâtre de l'agonie, mais une agonie de parade, où plus rien n'existe que les sursauts obscènes d'une mort interminable, théâtre crépusculaire que le temps ronge lentement, et qui ne survivra pas à cette société finissante dont il est le dernier miroir. Avec Beckett, le théâtre est déjà dans sa tombe. Il serait temps de mettre une pierre dessus » (op. cit., p. 14).

Nous avons essayé de montrer qu'au contraire, le théâtre de Beckett, loin d'être « crépusculaire », annonce l'aurore des sociétés post-industrielles, une aube nouvelle, un théâtre nouveau, un homme nouveau [1], le surgissement d'une conscience neuve, d'un monde neuf, « badigeonné » de blanc : celui de l'acier implacable dont les sociétés industrielles modernes ne sont que le signe avant-coureur, et dans lesquelles l'homme, impuissant, et sur lequel cet acier aura déteint, se trouvera englouti, *par la force des choses* (au sens propre de l'expression).

---

(1) Cet « homme nouveau » aura sans doute l'aspect de Lucky d' « En attendant Godot » : sommé de « penser » par son maître Pozzo (un coup de fouet de ce dernier déclenche le mécanisme), Lucky s'exécute. Sa pensée « est automatisme déréglé, où le monde entre comme dans un moulin, elle est langage désorienté où se défont des phrases déjà faites, mais brisées là et contaminées par des bruits informes, des balbutiements cruels, des ratés de la parole qui désintègrent le sens à chaque mot (...) la pensée, ce sont ces restes de pensée », écrit L. Janvier à ce sujet (op. cit., p. 209).

Comment tout cela est-il « communiqué » au public ?
Il nous semble que c'est par ce que Gilles Sandier (critique
dramatique dans la revue « ARTS ») appelle (à la suite de
Péguy) : l'*extra-texte*.

> « À propos de Polyeucte, Péguy dit quelque part que
> le texte y est sans cesse pénétré par l'extra-texte (...).
> L'extra-texte de Godot, c'est sa composition musicale
> (qu'on retrouve dans toutes les pièces de Beckett),
> c'est ce qui naît du retentissement des mots et des
> silences les uns sur les autres, car ces mots, ces phra-
> ses, ces syllabes ne s'épuisant pas dans l'instant où ils
> sont proférés, ils durent DANS les mots et les silen-
> ces qui les suivent, les prolongent, les orchestrent ; les
> temps comptent encore plus que les mots ; l'art théâ-
> tral de Beckett est fait d'une SCIENCE MATHÉMA-
> TIQUE DU TEMPS. Du coup, l'espace clos où le der-
> nier arbre brûle (...) se fait *musical*, c'est-à-dire
> *théâtral*. Et cette métamorphose de l'espace est fonda-
> mentalement nécessaire dans Godot (...). La voix
> (des personnages) leur masque le néant des choses
> et d'eux-mêmes : ils ne sont plus QUE cette voix et
> ces mots, si bien que c'est leur parole *qui se fait spec-
> tacle*, et ils le savent (ou ils le sentent) » (« ARTS »,
> n° 22 du 23.2.1966, p. 18).

À partir de « Fin de partie », sa deuxième pièce, Beckett
devient, dans le sens plein du terme, un auteur « ascétique ».
Nous avons intitulé ce chapitre : « Beckett, ou le langage en
miettes », paraphrasant l'ouvrage de Friedmann : « Le travail
en miettes ». Et en effet, le phénomène que Friedmann exami-
ne, en ce qui concerne la rationalisation du travail et les conséquences du taylorisme, nous essayons, quant à nous, de
l'analyser pour ce qui est de l'émiettement du langage-parole
chez Beckett.

Le langage, nous l'avons déjà vu chez Ionesco, est éclaté :
les auteurs du nouveau langage théâtral rassemblent les restes, les débris, les miettes de ce langage-parole, et réinventent
un langage neuf, en faisant appel à des techniques et à des
procédés neufs, eux aussi : ils instaurent de cette manière un
nouvel univers linguistique, où le mot s'associe à l'objet (parfois, le mot devient objet), au décor, à la lumière, au geste et
aux bruits sonores (musique sérielle, électrique, etc.) pour
créer le nouveau langage théâtral : Pronko le dit explicitement
dans son ouvrage :

> « L'objet concret a remplacé dans une certaine mesure
> le mot audible comme moyen de communication, car
> là où le langage a échoué, un *nouveau langage* a été
> inventé à sa place » (op. cit., p. 246).

Nous avons écrit plus haut que Beckett, avec « Fin de
Partie », commençait sa carrière d'ascétique : il dépouille tant
et si bien le langage de tout contenu, il dépouille tellement la
scène de tout artifice, l'histoire de toute intrigue (d'ailleurs,
il n'y a même pas d'histoire : des mots qui se répètent tout le
long de la pièce, sans fin) qu'il devient par là un auteur
quasi-mystique, le frère de sang des mystiques ascétiques religieux.

« Fin de Partie », c'est une scène nue, sur laquelle
Hamm, paralytique, est le maître (ou le père, ou Dieu) et
Clov l'esclave (ou le fils, ou Jésus). Les parents de Hamm,
Nagg et Nell, sont enfouis dans des poubelles, situées à l'a-
vant-scène, sur le proscenium. De temps à autre, ils soulèvent
timidement le couvercle de leur poubelle pour demander à
manger ou faire « un brin de causette ». Leur rôle se limite
à cela. Ceci dit, tout est dit du même coup. Il n'y a plus rien
à ajouter, car il ne se passe plus rien, au sens classique du
terme. Dès les premières répliques, prononcées par Clov, tout
a été dit : « Fini, c'est fini, ça va finir, ça va peut-être finir ».

La pièce commence par la fin, ou plutôt, on a l'impression qu'elle est déjà terminée dès le lever du rideau : Hamm et Clov n'en finissent pas de finir. M. Corvin fait observer que Hamm et Clov « vivent leur agonie au lieu de la dire » (op. cit., p. 72). Et les spectateurs, toute la pièce durant, assistent (ou agonisent, eux aussi ?), impuissants, à cette mort lente. Le monde extérieur, nous l'apprenons bientôt, est complètement détruit, peut-être par la bombe atomique. Hamm et Clov, Nagg et Nell (mais ce dernier couple est-il encore vivant ou simplement sursitaire, « mort en suspens », comme dirait Sartre ?) sont les derniers hommes sur la planète, comme Winnie et Willie le seront également dans « O les beaux jours ». Dieu est mort (Hamm : « Le salaud ! Il n'existe pas ! »), l'attente de Godot est donc ici inutile, mais on attend quand même. Quoi ? « Quelque chose suit son cours », dit Clov. Quoi donc ? On ne nous le dit pas. Le temps, sans doute, mais un temps intemporel puisqu'il ne se passe rien, et qu'il n'existe plus aucune conscience humaine. Le langage est en miettes : il est un passe-temps, et non plus un moyen de communication ni un outil de la pensée : « Puis parler, vite, des mots, comme l'enfant solitaire qui se met en plusieurs, deux, trois, pour être ensemble, et parler ensemble de la nuit... Instants sur instants, plouff, plouff... » dit Hamm (p. 80).

Le temps devient ainsi un anti-temps : il vide le langage de son sens. Comme l'écrit M. Esslin : « « Fin de partie » montre l'épuisement d'un mécanisme jusqu'à son arrêt total » (op. cit., p. 59).

Robbe-Grillet, quant à lui, voit dans « Fin de partie » le thème essentiel de la *présence* : « Tout ce qui est, est ici ; hors de la scène, il n'y a que le néant, le non-être (...). À cet *ici* inéluctable, répond un éternel *maintenant* » (Pour un nouveau roman, p. 134).

Et en effet, les pièces de Beckett (comme les romans de Robbe-Grillet) sont avant tout des œuvres du « hic et nunc », de l'ici et maintenant : ailleurs et autrefois sont des mots vides de sens, tout ce qui EST l'est ici et maintenant. Un roman de Robbe-Grillet se suffit à lui-même, il n'a ni passé ni avenir, il n'est que ce qu'est son architecture, ce que sont ses structures. De la même façon, un pièce de Beckett ne cache aucun « au-delà », aucune « transcendance » : le rideau tombé, il ne se passe plus rien. Le spectateur naît à l'œuvre avec le lever du rideau, il meurt à l'œuvre quand la pièce se termine. Il aura vécu (ici et maintenant, comme dans un T-group) ce qu'aura vécu la pièce, à laquelle il aura, d'une certaine façon et dans une certaine mesure, participé : de même, dans un T-group, les participants ne vivent le phénomène de « groupe » qu'ici et maintenant, dans, pour et avec le groupe.

Avant, il n'y a rien (du point de vue de la « dynamique des groupes » uniquement, car, bien sûr, chacun entre dans le groupe avec tout un passé, tout un « à lui », comme chaque spectateur entre dans l'univers de la pièce avec sa propre affectivité, son expérience propre), et après, il n'y a rien non plus (même remarque). On se retrouve, chacun, dans notre solitude originelle — du moins, tel est le thème beckettien de la solitude, que nous ne faisons qu'essayer de dégager ici.

L'homme est devenu, dans « Fin de partie », un objet, une pierre : le temps le traverse, le transperce, sans qu'il s'en aperçoive, puisque dépourvu de conscience. « Fin de partie » c'est en définitive une exploration ascétique d'une situation statique, figée à tout jamais. Le langage est en miettes : il est là, il aurait très bien pu ne pas être là, il ne sert à rien, il ne signifie rien, puisqu'il n'y a pas d'intrigue, pas de progression psychologique, pas d'histoire.

Alfonso Sastre disait à propos d' « En attendant Godot » : « Alors que de nombreux drames à intrigues où beaucoup de choses arrivent nous laissent froids, on ne peut nier que ce « rien n'arrive » de Godot nous tient en suspens » (op. cit.).

Avec « Fin de partie », Beckett va encore plus loin : non seulement rien n'arrive, mais encore rien n'existe, tout EST (au sens sartrien du terme : Hamm EST, comme EST la racine du marronnier de « La Nausée »), et tout EST si impitoyablement que le spectateur en éprouve la « nausée », physiquement et concrètement ressentie. « Ce qui reste, c'est une image terrifiante de la désintégration d'un univers humain », écrit Pronko à ce sujet (op. cit., p. 67).

M. Esslin cite dans son ouvrage George Steiner qui, dans deux conférences faites à la BBC les 14 et 21 juillet 1960, parlait d'un « anti-langage », comme on peut parler de l'art non-figuratif, de la musique atonale : « Le monde du mot a rétréci », disait Steiner.

Cela est particulièrement vrai du monde de Beckett. Il dépouille tant le langage, il le condense tellement qu'il devient un « anti-langage », à proprement parler. Et finalement, si l'on y fait bien attention, ce ne sont plus des mots qui sont prononcés, mais, comme chez Tardieu, un flot de musique. À la limite, c'est à la symphonie de l'apocalypse que nous sommes conviés d'assister, et non plus à une pièce de théâtre. Le mot est devenu *musique,* chez Beckett, de la même manière que chez Ionesco et Tardieu. Pronko l'a bien senti, qui écrivait :

> « L'emploi des mots (chez les dramaturges d'avant-garde, dit-il), est souvent illogique, fait d'association où les idées nous atteignent non pas comme des propositions clairement organisées, mais comme des groupes suggestifs, en une sorte d'arrangement thé-

matique, quelque peu semblable à une composition musicale » (op. cit., p. 246).

En analysant cette pièce encore plus en profondeur, on constatera qu'en dernière instance, c'est une *pièce du silence*. Maurice Nadeau pense que Beckett n'a jamais écrit qu'une seule pièce, depuis « En attendant Godot » jusqu'à sa dernière, ayant pour thème unique : « le droit au silence ». Si on se réfère à ses écrits romanesques, et notamment à « Comment c'est », dans laquelle les personnages rampent dans la boue et dans la vase tout le long du livre sans proférer une seule parole cohérente, on ne peut que donner raison à l'interprétation de M. Nadeau.

Les mots, chez Beckett, masquent un silence fondamental, un silence terrifiant qui dénonce toute tentative de communication véritable entre les êtres.

Dans « Fin de partie », la partie en cours ne se joue pas entre Hamm et Clov, entre Nagg et Nell, puisque Clov (ou Hamm) n'est là que pour « donner la réplique », pour que la « partie » ait lieu. Non : « la partie se joue entre chacun d'eux, solitaire, et le néant, chacun et le silence, chacun et ses propres questions qui viennent buter et rebondir contre le ciel inhabité » (G. Serreau : « Histoire du nouveau théâtre », p. 112).

En définitive, « le silence menace comme une eau, affleure à tout instant sous les mots, entre les mots » (op. cit., p. 111).

De toutes ses pièces en un acte, nous ne parlerons en détail que de « La dernière bande » et de « Comédie », qui sont les plus importantes, et qui vont encore plus en avant dans le dépouillement ascétique. Quant à ses autres pièces en un acte (« Va-et-Vient », « Cascando », « Paroles et musique », et sa toute dernière : « Dis Joe »), nous les examinerons assez rapidement à la suite de l'analyse de « Comédie ».

« La dernière bande » met en scène un vieillard, Krapp, seul personnage de la pièce. Il fait marcher un magnétophone sur lequel il a enregistré sa voix à différentes époques de sa vie. C'est donc un dialogue entre les différents Krapp, conservés dans le temps grâce au magnétophone. En fait, il n'existe pas de différence majeure entre ce qu'il fut, trente ans auparavant, et ce qu'il est devenu : sa vie est une descente vertigineuse, logarithmique, vers l'abîme final. Il mange toujours des bananes, il fréquente toujours les filles de joie : il est resté le même. Seule, sa décomposition physique marque le passage du temps. Krapp est maintenant une véritable loque humaine, il a besoin du magnétophone pour se souvenir. Il essaye d'enregistrer sa voix, pour des temps futurs, mais il se rend bien compte que c'est là la « dernière bande » qu'il enregistre : « Dégusté le mot bobine. Bobiiine », dit-il en substance. Et c'est tout. Il mange sa dernière banane, s'asseoit, regarde longuement dans le vide, tandis que la bobine continue à se dérouler dans un silence total : Krapp est déjà mort (du moins, est-ce une suppposition) quand le rideau tombe. Comme le dit si bien L. Janvier :

> « La vie veut que, parlant, je me fasse à chaque instant et justement assassin de mon passé. Je nais. La même vie veut que je m'éloigne toujours davantage du foyer, ce moment capital où j'ai compris que je naissais : je meurs » (op. cit., p. 125).

Le processus de l'enlisement physique est toujours le même : il n'y a pas de Krapp-avant et de Krapp-après, car il n'existe aucun point de repère dans le déroulement du temps, mis à part le magnétophone. D'ailleurs, même avec ses bobines, Krapp n'arrive pas à faire le point, Krapp — et

tous les personnages de Beckett — est un mort-né, dans une
société industrielle qui l'étouffe jusque dans sa vie intra-
utérine : « Telle est la véritable damnation de la naissance
impossible : mon présent s'exposera bientôt à la condamna-
tion d'un autre présent qui le jugera passé et naîtra de lui »,
écrit encore L. Janvier (op. cit., p. 124), car :

> « c'est en s'écoutant qu'il se met à parler, et pour
> prononcer cette condamnation, il fallait qu'il s'écoutât
> au moins une fois. L'homme neuf se déclare sous
> nos yeux en s'extrayant de son silence et de son
> abrutissement pour entendre, c'est-à-dire tuer, le vieux
> Krapp qui lui-même était né de la même façon. En
> somme, nommer la contradiction et jusqu'au bout
> l'analyser, c'est en même temps la résoudre : KRAPP
> NAÎT EN S'ÉCOUTANT (c'est l'auteur qui souli-
> gne). Et les différents stades de l'écoute, se soldant
> à chaque fois par un reniement et un départ, sont
> les différentes étapes de la naissance à soi, un soi
> naturellement que ronge déjà le futur et qui se re-
> niera à son tour, mais dont la vérité tient dans la
> *parole instantanée qui frappe de mort la précédente.*
> (c'est nous qui soulignons). Pour dire sur le présent
> de l'être-seul et le devenir de la parole ces vérités
> élémentaires, il fallait la forme en écho, c'est-à-dire
> la voix seule avec soi. Beckett, faisant un pas décisif
> dans la voie de la réduction et de la naissance, remet
> à la seule élocution le pouvoir de se juger naissante
> ou morte, et non plus seulement à l'attente — douée
> de parole » (op. cit., p. 123).

« Mon œuvre est l'affaire de SONS fondamentaux ren-
dus aussi pleinement que possible », écrit Beckett dans le
journal new-yorkais « Village Voice » (La voix du village)
du 19 mars 1958. Et en effet, Vladimir, Estragon, Lucky,

Pozzo, Hamm, Clov, Krapp profèrent des SONS, qui recouvrent du silence, de la même manière que les machines, une fois arrêtées, ne représentent plus qu'un désert d'acier inoxydable.

L'homme est une machine à SONS (comme le « Ping-Pong » d'Adamov) : et les sons lui sont nécessaires pour cacher son angoisse d'homme seul. Ce n'est pas à tort qu'on a dit de Beckett qu'il s'inscrivait dans la lignée du « divertissement pascalien » : l'homme se *divertit* en produisant des sons (mots-objets) ; sans cela, il est renvoyé face à face à sa solitude fondamentale, chose qu'il cherche à éviter à tout prix. Du moins, telles sont les *intentions* de Beckett : il faut absolument jouer la « comédie de la parole », sinon on risque l'enlisement. La rançon à payer est trop forte : on préfère encore la comédie de la parole.

2. — De la civilisation du néon à la civilisation du néant

> « La Comédie : parler, ou mentir inévitablement ». L. Janvier (op. cit., p. 159).

Comédie de la parole, écrivions-nous précédemment : c'est bien le sujet d'une des dernières pièces de Beckett : « Comédie » [1], qui est bien plus qu'une parodie grinçante de la classique situation à trois du Théâtre de Boulevard : le mari, la femme et la maîtresse. S'arrêter là-dessus et n'y voir que cela serait mutiler Beckett, qui refuse toute interprétation de ses œuvres autre que métaphysique. Comme nous l'avons déjà expliqué au début de ce chapitre, il n'y a

---

(1) Nous analyserons cette pièce — ainsi que ses autres « pièces diverses en un acte » — avant « Ô les beaux jours », bien qu'elles lui soient chronologiquement postérieures : nous avons cru bon de les examiner après « La dernière bande », car elles sont toutes des pièces courtes, en un acte.

dans cette pièce aucun décor : rien que les têtes des personnages, qui surgissent tour à tour du noir, pour « parler des
mots », comme dit Madame Rooney dans « Tous ceux qui
tombent » (p. 10).

Beckett a adapté un procédé radio-électrique pour tantôt
faire accélérer le débit des paroles proférées, tantôt le réduire.
C'est la même technique utilisée au cinéma, quand on accélère ou réduit la vitesse des images (qu'on pense aux premiers films de Charlot). Beckett triture les mots et leur fait
subir un traitement quasiment cinématographique.

D'autre part, les personnages sont éclairés par en-dessous, un projecteur dirigé sur la tête de chacun d'eux. Les
personnages se trouvent — tout le long de la pièce — dans
des cruches qu'on devine à peine dans le noir, puisque seules
les têtes sont éclairées, jamais les trois à la fois (sauf au
tout début), mais à tour de rôle, et seulement quand l'un
ou l'autre des personnages dit quelque chose. Quand il ne
parle pas, il est hors de notre champ visuel, dans le noir-
néant-matrice originelle, comme absent, mort, inexistant : une
cruche [1]. Beckett adapte ici un procédé de télévision : un
bouton correspond à chacun des projecteurs, et l'éclairagiste
presse sur chaque bouton correspondant au projecteur qui
doit éclairer la personne qui parle, lui donnant par cela
même le droit à la vie, et à la parole. C'est le projecteur qui
crée le personnage, c'est la lumière qui se trouve aux com-
mandes.

Le spectateur a ainsi la sensation *physiquement éprouvée*
que ces personnages, ou plutôt ces voix, proviennent d'un
autre monde (le sien propre, dans quelques décades), elles

---

(1) Une autre interprétation possible : « Peut-être faut-il voir dans ces
coques où s'enfoncent les héros beckettiens une image du crâne,
asile secret, inviolé, où la vie réelle se transmue en une autre réalité, celle du poète » (G. Serreau, op. cit., p. 114).

surgissent ex-nihilo, avec la lumière, comme le végétal vert qui ne peut se développer qu'à l'exposition à la lumière.

En fait, on a l'impression très nette que c'est la *lumière qui parle* [1] (puisque c'est seulement grâce à elle que les voix s'animent) et non le personnage lui-même (sa conscience), de la même façon que chez Ionesco, c'étaient les objets qui parlaient plus que les acteurs-personnages.

Comme le fait remarquer M. Corvin, « Comédie est une métaphysique pré-chrétienne du néant » (op. cit., p. 71).

D'ailleurs l'auteur le dit lui-même expressément, dans ses indications scéniques :

> « La parole est *extorquée* par un projecteur, se braquant sur les visages seuls. La réponse à la lumière est instantanée. Les voix sont atones. Le débit est rapide ».

Donc, il ne peut s'agir ici d'un simple procédé de mise en scène, trouvé et exploité par un réalisateur habile en « effets de choc » (comme cela est malheureusement courant dans nombre de mises en scène soi-disant « expérimentales », et qui n'ont en réalité qu'un but et un seul : provoquer à tout prix le public, même si cette provocation n'entre pas spécifiquement dans la « structure » de la pièce) [2]. Le lan-

---

(1) Parlant de la pièce de Goldoni : « Barouf à Chioggia », montée par G. Strelher (et son équipe du « Piccolo Teatro » de Milan) au théâtre des Nations, en juin 1966, Alfred Simon écrit : «Strelher a axé sa mise en scène sur les éclairages. Il n'éclaire ni son beau décor à la fois réaliste et stylisé, ni ses acteurs pour les mettre en évidence. *Il éclaire la lumière elle-même qui est comme la vérité du spectacle* » (Esprit, no 7-8, juillet-août 66, p. 74).

(2) Nous pensons, à titre d'exemple, à certains spectacles dits d' « Avant-Garde », comme « Les Quatre », de M. Mavromatis — représentée en juin 64 au Théâtre de Poche (Paris) et qui est un modèle du genre.

gage de lumières, dans « Comédie », fait partie intégrante, au contraire, de la *structure* même de l'œuvre. Sans cette « trouvaille » de type strictement formel (et donc, nous l'avons vu ailleurs, de *fond* également), la pièce entière n'aurait pas sa raison d'être [1].

Comme le dit Eco (parlant de Joyce), « signifiant et signifié fusionnent par un court-circuit poétiquement nécessaire, mais ontologiquement gratuit et imprévu. Le langage chiffré ne se réfère pas à un cosmos objectif, extérieur à l'œuvre ; sa compréhension n'a de valeur qu'à l'intérieur de l'œuvre et se trouve conditionnée par la structure de celle-ci. L'œuvre, en tant que TOUT, propose de nouvelles conventions linguistiques [2] auxquelles elle se soumet et devient elle-même la clef de son premier chiffre » (L'Oeuvre ouverte, p. 231).

Reproduisons ici les premières répliques de « Comédie » :

« F1—(c'est la première femme) : Oui, bizarre, noir l'idéal, et plus il fait noir plus ça va mal, jusqu'au noir noir, et tout va bien tant qu'il dure, mais ça viendra, l'heure viendra, la chose est là, tu la verras, tu me lâcheras, pour de bon, tout sera noir, silencieux, révolu, oblitéré.

F2—(la deuxième femme, la maîtresse) : Oui, sans doute, un peu dérangée », etc. (op. cit., p. 10).

On le voit très nettement : la structure linguistique vient s'appliquer sur celle du « langage de lumière », et dans le

---

(1) « Tout dans cette pièce sans mouvement, repose sur les mots et les silences, la lumière et l'ombre (...) chaque syllabe *doit* avoir, dans ce ton « blanc », inexpressif, atone exigé, un rythme particulier » (P. Mélèse : « Beckett », p. 87).

(2) Dont le langage de lumière, dans « Comédie » (cette note est de nous.)

fond, c'est de la même structure qu'il s'agit, dès lors que nous appréhendons la pièce de l'intérieur (dans son univers propre, qui est d'une grande cohérence interne), dans une sorte de « coupe en largeur ». Dans un article intitulé précisément : « Le langage de la lumière »[1], Otto HAHN souligne (dans un tout autre style) l'extrême importance de ce langage nouveau dans les arts :

> « Un coup de boutoir qui va faire hurler les partisans de la peinture-peinture : l'Electric Art. Ce n'est pas une nouvelle école, mais une nouvelle façon de s'exprimer qui attire actuellement de nombreux peintres (...). Les uns emploient le néon, d'autres se servent de leur lampe de chevet ou d'ampoules clignotantes multicolores. Tous acceptent de dépendre d'un monde industriel qui est devenu l'univers quotidien. Toutes les tendances sont là, depuis le Pop Art, le Op Art jusqu'au Mini Art, la dernière née des écoles new-yorkaises, qui réduit l'art à sa plus simple expression : cube, rectangle, ligne (...). Dans leurs peintures, *ils mettent la lumière comme ils introduiraient n'importe quel objet,* bouteille ou cravate ».

Ainsi, un arbre est-il transformé en déluge de couleurs ou en une imagerie d'enseignes lumineuses. Ou encore, la création d'une « peinture-happening »[2], comme l'appelle Hahn, la signature de Picasso transformée en illumination fluorescente par R. Watts, qui fait subir le même traitement à une simple chaise, laquelle, par conséquent « parle » un *langage nouveau* (propre à notre civilisation industrielle), celui de la « lumière ». Hahn conclut ainsi : « Entre l'industrie et l'art, il y a donc un décalage qui se chiffre souvent par un demi-siècle ; pourtant, ce n'est jamais la technique qui

---

(1) Cf. « L'Express » du 16 mai 1966, p. 89-90.
(2) Cf. le chapitre VI consacré au « happening » (dans notre tome II).

est importante, mais l'ÉMOTION traduite : froideur, intensité, intimisme... Les peintres d'aujourd'hui utilisent l'électricité pour rendre l'image d'un monde où plane une immense et fascinante *illusion lumineuse* ». (article cité).

On le voit : la « lumière » n'est pas seulement un nouveau langage théâtral. Elle a sa place en peinture, en sculpture [1], dans le « happening » enfin. Et ce nouveau langage a pour fonction de remplacer l'ancien, (fait de *paroles* ou de « parlerie ») aujourd'hui désuet, car, en tant que LANGAGE, il émet des signaux, des messages, qu'il nous est possible de capter, de percevoir, d'interpréter, en un mot : de « décoder ». Cet élément — car ce n'est qu'un « élément » — du nouveau langage qu'est la lumière se situe dans une totalité structurale, dans une configuration d'ensemble : il entretient des rapports étroits avec les autres éléments de la réalité du « nouveau langage », qui constituent ensemble (les uns AVEC les autres, ou les uns DANS les autres), un phénomène social d'époque : celui d'un monde industriel qui est devenu l'univers quotidien de tout un chacun.

En dernière analyse, il nous semble que c'est bien d' « affinités structurales » entre ces divers éléments du nouveau langage dont il est question ici.

Nous ferons encore appel à Éco qui, parlant de l'explosion vertigineuse du matériau linguistique, en ce qui concerne « Finnegans Wake », en arrive, après ses fines analyses, à la conclusion que « ce matériau, précisément parce qu'il se plie à des règles inédites, témoigne d'une condition fondamentale de toute la culture contemporaine : nous avons le sentiment de nous trouver devant une image du monde qui n'est plus ce qu'elle était et qui se modifie sous nos yeux,

---

(1) Cf. le lumino-dynamisme de N. Schöffer (au chapitre V de ce travail, Tome II).

opposant l'imagination et l'intelligence, les SENS et la RAI-
SON [1], les formes de l'imagination et les formules de la
logique » (op. cit., p. 276).

Revenons-en à « Comédie » : cette pièce répond point
pour point, en matière d'expérimentation théâtrale, à ce que
M. Esslin écrivait dans son « Théâtre de l'Absurde », pour
expliquer en quoi consistait au juste le théâtre nouveau :

> « Pour convertir notre perception en termes concep-
> tuels, en pensée logique, puis en langage, nous accom-
> plissons une opération analogue à celle du superviseur
> qui décompose l'image dans une caméra de télévision
> avant la projection. L'image poétique, avec ses ambi-
> guïtés et ses évocations simultanées des éléments
> multiples qui entrent dans l'impression sensorielle,
> est un des procédés par lesquels nous pouvons, même
> si ce n'est qu'imparfaitement, communiquer la réalité
> de notre vision du monde... C'est dans cet effort
> de communiquer une perception fondamentale et tota-
> lement indissoluble, une vision *intuitive* de l' « état
> d'être » que nous pouvons trouver la clef de la déva-
> lorisation et de la désintégration du langage dans le
> Théâtre de l'Absurde (...). La scène est un lieu à
> multiple dimension qui permet l'emploi simultané
> d'*éléments visuels,* du mouvement, de la lumière et
> du langage. Elle est, par conséquent, particulièrement
> favorable à la communication d'images complexes nées
> de l'interaction contrapuntique de tous ces éléments »
> (op. cit., p. 387).

On le voit clairement, à présent : le problème fondamental du théâtre du nouveau langage se pose en termes de
« perception » du public. Comment faire percevoir à un

---

(1) Et nous voici revenus à Artaud (cette note est de nous).

public nouveau (ou à l'homme nouveau, l'homme « cosmique », comme aime l'appeler J.-L. Moreno) [1], engoncé dans la société industrielle, toute la complexité de l' « état d'être », dans la seconde moitié du XXᵉ siècle ? C'est un problème de « Gestalt » : le public doit VOIR sur scène les BONNES FORMES qui correspondent à son « état-étant » (ou état d'existence) actuel. Le théâtre psychologique, naturaliste, vériste, expressionniste, n'est plus à même d'assurer cette fonction : il n'y a plus d'*histoire* dans le nouveau langage théâtral, ni même des personnages (au sens traditionnel du mot) ; en d'autres termes, il ne s'agit plus de nous montrer des « tranches de vie » au théâtre, mais une perception fondamentale de l'homme nouveau, une vision intuitive (pour parler comme Bergson, et après lui, Esslin) de *l'être en mouvement* (paradoxalement, chez Beckett, c'est l'être en mouvement qu'on saisit dans sa rigidité : la répétition continuelle et uniforme de la même situation est montrée visuellement dans « Comédie » en un seul mouvement), grâce aux moyens audio-visuels mis à notre disposition par la technique moderne.

Comme le dit si justement L. Janvier à propos de « la chair du langage mise à vif » par Beckett, ce dernier en arrive à un stade (avec « Textes pour rien », « Comment c'est » et «Comédie») où «la cruauté consonantique participe à cette dilacération de la phrase au point qu'elle est devenue cette juxtaposition de lambeaux arrachés au silence » (op. cit., p. 244).

---

(1) Cf. le compte-rendu de la conférence de Moreno, au IIᵉ Congrès International de Psychodrame (Barcelone, août-septembre 1966), intitulée «Fonction des universelles : temps, espace, réalité et cosmos », dont nous donnons un aperçu dans notre article : «Entretien avec J.-L. Moreno », in *Bulletin de psychologie*, 254, XX, 5, déc. 1966, pp. 273-275.

Et, en effet, « Comédie », c'est exactement cela. En y ajoutant toutefois, avec L. Janvier, qu'il y a « renversement des valeurs : au discours attentif au récit, se substitue le récit attentif au discours » (p. 258), en ce qui concerne l'œuvre de Beckett, et « Comédie » en particulier, car en fin de compte, c'est bien « le langage qui est le sujet de l'entreprise » (p. 257) chez Beckett. Ces commentaires auraient fort bien pu être écrits par R. Barthes ou L. Goldmann.

Comment fut accueillie « Comédie » par la critique ? Nous ne citerons que deux critiques dramatiques, afin de ne pas trop alourdir cette étude. Le premier est B. Poirot-Delpech, du « Monde », qui donne son avis après la toute première représentation de la pièce en juin 1964, au Théâtre d'Essai du Pavillon de Marsan (Musée des Arts Décoratifs, Paris) ; le second, est A. Jouffroy, de l' « Express », qui en parle après la représentation qu'en a donnée l'Odéon-Théâtre de France [1], en mars 1966.

B. Poirot-Delpech écrit ceci :

> « La création de « Comédie » constitue un des essais les plus captivants de l'année en vue de tirer du théâtre des effets inédits. Après chaque pièce et notamment après « O les beaux jours », on s'est demandé quelle économie nouvelle de moyens et de mots Beckett pourrait encore réaliser pour *matérialiser le néant* et approcher le silence qui le fascinent. Le texte de « Comédie » marque pourtant ce surcroît de dépouillement qu'on ne croyait plus possible. Après l'homme-poubelle et la femme enlisée, voici le personnage-urne, en instance imminente de submersion et de pétrification : trois êtres-pots — le mari, la femme,

---

[1] Notons ici, cependant, que les deux mises en scène (1964 et 1966) sont de Jean-Marie SERREAU.

la maîtresse — dont les ultimes bribes de souvenirs s'échappent comme les bulles d'amphores englouties. Il y a bien, ici et là, des lambeaux de conversation vivante (...) mais les individualités et les mots ne se distinguent plus. L'humanité et les vieux soucis de ses trios amoureux se trouvent réduits à ce qu'ils sont au regard de la mort : des remuements de coquillages, une poussière de SONS voués au silence des grands fonds (...) .

Tirés de l'ombre tour à tour sur un rythme hallucinant, (les acteurs) accomplissent un prodige de diction sans précédent. Tout en laissant reconnaître de justesse la grâce, l'émotion ou l'hébétude de leur timbre naturel, ils offrent de la voix humaine une IMAGE SONORE jusque-là inconnue, même à travers les manipulations radio-électriques : une sorte de précipitation haletante, un tremblement de gorges déjà engourdies par la mort, un battement affolé de l'air avant l'asphyxie... Une curiosité de laboratoire, mais comme on en voit peu et dont la rigueur fait pâlir les petits amateurs de provocations gratuites » (« Le Monde » du 13 juillet 1964, p. 14. L'article est intitulé : « Expériences d'été »). [1]

Signalons, pour la gouverne du lecteur, que d'une manière générale, B. Poirot-Delpech est réputé — dans le « milieu » de théâtre — pour sa sévérité envers les expériences du théâtre du nouveau langage. C'est pour cela, d'ailleurs,

---

(1) Nous avons cru bon de citer presque entièrement l'article, en conservant les critiques d' « acteurs » (ou du jeu des acteurs), car en cette matière, le public (et c'est lui qui nous intéresse au premier chef) ne perçoit au théâtre qu'un ENSEMBLE (lumière, texte, musique, mais aussi : acteurs), ensemble dans lequel les acteurs (véhiculant les mots-objets) ont une part primordiale.

que nous avons choisi de le citer, entre une vingtaine d'autres critiques dramatiques.

A. Jouffroy pense, quant à lui, que Beckett, dans « Comédie », recherche un ordre caché du monde : « On pense » écrit-il, « à certaines partitions musicales contemporaines, où des éléments sont mis à la disposition de l'interprète, selon des règles de permutation ou dans certaines limites du temps » (Cf. « L'Express » du 21.2.1966, n° 766, p. 70-71).

Ensuite, il cite lui aussi le passage de « Molloy » que nous avions déjà cité précédemment, à savoir :

> « Ne pas vouloir dire, ne pas savoir ce qu'on veut dire, ne pas pouvoir ce qu'on croit qu'on veut dire, et toujours dire ou *presque* », mais Jouffroy ajoute : « Ce « presque » dessine la grandeur et la limite de Beckett : nous vivons dans son œuvre une presque-mort qui est une presque-vie, une presque-non-pensée, qui est une presque-pensée, une presque-parole, qui est un presque-silence (...) . Écrire sur Beckett, c'est parler comme un vivant à l'intérieur d'un tombeau ».

Et pour ce qui est de « Comédie », il cite L. Janvier [1] qui écrit (dans l'ouvrage que nous avons maintes fois cité) :

> « Il s'agit, pour Beckett, d'exister par la parole et de n'exister que par elle, de vivre la vie comme l'art et comme l'aventure de la parole, et de la vivre jusqu'à l'extinction de la parole, sans aucune concession à quoi que ce soit d'autre » (comme ce fut le cas pour « Comédie »).

---

[1] On sait, par ailleurs, que Janvier situe Beckett dans la constellation des « expériences aux frontières » : Pascal, Rimbaud, Artaud (Cf. pp. 263-269 : « Le malheur et l'insurrection beckettiens ne sont pas sans rappeler d'autres expériences aux frontières », p. 263).

Trois semaines après la parution de cet article, Robert Kanters, de « L'Express » également (du 14.3.1966, n° 769), écrit :

> « On a revu la « Comédie » de Beckett, féroce, lugubre, parodie du trio du Boulevard ; enfermés dans trois grands pots, le mari, la femme et la maîtresse y racontent mécaniquement, y re-racontent et pourraient re-raconter pour l'éternité leur sordide histoire » (p. 64).

Il ne nous a malheureusement pas été possible de réaliser une enquête parmi le public ayant assisté à cette pièce, par suite des difficultés matérielles rencontrées (tant pour distribuer nos questionnaires au public du « Théâtre de France » que pour réunir un échantillon représentatif pour une discussion de groupe). Il aurait été du plus grand intérêt de recueillir les opinions et attitudes du public, face à cette pièce centrale du théâtre du nouveau langage, car elle réunit, à elle seule, la quasi-totalité des thèmes qui préoccupent les auteurs qui nous intéressent, depuis Ionesco jusqu'à Tardieu, et que L. Janvier résume fort bien dans son ouvrage :

> « L'instant où je parle est nié par celui qui naît de lui, et si je ne dis pas la vérité *par la parole,* c'est en raison précisément de ce procès dialectique qui veut aussi que je m'éloigne de moi quand je prétends le plus m'en rapprocher par le témoignage *oral,* que je décolle de la vérité quand je la vise. *La Comédie : parler, ou mentir, inévitablement* (...). Expérience-limite, parce que « Comédie » rassemble et concentre dans un temps et un espace brefs tous les éléments de ce qu'on voudrait appeler : *séméiologie du syndrome de la jarre.* Incarcération du corps, anonymat du personnage, paralysie de la face-masque, afin que

s'agitant seule, seule vivante, la parole-pensée colle à
l'être et l'avoue (...) . Emmurés dans leur passion
comme ils sont plantés dans leur jarre, les visages
cherchent les mots de cette vérité impossible qu'on
leur donne à dire (...) . Expérience-limite enfin, parce
que le forceps, ici, *c'est le projecteur dont l'œil éprouve l'acuité révélatrice* (...) . Lumière de la conscience
extériorisée dans le souci de faire parler, le projecteur
tire du silence et y replonge trois discours séparés
(...). Expérience sur le langage-être de la personne : la chose du monde la mieux partageante » (op.
cit., pp. 159-161).

En même temps que la représentation de « Comédie »,
au Théâtre de France, figurait au programme une autre courte
pièce, un « dramaticule » — comme l'appelle Beckett — :
« Va-et-vient ». Ce qu'il est intéressant pour nous de noter à
son sujet, c'est encore le souci minutieux de l'auteur à donner
le maximum d'indications scéniques — à propos d'un texte
très limité — sur des points qu'autrefois on considérait
comme de « détail » : ainsi, Sartre et Camus ne « *s'amu-
saient-ils* » pas à préciser qu'à telle scène, à tel moment particulier, à telle seconde, il aurait fallu tel ou tel éclairage
(ou musique) particulier : leur théâtre était uniquement un
théâtre psychologique, un théâtre « de tête », un théâtre
d'intrigue, un théâtre de MOTS. Par contre, Beckett insiste
énormément — et cela est particulièrement sensible dans
« Va-et-Vient » — sur l'éclairage, les costumes, les sièges,
les sorties et venues successives des trois femmes, les voix
détimbrées (à la limite de l'audibilité, précise l'auteur,
sauf l'exclamation à la suite de la confidence chuchotée à
tel moment de la pièce), etc.

Il n'y faut guère voir ici une « obsession » (comme il
ne faut guère voir d'obsession dans le souci de description

minutieuse chez Robbe-Grillet) : c'est encore de *structure interne* qu'il est question.

« Les réalités signifiées ne jouent plus qu'un rôle secondaire de support de signes, comme si c'était à présent la CHOSE désignée qui faisait fonction de SIGNE conventionnel pour que soit signifié le TERME qui la désigne », écrit Eco à propos de « Finnegans Wake » (op. cit., p. 291).

Ainsi, « Va-et-vient », dans la mesure même où sa structure (au sens formel, cette fois) implique, *(de par sa structure même)* son contenu, loin de n'être plus qu'un sketch léger et presque un vaudeville, loin d'être seulement « trente brèves répliques » (cf. R. Kanters, in « L'Express » du 14 mars 1966, n° 769, p. 64), constitue un aperçu saisissant et en quelque sorte un « flash » très structuré (et non simplifié) sur la facticité des rapports humains.

« Cascando », pièce radiophonique (qui fut donnée pour la première fois à l'ORTF, le 13 octobre 1963), est une sorte d'équivalent dramatique à son roman : « Comment c'est ». Les personnages qui rampent dans la boue, dans « Comment c'est », (le narrateur, Pim, Pom) [1] ont pour

---

(1) L. Janvier résume ainsi l'ouvrage : « Effort et durée nous sont communiqués directement par les mots et leur tension. Non seulement la phrase se retrouve brisée, privée qu'elle est de tous ses paliers, de toutes les montées et les descentes qui retenaient en langage sur la pente de la désagrégation totale, mais encore les mots jetés les uns contre les autres font jouer à ce point leurs muscles et leurs nerfs que le langage est comme écorché vif. Inutile de dire que ce jeu est ininterrompu : pas de ponctuation. Quand il cesse, c'est le blanc de la page : silence sans nom et trêve d'effort, petite mort provisoire » (op. cit., p. 245). Plus loin : « Pure juxtaposition de substantifs crus que ne lie plus aucun ciment syntaxique, cette halte-trêve est en fait une halte-drame, puisque seule la douleur ressentie et bientôt le souffle manquant lui donne cette allure désarticulée et poignante qui mène au hoquet. Dans la bulle qui s'échappe de cette boue où se repose le bourreau de Pim, c'est l'existant tout entier qui passe » (p. 246-247).

complément les hoquets de cette voix entrecoupée de musique de « Cascando » (ce titre faisant par ailleurs penser, par assonance de sons, à des cascades, des cascades de mots-objets musicalisés). Ces mots-objets sont effectivement prononcés (ou plutôt : projetés, catapultés hors de) par saccades successives, de la même façon que, dans « Comment c'est », les personnages sont, pour ainsi dire, comme projetés en avant (avec leur « sac », qui est tout leur lot d'existence), propulsés comme par un ressort invisible, attirés par un aimant situé dans un au-delà énigmatique : ils rampent (comme les mots-objets de « Cascando »), progressent, vont en avant... Lentement, il est vrai, mais sûrement, implacablement.

Où vont-ils ? Pourquoi ? Dans quel but ? Peu importe : ils avancent, tout simplement, comme ces corpuscules attirés irrésistiblement par la lumière, ils avancent sans se poser de questions, irrémédiablement poussés en avant — comme par une force cachée — toujours et jusqu'à la fin des temps. C'est leur lot. Comme c'était aussi le lot de Vladimir et Estragon d'*attendre* toujours Godot, tout en sachant (mais le savaient-ils seulement ? La question reste posée) que leur attente était vaine, et que Godot ne viendrait jamais. C'est le lot de la condition humaine contemporaine, que d'avancer toujours et tout le temps, sans trop savoir *où elle va*. L'essentiel, l'important, ce qui seul compte, c'est d'aller en avant (ainsi de la société industrielle, ainsi des progrès de la science, car le vieux « science sans conscience n'est que ruine de l'âme » est aujourd'hui de pleine actualité [1], ainsi du machinisme et de la mécanisation intensifs). La question des « fins dernières » n'est plus à l'ordre du jour :

_____

[1] Il n'y a qu'à penser à la guerre du Vietnam, et ce n'est qu'une illustration parmi bien d'autres.

« ... ça ma vie ... en me disant ... finis celle-ci ...
c'est la bonne ... après tu seras tranquille ... pour-
ras dormir ... plus d'histoires ... plus de mots ... »
hoquète la voix de « Cascando » (p. 47) qui reprend
aussitôt : « plus d'histoires ... plus de mots ... allons ... la suite ... la ... (musique) ... il tombe ...
il est par terre ... c'est le principal ... le visage dans
la boue ... bras déployés ... allons bon ... ça y est
déjà ... hé non ... pas encore ... il se relève ...
genoux d'abord ... mains à plat ... dans la boue ...
(...) dans sa tête ... un abri ... bien sûr ... un
creux ... dans les dunes ... une grotte ... vague souvenir ... d'une grotte ... dans sa tête ... » (p. 50).
Et plus loin : « ... presque ... encore quelques ...
encore quelques ... j'y suis ... presque ... Mannu ...
c'est lui ... c'était lui ... je l'ai vu ... presque ... »

Qui, lui ? Dieu ? Godot, ici Mannu ? Son moi profond ?
Ou qui, alors ? Bien entendu, Beckett ne nous le dira pas :
« Cascando » s'inscrit aussi dans le répertoire des « œuvres
ouvertes » : c'est au spectateur (en l'occurrence, l'auditeur,
puisqu'il s'agit d'une pièce radiophonique) de donner *chacun*
sa réponse. On peut, bien sûr, voir dans cette grotte qui lui
rappelle un vague souvenir, la grotte matricielle, et le retour
— au bout du chemin qu'est la durée de la vie — au ventre
nourricier originel, d'où il est sorti. Mais cela est une interprétation, parmi beaucoup d'autres : on pourrait aussi y
voir une allusion à la grotte de Platon, etc., etc.

Il n'y a jamais rien de sûr, dans une œuvre de Beckett,
qu'elle soit romanesque ou théâtrale. Toujours est-il que la
thématique structurale, dans « Cascando », est la même que
dans « En attendant Godot », sa première pièce : seulement
ici, elle est infiniment plus dépouillée encore de tout artifice.
Nous nous trouvons en présence d'une armature très *pure*

(c'est-à-dire sans aucun artéfact) des structures dramatico-formelles beckettiennes.

« Paroles et Musique » est une autre pièce radiophonique, un peu dans le même genre que « Cascando ». Là aussi, Beckett essaye de sonder l'âme humaine, son centre et son noyau (mais est-ce toujours d'une « âme humaine » dont il peut être question dans cet univers complètement desséché ?), atteignant par moments des profondeurs vertigineuses, jusqu'ici jamais encore atteintes. Là aussi, la musique *fortissimo*, « sans expression aucune » souligne l'auteur, empêche d'entendre les protestations des paroles-objets : « Fini de mendier, fini de donner, plus de mots plus de sens, fini d'avoir besoin », scande la Voix (p. 76).

Plus de mots, plus de sens : décidément, c'est le silence complet, le silence à l'heure atomique.

Parlant de la dialectique paroles-musique, L. Janvier écrit à propos de cette pièce :

> « Quand la source-langage cherche ses mots ou achoppe à traduire ce qui est exigé d'elle, la source-musique la soutient *au risque de la supplanter,* d'où les contestations, la corrige vers le sentimental, d'où le glissement vers l'épiphanie amoureuse. C'est grâce à cette impulsion que « Paroles » sort des ornières de la rhétorique pour se briser, s'ajuster, et dans l'évocation de la Vieillesse, par exemple, on l'entend obéir, souffle après souffle, mots après mots aux *suggestions musicales* qui arrachent des gémissements à Croak [1] et aident le parlant à rencontrer ce qu'il veut dire » (op. cit., p. 165).

C'est clair : la musique — l'expression musicale, ou

---

(1) C'est le nom donné par Beckett à la solitude humaine.

encore le nouveau langage théâtral qu'est la musique — aide le personnage (et du même coup, le public) à se dire (autrement que par des MOTS) au public. Autrement dit, la communication « salle-scène » ne se fait plus avec des mots-objets (ou alors, elle reste insuffisante, pire : elle donne lieu à des *malentendus,* au sens étymologique du terme), elle se fait avec un NOUVEAU LANGAGE, dont la musique est l'une des composantes.

L. Janvier conclut ainsi son analyse de la pièce :

> « Dire et durer. Pour se nommer, il faut ici faire appel à d'autres : venir à soi par les voix extérieures en espérant que les mots à naître seront plus vrais, *aidés par la musique.* C'est à ces intentions qu'obéit la structure où sons et silences, gémissements et parlerie, chant et parole s'organisent pour inventer ce nouveau Sprechgesang où les éléments se dépassent, s'entraînent, ensemble tentent l'arrachement de la personne aux sables où elle s'enlisait » (op. cit., p. 165).

Après cette série de pièces courtes, et de plus en plus dépouillées, allant vers un « blanc » de plus en plus total (blanc de la parole, ou du texte écrit, mais aussi *blanc de lumière*), on peut se demander ce que Beckett nous réserve encore dans sa prochaine pièce. Est-il possible d'aller encore plus loin, dans sa tentative de cerner l'atome de l'être humain, choséifié, et si oui, quel langage nouveau va-t-il encore inventer pour une telle entreprise ? Une pièce du silence intégral est-elle possible ? Certes. Car dans « Dis Joe », qui fut montée en Allemagne, Beckett nous parle effectivement de ce « silence » (il nous le « montre » plutôt) auquel il aura voué sa vie. En réalité, cette pièce fut d'abord écrite pour la télévision : Beckett prévoit des mouvements de caméra

fort intéressants, et qui précisément, ont une place primordiale dans « la structure totale » de l'œuvre. Privée de
cet élément fondamental (jeux de caméra, gros plans et
travelling), il devient forcé que l'œuvre s'en ressente, puisque la modification d'un des éléments d'un TOUT STRUC-
TURÉ transforme la perception de la structure d'ensemble
(c'est également, on le sait, une des lois de la Gestaltthéorie).

Le metteur en scène allemand a remplacé ces jeux de
caméra par des jeux de lumière extrêmement perfectionnés,
qui ont comblé et nivelé ce « trou » dans la structure d'ensemble.

Nous ne pouvons ici qu'attirer l'attention du lecteur
(grâce à cet exemple) sur l'importance considérable que peut
avoir cette notion de « structure de composition » d'une œuvre
(qu'elle soit théâtrale, musicale, picturale, ou simplement
romanesque) [1] qui, pour être véritablement TOTALE et
pour mériter ce qualificatif, ne doit comporter aucune dislocation ou aucun déplacement formels, à l'intérieur de la dislocation du langage, prévue par l'auteur de l'œuvre.

Citons quelques répliques de « Dis Joe » (nous ne ra-
contons pas l'*histoire* de la pièce, car d'une part, il n'y a pas
d'histoire — et cela commence à se savoir — et d'autre part,
nous estimons qu'arrivé à ce stade de l'étude, le lecteur aura
saisi les situations et thèmes prépondérants chez Beckett) :

> « Ce que tu veux ? . . . Bon pied bon œil et le silence
> du tombeau » (p. 85) dit la voix de femme à Joe.
> « Puis ton cher silence . . . à pleine tête . . . pour
> couronner le tout . . . » (p. 89). « Le visage dans les
> pierres. LES PIERRES . . . (. . .) Contre une pierre.

---

(1) Qu'on se reporte aux déclarations de Robbe-Grillet, dans « Pour
un nouveau roman ».

UNE PIERRE... (...) Dans les pierres... Dans
les pierres... LES PIERRES...» (p. 91).

C'est maintenant un *fait* inéluctable, dans la pensée de
Beckett : on en arrive petit à petit (en partant d' « En attendant Godot » jusqu'à sa dernière pièce : « Dis Joe ») à un
dépouillement si suivi et si continu qu'il ne reste même plus,
dans son théâtre, des mots-objets. Non : ce qui reste, ce
sont des PIERRES, seulement des pierres, qui sont là, bêtement, pour rien, se dorant au soleil, inutiles, calcinées, et qui
peu à peu, finiront par complètement s'effriter elles aussi,
pour ne laisser que des poussières (seules traces d'une civilisation détruite par la bombe atomique), bientôt elles-mêmes
dispersées dans le vent.

Dans cette marche patiente de Beckett vers le zéro
absolu, non seulement de toute civilisation (celle des Aztè-
ques a disparu, mais elle a laissé derrière elle des trésors
artistiques), mais encore de la terre entière (les espèces
mortes ayant elles-mêmes disparu, s'étant volatilisées), on peut
voir se profiler en filigrane l'ombre (la silhouette) d'un poète
mystique. « En attendant Godot » mettait en scène deux
« clochards » : ils attendaient quelque chose ou quelqu'un
au départ, ils l'attendaient toujours à la fin. Leur espoir
(même vain) avait un nom : *l'attente*. Mais ils étaient toujours là, ils étaient pétris d'os, de chair et de sang, on pouvait
même se reconnaître en eux.

Avec « Dis Joe », il ne reste plus que des pierres...
Le monde a retrouvé sa dimension originelle (ex-nihilo),
d'avant la Création. Une nouvelle civilisation prendra-t-elle
racine sur les ruines de ce monde calciné, pétrifié par la
bombe ? Peut-être. Peut-être pas : l'œuvre de Beckett reste
« ouverte », et par là, sans doute, s'inscrit-elle dans le mouvement culturel général de notre époque.

« Si « Finnegans Wake », de Joyce, est un livre sacré »,
écrit Eco, et nous extrapolons cette citation à l'œuvre entière
de Beckett, « il enseigne qu'au commencement était le Chaos.
À cette condition seulement, il nous livre les fondements
d'une foi nouvelle, en même temps que les raisons de notre
damnation. Quoi qu'il en soit, il fait disparaître un cosmos
auquel on ne peut plus se référer [1], met fin à l'équivoque
de schémas devenus inutilisables (...). Il nous laisse *dispo-
nibles* et *responsables*, devant la provocation du chaos et
ses possibilités » (op. cit., p. 293).

Il faudrait parler également, ne fût-ce que très brièvement, de « Film » que Beckett a tourné avec Alan Schneider,
avec Buster Keaton comme acteur, et présenté au Festival
Cinématographique de Venise. « Film » est un film muet :
là, c'est le langage des images qui remplace celui de la
musique, dans « Paroles et Musique ». Et comme aucune
parole n'est proférée durant toute la projection, nous nous
pensons autorisé à émettre l'hypothèse que « Film » n'est
qu'un *langage d'images* au sens strict du terme. La caméra
— comme un œil, ou les yeux du spectateur — suit un
homme-monstre (puisque deux passants sont littéralement
horrifiés à sa vue, et qu'une femme tombe du haut d'un
escalier, rien qu'à le voir) que nous, spectateurs, ne voyons
jamais que de dos. Cet homme-monstre, cet homme-nouveau
(on peut supposer qu'il préfigure la physionomie de l'homme
du XXIe siècle : sa face serait-elle simiesque, et sommes-
nous sur la voie d'un retour à l'ère des anthropoïdes d'antan ?)
rentre dans sa chambre, et son unique souci, sa seule activité,
consiste à bloquer tout ce qui est susceptible de porter un
« regard » sur lui : il ferme la fenêtre, enlève le miroir qu'il

---

[1] Celui qui est uniquement régi par la Scolastique classique et domi-
né par le royaume du mot, en tant que détenteur de la Vérité Universelle.

enfouit sous une couverture (car en effet, son double-dans-le-miroir pourrait le VOIR), le portrait qui se trouvait accroché au mur. C'est ensuite le tour des chiens, chat, perroquet et poisson rouge, qu'il fait également disparaître.

Le voilà *seul* [1]. Nous ne le voyons toujours pas de face. Assis, il tire d'une enveloppe cinq photographies (de lui-même ?) qui nous le montrent de face, cinq photographies prises à cinq époques différentes de sa vie [2] (du jeune enfant à l'adulte, et la dernière photographie — dans le temps — nous le fait voir avec un de ses yeux recouvert d'un bandeau noir). Borgne ? Sans doute. Mais l'important est de savoir si Beckett a voulu montrer par là que l'homme de 1966 (le jeune enfant de la première photo) évoluera — avec le développement corrélatif de notre civilisation vers une industrialisation de plus en plus massive, et l'explosion finale de la bombe — [3] vers l'état physique dans lequel se trouve maintenant le « héros » de « Film ».

L'homme-monstre déchire ensuite minutieusement ces photographies, puis les écrase, presque avec sauvagerie, quasi-sadiquement. Le voilà à présent véritablement SEUL, sans aucun regard — d'aucune sorte — pour le surprendre. Sauf, bien sûr, celui de la caméra (ou de sa propre conscience ?) qui essaye une dernière fois de nous le montrer de face (ou de se *le* montrer de face). La caméra-conscience prend alors dans son champ l'image de la cinquième et dernière photo

---

(1) N'oublions pas que Croak était, dans « Paroles et Musique », le nom donné à la solitude humaine : c'est un thème qui hante l'univers beckettien.

(2) Qu'on se rappelle « La dernière bande », où Krapp, également, écoutait sur le magnétophone le Krapp enregistré à différentes époques de sa vie.

(3) Qu'on pense aux rescapés d'Hiroshima et de Nagasaki : hommes-monstres, *faits* monstres par la monstruosité et la folie des hommes.

déchirée, la sienne propre, mais en floue, et fixe son regard-sur-la-photo. La caméra va alors d'un regard à l'autre (de celui de l'homme-monstre actuel à celui de l'homme quasi-monstre de la cinquième photo floue), et c'est sur cette image que se termine ce « Film », pour le moins étrange et énigmatique.

Le tout a duré vingt minutes exactement. L. Janvier compare cette réalisation cinématographique à quelques autres pièces de Beckett, et en arrive à la conclusion que « de telles rencontres ne sont pas gratuites : tout conduit à penser que ces regards semblables dénoncent la séparation et que les yeux, la source lumineuse (les projecteurs de « Comédie ») ne font qu'augmenter le sentiment de la solitude, traquant le personnage.

Ici, l'être à vif ne peut supporter de lumière que du dedans. Ailleurs, il lui fallait la lumière du dehors, *mais c'était pour parler*. Ici, il se tait et le seul éclairage est celui qu'il dirige sur lui-même. Il lui faut son image, son regard, comme on le voit dans cette apparition qui est la clef de la fable : son double debout le regardant. C'est alors seulement qu'il est vu par soi qu'il peut s'endormir. Ce double extériorise ce qui n'est sans doute que l'œil de l'esprit appelé naguère par Winnie (« O les beaux jours ») et cette épiphanie nous dit peut-être l'essentiel sur la LUMIÈRE qui, dans plus d'une œuvre, vient d'ailleurs, sur la voix qui fut dehors, sur toutes les contraintes subies par l'existant : elles signifient et rendent *visible* la contrainte intérieure par laquelle le personnage médite et se vise au centre. Dans cette chambre, nous sommes dans une tête » (op. cit., p. 169).

« Comédie » et « Film » sont des œuvres DE LUMIÈRE, lumière (intérieure ou extérieure) qui SIGNIFIE quelque chose, et donc, qui PARLE, mieux que ne saurait le faire la simple parole. Et cette « lumière » (d'en haut ou du dedans) parle aux SENS, c'est-à-dire : *par les nerfs* (et par l'épiderme) : de quelque façon qu'on tourne le problème, on se trouve toujours dans l'univers théâtral d'Artaud, chimérique en son temps, aujourd'hui pleinement réalisé par Beckett, Ionesco et leurs épigones respectifs. L. Janvier le reconnaît, d'ailleurs :

> « Antonin ARTAUD et Samuel BECKETT parlent tous les deux de la souffrance à assumer, contre la malédiction de la fausse naissance, la rédemption de la vraie et bonne naissance qui est de sortir *selon soi* (c'est l'auteur qui souligne), tout armé du langage et rassemblée par la seule révolte face à la convention et à la contingence, ici nommée conspiration des hommes, là langage usé et opacité à l'être » (op. cit., p. 85).

Venons-en enfin à « O les beaux jours », ce « morceau de choix » que nous avons volontairement laissé pour la fin. Nous avons vu que tous les personnages de Beckett sont l'objet d'une décomposition progressive, de leur esprit d'une part, de leur corps physique d'autre part. « O les beaux jours » n'échappe pas à la règle [1] ; nous l'avons déjà expliqué dans les pages précédentes, Winnie est physiquement enterrée jusqu'au tronc, au premier acte, jusqu'au cou au second, et au fur et à mesure qu'elle parle, elle est engloutie davantage dans le monticule de sable et de pierraille qui constitue le seul décor de la pièce. Beckett s'explique longuement dans « L'innommable », roman où sont contenues

---

[1] « Absence ou silence de la divinité, impuissance devant la nature, incommunicabilité avec les humains, rendue plus dérisoire encore par le souci de respecter le rituel social, solitude plus solitaire encore par une présence inaccessible, *désintégration progressive de l'esprit*, tels sont les thèmes essentiels de cette pièce » (P. Mélèse : « Beckett », p. 80).

ses idées-clefs, et qu'il exploitera physiquement (épidermiquement, sommes-nous tenté d'écrire) sur la scène.

> « Tout est question de voix. Ce qui se passe, ce sont des mots » (op. cit., p. 119). « Il m'est impossible de m'arrêter, je suis de mots, je suis fait de mots » (page 204). « Oui ; dans ma vie, puisqu'il faut l'appeler ainsi, il y eut trois choses : l'impossibilité de parler, l'impossibilité de me taire et la solitude » (p. 224). Enfin : « J'ai peut-être dit ce qu'il fallait dire, ce qui me donne le *droit* de me taire » (p. 219).

Tout cela, nous le ressentons à la vision de sa pièce « O les beaux jours » : lorsque Winnie ne parle pas, elle perd jusqu'à la sensation même de son existence. Elle n'existe, elle ne se « fait être », pour utiliser la terminologie sartrienne, que par ses paroles : et pourtant, paradoxe, plus elle parle, plus elle s'enfonce dans le sable ! C'est une espèce de fatalité, ou plutôt, c'est la tragédie moderne : on n'est que par les mots, tout en sachant à l'avance que ces mots nous mènent tout droit à notre propre perte, à l'ensevelissement total du corps et de l'esprit.

Que fait donc Winnie pendant toute la pièce ? Car son partenaire — sans doute son mari — Willie, ne fait qu'une très brève apparition à la fin du deuxième acte : il essaye de parvenir jusqu'à elle, en rampant (comme le narrateur et Pim de « Comment c'est »), car il est trop vieux pour pouvoir marcher sur ses jambes (mais est-ce vraiment la vieillesse qui l'en empêche, et qui l'immobilise de la sorte, ou plutôt l'accablement produit par un trop-plein de mots, proférés toute son existence durant, et qui l'ont tari et épuisé ?). Il arrive à progresser de quelques pieds, mais au moment où il lui tend la main, il perd l'équilibre et s'écroule jusqu'au bas du monticule de sable et de pierraille informe.

Le rideau tombe sur cette dernière séquence [1].

En fait, la présence de Willie n'est qu'un prétexte pour Winnie, sa femme, d'égrener ses souvenirs et de parler. On retrouve la même situation dans « Fin de partie ». Clov demande : « À quoi je sers ? », Hamm lui répond : « À me donner la réplique ». Willie (d'ailleurs quasi-invisible, puisque situé derrière le monticule, jusqu'aux dernières minutes de la pièce) ne sert en fait que de prétexte au bavardage (à la « parlerie », dirait Heidegger) de Winnie : on ne peut même pas dire ici qu'il « lui donne la réplique », ses très rares interventions se limitant à des borborygmes incompréhensibles, des soupirs, des grognements, presque des crachats.

Reste Winnie, par conséquent : « Plus rien dire ... Mais je dois dire plus », avoue-t-elle à un moment. Elle se met donc à rechercher dans sa mémoire les souvenirs de son premier bal, le refrain d'une vieille chanson, elle redécouvre les objets qu'elle utilise tous les jours, son peigne, son poudrier, sa brosse à dents, qu'elle débale un à un de son sac — énorme —, qu'elle remet dans son sac [2] : elle s'occupe. Qu'attend-elle ? Là encore, rien du tout. L'univers calciné où elle se trouve suggère que toute vie humaine a complètement disparu de la terre : elle et son mari sont les derniers

---

(1) Séquence qui ne va pas sans rappeler la fin du film d'Antonioni : « L'Avventura » (L'aventure), où là aussi, la femme dans une dernière tentative de communication avec l'homme aimé, n'arrive pas à poser sa main sur l'épaule de ce dernier : là aussi, les ponts sont définitivement coupés. Ce gros plan sur la main hésitante, tâchant pitoyablement de communiquer malgré tout, est très riche de signification sur la société actuelle. En définitive, la femme pose sa main sur l'épaule de l'homme (qui vient de la tromper) : lui pardonne-t-elle pour autant ? La « chose » est-elle pour autant réglée ? Rien n'est moins sûr.

(2) Ce sac est-il le même ou le cousin germain de celui du narrateur de « Comment c'est » ?

survivants du cataclysme (la bombe ?) : situation déjà rencontrée dans les autres pièces de Beckett, notamment dans « Fin de partie ».

À un moment, elle s'émerveille parce qu'elle trouve par terre, à ses pieds (il faudrait dire : à ses côtés, puisque ses pieds sont enfoncés profondément dans le sol) un insecte « vivant ». C'est la dernière chose vivante qu'elle aura l'occasion d'apercevoir avant son enlisement final. Cela fait d'ailleurs très longtemps, nous dit-elle, qu'aucune vie de quelque espèce soit parvenue jusqu'ici. Et elle continue sa « parlotte » : comme chez Ionesco, les mots deviennent ici des objets, comme le peigne qu'elle se passe de temps en temps dans les cheveux, comme sa brosse à dents (sur laquelle elle s'efforce de lire l'inscription originale), comme son sac.

Gilles Sandier écrivait à ce sujet dans « ARTS » :

> « Avec des œuvres comme celle-là, le théâtre revient à son immobilité première, celle des grandes œuvres sacrées où la parole humaine suffit à remplir et à animer l'espace, des œuvres dont le matériau est fait des seules réalités premières auxquelles ces œuvres nous ramènent : le Temps, l'Espace, et la Parole » (op. cit., n° 935).

En ce sens, Pronko a raison quand il affirme que « l'avant-garde théâtrale n'a pas complètement rejeté les conceptions antérieures du théâtre, et qu'elle est, à divers égards, plus radicale, au sens étymologique de *retour aux racines*, que les dramaturgies plus conventionnelles » (op. cit., p. 242). Ionesco également disait à ce sujet plus ou moins la même chose, à savoir : que son théâtre (ainsi que celui de Beckett), loin d'être un « anti-théâtre », est un retour aux « sources vives » de la théâtralité.

Dans quelle mesure « O les beaux jours », et tout le théâtre de Beckett, reflète-t-il la tragédie moderne de la société industrielle ? J.-M. Domenach répond à cela dans son étude : « Résurrection de la tragédie » (déjà citée) :

> « Le théâtre de Ionesco et de Beckett peut être regardé comme la *tragédie d'une époque* qui, après avoir procédé à la critique des formes et des idéologies, découvre sous les aliénations étiquetées un malheur plus profond et plus général, et juxtapose les possibilités inouïes d'une indépendance théorique avec des *nécessités sociales toujours plus contraignantes* » (Esprit, mai 1965, p. 1011).

De quelles *nécessités sociales* toujours plus contraignantes Domenach veut-il nous entretenir ? Sans aucun doute, des nécessités sociales *suscitées* par la naissance et le développement d'une société industrielle (qu'elle soit de l'Est ou de l'Ouest), dont le résultat, à longue haleine, ne peut engendrer que l'annihilation progressive de l'homme au profit des machines-objets. À moins, comme le laissent supposer toutes les pièces de Beckett, et particulièrement l'univers calciné et désertique de « O les beaux jours », à moins donc, qu'une guerre nucléaire ne vienne, à brûle-pourpoint, « tout faire sauter », et les machines et les hommes.

À ce moment, « le monde du silence total », entrevu par Beckett — prophète et messie — (dont l'œuvre entière est un pèlerinage vers ce Silence Définitif et Absolu) sera instauré sur notre planète [1]. On comprend, dans ces con-

---

[1] L'univers calciné de « Ô les beaux jours », nous l'avons déjà entrevu dans « En attendant Godot » (Didi et Gogo sont dans un désert, non situé, où seul un arbre donne l'idée d'une quelconque végétation, avec ses trois feuilles au deuxième acte seulement, suggérant par là la perpétuation de l'espèce) ; et dans « Fin de partie », Clov arrive chez Hamm après le cataclysme — la bombe ? — et

ditions, que le titre que nous avons donné à ce chapitre n'est pas un « cliché » : dans l'univers beckettien, « la civilisation du néon », inaugurée avec l'avènement de la société industrielle, prépare petit à petit — et comme « à petit feu » — la « civilisation du néant », c'est-à-dire qu'elle va irrémédiablement vers son auto-destruction totale.

L. Janvier lui-même est conscient de cet aspect de l'œuvre de Beckett (encore qu'il n'en parle que dans le texte qui suit, le négligeant dans toutes ses autres analyses), à propos de la sonnerie grinçante et fort désagréable qui se fait entendre au tout début de chacun des deux actes de la pièce, mais aussi quand il arrive à Winnie de fermer les yeux : c'est comme un « rappel à l'ordre » (remplaçant par cela les trois coups traditionnels avant le début d'une pièce, et après l'entr'acte, et ramenant Winnie — qui tendait à s'endormir, ou à se laisser aller à des rêveries « hors-spectacle » — dans la structure de la pièce qu'elle joue pour nous, spectateurs, mais aussi pour elle : ce qui revient au même, en définitive) :

« Appelée par la sonnerie et le regard, elle (Winnie) s'appelle. Bon gré, mal gré, elle avance : ces signaux, ces signes d'injonction sont donc de ceux qui remplacent la conscience (Ils sont tels, dit le personnage, qu' « on ne peut pas rester sourd », p. 75). S'ils la remplacent, c'est que les forces de l'existant ne suf-

avec Nagg et Nell, ils sont les derniers représentants de l'espèce humaine ; dans « Comédie » enfin, où les têtes hagardes et les yeux inexpressifs sortent tour à tour du néant, grâce à l'effet d'une lumière blanche et crue, qui en s'éteignant, les renvoie du même coup à leur chaos initial. Ils ne surgissent de la nuit que pour aussitôt s'y replonger, dès que leurs paroles ont été débitées, d'une manière d'ailleurs saccadée, mues comme par un ressort (la lumière leur donne vie). Seule, « la gesticulation verbale les préservent encore d'une totale réification » comme le note G. SERREAU (op. cit., p. 115).

fisent plus et que l'écrivain devait disposer ici, exercice cruel mais nécessaire dans son projet de « mise à vif », de *machines* contraignant l'être à devenir *quand la vie n'est plus que survie,* le souffle : silences, la parole : bribes » (op. cit., p. 156).

Dans un entretien accordé au « Figaro Littéraire » (du 14.11.1963), Roger BLIN, le metteur en scène de « O les beaux jours » (et d'ailleurs de toutes les premières pièces de Beckett), confiait à Maurice Tillier qui l'interrogeait [1] :

> « Jamais Beckett n'est allé aussi loin dans l'intensité émotionnelle, c'est-à-dire en fait, dans la beauté dramatique. Chaque fois, c'est ainsi : on se dit qu'il ne pourra plus se dépasser et il se dépasse encore. Son secret ? C'est d'exposer les problèmes qui le préoccupent avec une rigueur, un dépouillement, un ascétisme pourrait-on dire, de plus en plus grands (...). À bien considérer son œuvre, on a le sentiment — assez vague, je le concède — que son œuvre s'inscrit dans une sorte d'armature chrétienne » (p. 21. L'article a pour titre : « Mais qui est donc l'étrange, l'envoûtant M. Beckett ? »)

Effectivement, Beckett va toujours plus loin, de pièce en pièce, et, à la différence de Ionesco, vers un dépouillement de plus en plus total : il nous l'a encore prouvé avec « Dis Joe », son « dernier-né » à ce jour, et que nous avons analysé (brièvement) un peu plus haut.

Sartre écrivait dans sa préface au « Portrait d'un inconnu », de N. Sarraute :

---

(1) S. Beckett répugne, quant à lui, à accorder des entretiens aux journalistes qui le harcèlent de toutes parts ; car pour lui, une œuvre se suffit à elle-même, elle est livrée au public (ou lecteurs), et lui n'a rien à y ajouter. Sinon, il l'aurait écrit dans la pièce, ou le roman.

« Un des traits les plus singuliers de notre époque littéraire, çà et là, (est l'existence) d'œuvres vivaces et toutes négatives qu'on pourrait nommer des « anti-romans » (...). Il s'agit de contester le roman par lui-même, de le détruire sous nos yeux, dans le temps qu'on semble l'édifier, d'écrire le roman d'un roman qui ne se fait pas, qui ne peut pas se faire (...). Ces œuvres étranges et difficilement classables ne témoignent pas de la faiblesse du genre romanesque, elles marquent seulement que nous vivons à une époque de réflexion et que le roman (ou la pièce, ajoutons-nous) est en train de réfléchir sur lui-même » (p. 7-8).
« N. Sarraute a mis au point une technique qui permet d'atteindre, par-delà le psychologique, la réalité humaine dans son existence même » (p. 14).

Il nous semble que c'est bien cela qu'a réussi Beckett, sur le plan du théâtre : sans vouloir absolument parler d'anti-pièce (nous avons vu qu'il s'agissait plutôt d'un retour aux sources vives du phénomène théâtral), il n'en reste pas moins qu'il réussit à saisir la réalité humaine *d'aujourd'hui* dans son existence même, au-delà de « l'histoire, du caractère et du réseau d'habitudes humaines » (Préface de Sartre, p. 13).

Beckett, comme N. Sarraute (et là, nous faisons le joint — comme nous l'avons fait plus en détail pour Ionesco, mais la place nous manque pour en parler plus longuement — entre le nouveau roman et le nouveau théâtre) a « une vision protoplasmique de notre univers humain : ôtez la pierre du lieu commun, vous trouverez des coulées, des baves, des mucus, des mouvements hésitants, ami-boïdes, les lentes reptations centrifuges de ces élixirs visqueux et vivants » (op. cit., p. 11). Et plus loin : « Les livres de N. Sarraute sont remplis de toutes ces terreurs : on parle, quelque chose va éclater, illuminer soudain le fond glauque d'une âme et chacun sentira les bourbes mouvantes de la sienne. Et puis non : la menace s'écarte, le danger est évité, on se remet tranquillement à échanger des lieux communs » (op. cit., p. 13).

S. Beckett, c'est du N. Sarraute en théâtre, « de visu » : en effet, ses pièces « visualisent » les terreurs dont parle Sartre, au sujet des livres de N. Sarraute. On le voit : qu'on appelle ce phénomène « terreurs » ou « obsessions », il n'en demeure pas moins que c'est là un phénomène *social d'époque,* éprouvé par les artistes de tous les domaines culturels : la peinture non-figurative rejoint la musique atonale ou concrète, le Pop-Art la sculpture moderne, et l'anti-roman le théâtre du nouveau langage (y compris le « happening »).

La dislocation de la matière (en physique moderne), du temps, de l'espace, des mots-objets, fait pendant à la dislocation des sociétés industrielles (telles que nous les avons définies au chapitre 2).

3. — Essai de conclusion

> « L'homme est l'être qui tout en étant condamné à finir, ne peut pourtant pas « en finir » ».
>
> Bernard PINGAUD

> « Là où nous pensions voir préserver le sérieux de la littérature, on le ruine avec astuce et système. Là où nous voulions trouver encore de quoi vivre, on aveugle, on piétine, on parodie, on brise doucement ou sadiquement selon les cas : il ne reste rien. C'est la vie par antiphrase ».
>
> L. Janvier : « Pour S. Beckett » (p. 214).

Nous avons bien dit « essai » de conclusion, car il nous paraît impossible de donner une conclusion qui se réclamerait « définitive » (fût-ce sur le seul plan théorique) de « l'œuvre ouverte » (pour parler comme Eco) que représente l'œuvre de Beckett.

> « Avec « O les beaux jours », un pas immense a été fait vers la sérénité. De tous les spectacles insoutenables que nous propose la tragédie, celui de la sérénité au cœur de l'injuste châtiment — Œdipe —, de la sérénité au cœur du nihilisme — Winnie —, est bien le plus insoutenable. Il nous livre le dernier secret : celui de la *sagesse tragique* », écrit J.-M. Domenach (« Résurrection de la tragédie », pp. 1014-1015).

Et de fait, c'est ce que l'on ressent après lecture de ses romans et vision de ses pièces : cette « sérénité tranquille », dont parle également B. Pingaud [1], est la structure première qui se dégage de l'œuvre beckettienne. D'où notre impossibilité à formuler une conclusion : les mots, une fois prononcés par Beckett, culbutent et suscitent leur propre vide, leur propre contradiction. Ainsi, « Molloy » se termine par un

---

(1) Dans un article intitulé « Beckett le précurseur », faisant suite à son roman « Molloy », Pingaud écrit :
   « Cette décomposition (de Molloy) est *tranquille*. Le mot « paix » revient souvent dans sa bouche, et sans doute désigne-t-il l'état auquel on aspire, le bonheur que devrait procurer la fin de l'errance (...). La paix devient alors la *sensation* qui résulte de l'abandon total au courant de la décomposition, et l'homme serait toujours en paix s'il pouvait vraiment, tout le temps, finir et ne faire que cela » (p. 306-307). Et plus loin : « Les romans de Beckett sont les étapes successives de cette défaite : à mesure qu'il dit mieux ce qu'il veut dire, il en dit de moins en moins, il ne dit plus rien du tout » (p. 310).

paradoxe, sur le plan logique [1], par une nécessité interne, sur le plan structural total de l'œuvre, prise (et jugée, et interprétée) comme une entité intrinsèque, ayant créé ses propres lois linguistiques, de la même manière que « Finnegans Wake » de Joyce pouvait être défini comme une « sorte de logos adapté à la vision einsteinienne de l'univers » (William TROY : « Notes on Finnegans Wake », in « Partisan Review », été 1939, cité par Eco, p. 299) : « Alors je rentrai dans la maison et j'écrivis. Il est minuit. La pluie fouette les vitres. Il n'était pas minuit. Il ne pleuvait pas ». (Molloy, p. 234).

Pour comprendre cette fin de « Molloy » (mais faut-il dire ici « comprendre », ou « sentir » ? Faut-il parler comme Aristote et Kant, ou comme Beckett et Joyce ?), nous aurons encore recours à Eco qui, partant d'une analyse de « Finnegans Wake », généralise son analyse sur tout l'art contemporain :

> « L'art engendre une FORME, une structure concrète ;
> cette forme est ensuite comprise et pénétrée par le
> lecteur en une série d'*opérations* intellectuelles qui
> impliquent un raisonnement, souvent même une argu-
> mentation érudite ; et une fois la forme artistique
> saisie dans toute sa complexité organique, elle nous
> suggère l'existence d'une structure (scientifique) ana-
> logue, que jusqu'ici nous pouvions PENSER en for-
> mules, mais non *imaginer* sur le mode iconique ; au

---

[1] « Un projet sitôt formé est corrompu à sa source et se change en son contraire », note à ce sujet M. NADEAU (Combat, 12 avril 1951). Et aussi : « C'est un monument qui se détruit à mesure qu'il se construit sous nos yeux et qui, finalement, se résout en poussière ou en fumée. La défiance est ici générale et active. Elle s'étend jusqu'au langage qui, selon un verbe à la mode, *se néantise* sitôt qu'il s'établit, efface, dans l'instant même, ses moindres traces » (art. cité).

moment où l'on entrevoit l'image possible de réalités jusque-là inimaginables se déclenche tout un processus de participation émotive » (op. cit., p. 299).

Cette image entrevue des réalités jusque-là inimaginables, c'est point pour point le monde vu, ou entrevu par Beckett, un monde larvaire de paralytiques comme Molloy-Hiroshima, un monde où les individus sont découpés en petits morceaux — physiquement et intellectuellement — comme le couple Winnie-Willie dans « O les beaux jours », ou les têtes-lumières de « Comédie », ou encore le couple-en-poubelles de « Fin de partie », et enfin, les voix sans tête ni queue — c'est-à-dire sans « présence physique », soufflées d'un au-delà mytique — de « Dis Joe » et de « Paroles et Musique ».

« Il est minuit. La pluie fouette les vitres. Il n'était pas minuit. Il ne pleuvait pas », cela devient alors très clair, mieux : acceptable, possible. Dans cet univers que nous habitons, et qui est fait de contradictions, dont l'essence même EST contradiction, quoi de plus normal, en effet, de le voir se réfléter dans des œuvres d'art (roman, pièce de théâtre, peinture où le nez est en-dessous de la bouche, et les yeux au-dessous du nombril) ; dans un monde qui permet l'hécatombe d'Hiroshima, ou les camps de concentrations nazis, il devient « normal » (et dans l'ordre des choses de ce monde) que pleuvoir et ne pas pleuvoir sont des phénomènes compatibles, équivalents, puisque le monde qui nous entoure est lui-même contradictoire. Nous aurons l'occasion de revenir sur ce point ultérieurement, dans un autre chapitre.

Par un lent, mais sûr, cheminement intérieur, Beckett en est arrivé au degré zéro de la parole, c'est-à-dire : au Silence Absolu. Maurice BLANCHOT est encore plus nuancé à ce sujet :

« Ce n'est pas par le silence, mais par le *recul du silence,* par une déchirure de l'épaisseur silencieuse, et, à travers cette déchirure, l'approche d'un *bruit nouveau* que s'annoncera l'ÈRE SANS PAROLE. Rien de grave, rien de bruyant : à peine un murmure, et qui n'ajoutera rien au grand tumulte des villes dont nous croyons souffrir. Son seul caractère : il est incessant » (« Le Livre à venir », p. 265).

Autre thème cher à Beckett, ainsi qu'à Robbe-Grillet : c'est la « tentation faustienne ou pythagoricienne de retenir le réel dans d'immuables formules numériques », comme le fait observer L. Janvier (op. cit., p. 194, note 73). Et là, nous revoici dans la société industrielle, la mécanisation, les machines électroniques remplaçant l'homme, et à l'obsession du « décompte » dont nous avons longuement parlé dans le sous-chapitre réservé à Robbe-Grillet. Analysant le roman : « Murphy » de Beckett, L. Janvier rappelle que Murphy trouve la possibilité de manger cinq biscuits de cent vingt manières différentes : il s'agit de « tenter l'appropriation du réel en le détaillant sous forme de certitudes logiques » (op. cit., p. 194).

C'est l'homme-robot contemporain, englouti sous les chiffres. « Cette image nous renvoie à la théorie générale du jeu, appliquée au langage : le mot est un pion, on joue avec les mots sur l'échiquier imaginaire que représente le nombre fixe des déplacements et manœuvres possibles. Bien sûr, ils sont totalement désaffectés de leur sens », note encore Janvier (note 73 de la page 194).

Mais c'est dans « Watt » (de Beckett) que « cette forme « sérielle » s'épanouit librement, atteignant par la fréquence et l'ambition à une abondance baroque », remarque Janvier (p. 195). Citons un passage très significatif de « Watt » :

« Ensuite la fantaisie le prit d'intervertir, non plus l'ordre des mots dans la phrase, ni celui des lettres dans le mot, ni celui des phrases dans la période, ni simultanément celui des mots dans la phrase et celui des lettres dans le mot, ni simultanément celui des mots dans la phrase, et celui des phrases dans la période, ni simultanément celui des lettres dans le mot et celui des phrases dans la période, ni simultanément celui des lettres dans le mot et celui des mots dans la phrase et celui des phrases dans la période, oh non, mais dans la brève durée de la même période, tantôt celui des mots dans la phrase, tantôt celui des lettres dans le mot, tantôt celui des phrases dans la période, tantôt simultanément celui des mots dans la phrase et celui des lettres dans les mots, tantôt simultanément celui des mots dans la phrase et celui des phrases dans la période, tantôt simultanément celui des lettres dans le mot et celui des phrases dans la période et tantôt simultanément celui des lettres dans le mot et celui des mots dans la phrase et celui des phrases dans la période. Je ne me souviens d'aucun exemple de cette fantaisie-là » (« Watt », p. 166-167).

L. Janvier lui aussi compare cela avec les exercices de « Finnegans Wake », de Joyce, et conclut ainsi :

« Watt, qui voit la série triompher au point même que l'écrivain fait établir par le protagoniste une relation à haute voix entre les principales séries où son *imagination logique* s'est complue, est très précisément le livre où culmine l'expérience du « réel en creux » se dérobant à l'esprit qui voudrait le faire tenir dans le présent total de son appréhension immédiate (...). Le nombre sauve (...) mais ce nombre se révèle rarement suffisant et pratique » (p. 196-198), du fait de la multitude des possibilités non répertoriées.

Avant de clore ce chapitre sur Beckett, nous aimerions encore souligner deux points, qui nous semblent particulièrement importants. D'abord (et c'est le premier point), nous voulons insister à nouveau sur le parallélisme (pour parler en langage gestaltiste, nous dirons que c'est là une « forme prégnante », ou une « bonne forme ») qu'il faut établir, à la suite de ces analyses, entre le morcellement de la structure linguistique chez Beckett (et par-delà cette structure, la structure de la Pensée Humaniste dans sa totalité) et le courant généralisé de l'Art, dans le mouvement culturel contemporain. « Murphy » fut écrit en 1947, « Molloy » en 1951, et « Malone meurt » (troisième volet de la trilogie) en 1952.

Que s'est-il passé depuis ?

B. Pingaud note en 1962 :

> « Ce n'est pas un hasard si les plus jeunes écrivains d'aujourd'hui consacrent tous leurs efforts à rebâtir une rhétorique. Jamais l'on n'écrivit si soigneusement, si élégamment ; jamais le MOT, la SYNTAXE, et les effets de langue ne prirent tant d'importance aux yeux de débutants ordinairement plus soucieux de dire sans fard ce qu'ils éprouvent. Avant de parler de soi, on veut maintenant parler tout court, pour être sûr que l'on peut encore parler, écrire, pour être sûr que l'on peut encore écrire. Sur une littérature qui, sans s'en rendre compte, se désagrégeait tout doucement, Beckett a fait passer le vent du boulet (...). Dans l'obscurité sans doute nécessaire de la métamorphose, nul n'oserait affirmer que *la fin ne*

soit déjà là, que nous ne soyons pas arrivés au terme de l'interminable. C'est alors que prend toute sa résonance la voix de S. Beckett, le « dernier écrivain » » (« Beckett le Précurseur », p. 310-311).

Si nous avons volontairement dépassé, dans notre étude, le cadre du simple mouvement théâtral contemporain, c'est bien pour en arriver à cela : ce que réalise le théâtre du nouveau langage (et ses auteurs) n'est pas un « fait social » isolé, mais, pour employer l'expression usitée par Marcel Mauss : « un fait social total » [1] : il n'y a pas QUE le théâtre, il n'y a pas QUE le roman, ou QUE le cinéma, ou QUE la peinture, ou QUE l'architecture sculpturale, il y a un PHÉNOMÈNE SOCIAL D'ÉPOQUE, il y a une société industrielle qui se nie en s'affirmant de plus en plus, qui s'annihile en se posant. C'est aussi un problème de « structuration interne » : de la même façon que le mot, chez Beckett (et à travers lui, la tendance majeure de l'art d'aujourd'hui) se décompose au fur et à mesure qu'il est composé, la société industrielle (prise elle aussi dans sa « structure

---

[1] Cependant, nous l'utiliserons dans un tout autre sens que celui donné par Mauss. On sait que pour ce dernier, c'est dans le phénomène « d'échange » que réside le phénomène social total, trouvant son expression la plus paroxystique dans le type d'échange appelé : « les prestations totales agonistiques » (par exemple, chez les Kwakiutl de Colombie Britannique, sur la côte nord-ouest du Pacifique). Ce comportement socio-économique (le « potlatch ») est fondé sur la triple obligation de donner, de recevoir, de rendre, et non pas uniquement sur la recherche de l'échange intéressé et du profit. L'intérêt de cette analyse de Mauss est de démentir la théorie courante du « troc originel », fondé sur un échange strictement intéressé. Pour plus de détail, nous renvoyons le lecteur à l' « Essai sur le Don » (paru en 1924), de Mauss (in : « Sociologie et Anthropologie »). On constatera que ce n'est pas du tout ce sens (ni d'ailleurs celui donné par G. Gurvitch) que nous retenons, eu égard du phénomène social *total* que représente le théâtre du nouveau langage. Nous ne faisons qu'emprunter l'expression à Mauss, en lui donnant un sens particulier.

interne », c'est-à-dire dans son univers propre) s'anéantit en anéantissant les individus qui la composent, elle s'émiette petit à petit (si toutefois elle n'explose pas avant, au sens atomique du terme), de la même façon que le travail humain a été, par ses soins, — ou par une nécessité interne à sa structure de base — « émietté », selon l'expression de Friedmann.

Ensuite, (et c'est le deuxième point sur lequel nous attirons l'attention du lecteur), ce n'est guère par goût littéraire (ni par plaisir esthétique) que nous avons donné pour têtes de chapitre des titres comme : « Beckett, ou le langage en miettes » (paraphrasant de la sorte « Le travail en miettes » de G. Friedmann), « De la civilisation du néon a la civilisation du néant », « Ionesco, ou le langage ossifié », etc. Ce ne sont guère là de simples figures de rhétorique.

Ce n'est pas non plus un hasard si nous avons essayé tout le long de cette première partie, d'émettre entre parenthèses des doutes continuels sur notre propre phraséologie (un exemple entre cent : « on ne fait qu'échanger (mais est-ce véritablement un « échange » ?) des propos (sont-ce des propos ?) saugrenus », écrivions-nous. Ou encore « il semble encore plus hystérique que le reste des personnages (sont-ce des « personnages » ? »), etc., etc.

Ni pour, obéissant à d'obscurs motifs, mettre en valeur un esprit de contraste ou de paradoxe plus ou moins heureux. Notre propos étant d'analyser un phénomène relativement neuf (« Essai sur le drame de la parole », avons-nous sous-titré le premier tome de notre travail) : le mot-objet, la lumière-langage, etc., phénomène né plus ou moins directement du développement de notre civilisation industrielle, nous avons tenté de préciser de cette façon l'aspect extrêmement « ouvert » des œuvres traitées ou des interprétations (parmi un nombre *n* d'interprétations possibles) qu'il nous arrivait d'en donner.

Nous avons tenu à n'imposer aucun caractère *définitif* (ou « fermé ») à nos analyses, mais de suggérer des hypothèses d'explication, parmi beaucoup d'autres possibles.

Les œuvres que nous avons étudiées ne doivent (et ne peuvent) être considérées que du point de vue de leur plus ou moins grande *ouverture* au champ des « possibles », étant pris pour acquis que notre monde occidental actuel n'est lui-même qu'une « civilisation des possibles ».

C'est dans cette perspective que nous espérons avoir frayé une voie (parmi tant d'autres !) à l'analyse conceptuelle des données théâtrales contemporaines — et plus généralement, artistiques — dans ce qu'elles ont en commun avec les sociétés industrielles modernes.

C'est dire, également, que les « structures linguistiques » (nouvelles) en Art se superposent (peuvent se superposer) aux « structures économiques » des sociétés industrielles. Et de fait, le morcellement (ou l'éclatement) de la syntaxe — tant au théâtre que dans le roman actuels — n'est que l'autre face de la médaille [1] : il correspond à l'émiettement du travail industriel d'une part, et d'autre part, à la suppression progressive de l'individu (et de la vie indi-

---

[1] Dans sa préface au « Dieu caché », Goldmann écrit : « La catégorie de la Totalité, qui est au centre même de la pensée dialectique, nous interdisait d'emblée toute séparation rigoureuse entre la réflexion sur la méthode et la recherche concrète qui ne sont que *les deux faces d'une seule et même médaille*. Il nous paraît en effet certain que la méthode se trouve *uniquement dans la recherche même*, et que celle-ci ne saurait être valable et fructueuse que dans la mesure où elle prend progressivement conscience de sa propre démarche et des *conditions* qui lui permettent de progresser » (op. cit., p. 7).

viduelle), pris à l'intérieur des réseaux de structures économiques (qui sont un engrenage d'où il devient impossible de sortir), et plus généralement, à l'intérieur des réseaux d'une vie sociale de plus en plus complexe, à cause de l'industrialisation massive de la société, réduisant les rapports sociaux humains en rapports de choses.

L'homo economicus évolue ainsi dans un univers de « structurations compartimentales », pour employer l'expression de Goldmann : le phénomène dépeint par les auteurs que nous avons examinés représente en même temps un phénomène « littéraire », « historique » et « social ». C'est le phénomène (littéraire, historique et social à la fois) de la momification (et la cristallisation, le durcissement) des sociétés industrielles (au sens large), telles que nous les avons définies au tout début de ce travail.

POSTFACE

THÉÂTRE ET CONTESTATION

> Père Ubu : « Cornegidouille ! Nous n'aurons
> point tout démoli si nous ne démolissons
> même les ruines ! »

Théâtre et contestation : tel sera le sous-titre du deuxième
tome de notre ouvrage sur « Le théâtre du nouveau langage ». Il y sera question de cette forme de théâtre ascétique
qu'est le théâtre de Grotowski, du spatio et lumino-dynamisme
de Nicolas Shoffer, de la nouvelle architecture scénique, et de
sa place dans le théâtre du nouveau langage — et à la limite,
la dernière scène, c'est la rue —, du happening et de ses
différentes formes (du happening institutionnalisé au happening autogéré), et des relations que le happening entretient
avec les différents types de psychodrame (morénien, analytique et institutionnel). Enfin, une bibliographie générale, de
près de 400 titres, concernant l'ensemble des références citées
dans nos deux tomes, viendra compléter ce deuxième volet.
Nous croyons utile de présenter ici à nos lecteurs un court
aperçu du contenu de notre deuxième tome.

La maladie de la civilisation techno-bureaucratico-indus-
trielle-de-consommation (que cette civilisation, rappelons-le,
nous vienne de l'Est ou de l'Occident), dont on a si abon-
damment parlé dans la presse mondiale, a pour corollaire im-
médiat, pour ce qui nous concerne, l'agonie et bientôt la mort
définitive — et ce n'est guère une prophétie que nous for-
mulons là du bout des lèvres : voyez les faits ! — d'une
certaine forme de théâtre, d'une certaine forme d'écriture
scénique. En d'autres termes, si la structure du système social
a été ébranlée, lézardée dans ses fondations, la structure —
qui est en fait une sous-structure, faisant partie d'une totalité

structurelle beaucoup plus vaste — du système théâtral n'a pu qu'en être touchée profondément. Les accointances parentales, quasi structurales, entre ces deux « systèmes » (social et théâtral) nous semblent intéressantes à mettre en évidence.

La chose n'est pas arrivée d'un seul coup. C'est une lente, mais profonde maturation qui a conduit le théâtre à revêtir les formes qu'il connaît aujourd'hui, et dont la manifestation la plus exacerbée est le « happening ». On peut remonter au « théâtre Dada » : avec Dada, le public a la possibilité de se libérer de toutes les normes et conventions sociales, et il en vient, petit à petit, à mépriser ce qu'il respectait jusqu'ici pour sa seule « valeur marchande » et financière. Le théâtre Dada, dès 1918, ne s'adressait déjà plus à l'intelligence du spectateur, mais à ses « nerfs et à ses sens », à son être entier qui est censé vibrer et se mettre en état de résonance affective face au spectacle. Il ne faut cependant pas oublier que Dada ne recherchait pas le scandale systématique — le scandale *pour* le scandale —, mais, déjà, la « participation » du public. Or, toute dramaturgie nouvelle serait inévitablement condamnée au pur formalisme, si elle ne faisait pas partie d'un ensemble intentionnel visant à promouvoir la communauté théâtrale, le retour à certaines formes d'expression familières à l'homme primitif, inhibées par le développement d'une civilisation basée sur le seul « rendement » et, à partir de là, une révolte contre toutes les formes d'oppression.

L'apport essentiel du mouvement Dada et du surréalisme — bien avant Ionesco, Beckett, et leurs épigones — consiste en une « libération du langage », élément premier et privilégié du théâtre. Les hordes de mots déchaînés par Dada et par le surréalisme (qu'on relise donc les textes et pièces de Georges Ribemont-Dessaignes, de Tristan Tzara, d'Aragon première manière, de Breton, de Desnos, de Péret, de Soupault, et surtout les écrits théoriques d'Artaud sur le théâtre) s'empareront de la pensée des individus, les forceront à modifier leur conception de la vie et du comportement collectif, à briser le carcan de leur perception du phénomène théâtral et artistique en général, à les obliger enfin à « voir autrement », et du même coup, à *se voir* autrement. Il nous semble significatif que, dès cette époque, et bien avant les contestataires et révolutionnaires de mai-juin 68 en France, on sait parlé de « l'imagination au pouvoir », et du dégagement de la vie artistique du circuit commercial et industriel, de la « plus-value » industrielle. Tout ceci n'est donc pas nouveau : c'est par un long et lent cheminement qu'une nouvelle écriture, qu'un nouveau langage artistique a pu s'instituer et prendre les formes que l'on connaît.

Le théâtre conventionnel, le théâtre dit psychologique, le théâtre d'intrigue, est en voie de disparition, il faudra désormais s'en faire une raison. L'ère de « l'homme unidimensionnel » — pour employer le titre célèbre de l'un des ouvrages de Herbert Marcuse — est tous les jours de plus en plus contestée par la génération née après-guerre. Henri Lefebvre, professeur de sociologie à Nanterre, écrit au sujet de cet ouvrage : « Y a-t-il encore du possible (des possibilités, des ouvertures) dans ce monde clos de toutes parts ? La société anéantit ou récupère jusqu'à l'espace de l'imagination. Elle offre un monde d'*objets muets, sans sujet,* auquel manque une pratique l'orientant vers autre chose » (cf. « Le Monde », des 16-17 juin 68, page 91. C'est nous qui soulignons, pour attirer l'attention du lecteur sur l'analogie qu'on ne manquera pas de faire avec les personnages décrits par Beckett, surtout dans son « Film », et par Robbe-Grillet). Cette « révolution cachée » [1], dont nous entretient Roger Caillois, a pour réper-

---

(1) « Si l'on nomme *révolution* les rares clivages décisifs où basculent les données fondamentales d'une société et, pour ainsi dire, ses constantes, précisément parce que l'insurrection n'a pas été tentée,

cussion immédiate, dans le domaine théâtral, un bouleversement total des rapports instaurés jusqu'ici entre la *scène* d'une
part, la *salle* de l'autre. Désormais, dans le théâtre d'aujour-
d'hui, ces deux entités (salle-scène) seront confondues, et un
véritable théâtre participationnel pourra se dérouler, non plus
devant des spectateurs passifs assis confortablement dans des
fauteuils-clubs, mais *avec* et *parmi* les spectateurs, comme
sujets de la création collective. Tel est, on le sait, l'un des
buts visés par cette nouvelle forme de théâtre qu'est le
« happening ». L'ensemble du spectacle ainsi représenté
constituera une « écriture » — spontanée, improvisée —,
un message, une langue (pour parler comme les linguistes
modernes), que des sociologues avertis auront tout le plaisir
de décoder ou de décrypter, en mettant en rapport les structures de ce message « spontané » et « vécu » avec les structures de la société où se déroule ce « spectacle collectif ».

Nous n'insisterons pas outre mesure sur l'importance que
peut revêtir aujourd'hui le phénomène « happening », dans le
domaine théâtral et plus généralement socio-politique, dans ses
attendus. Nous constaterons simplement ceci : au moment
même où l'on parle de « démocratie directe », où on remet
en question, de fond en comble, la signification de la représentation parlementaire classique, où l'on se refuse à déléguer
ses pouvoirs à des élus fictifs, où le terme même de « représentation » est rendu caduc par la force des choses — et de
la rue —, où enfin on se délègue soi-même à des Assemblées
Générales seules souveraines (on n'a jamais autant parlé
d'*autogestion*), et qui seules sont en mesure de prendre les
décisions importantes, au moment donc où tout cela « arrive »
en vrac (to happen : arriver), nous assistons *dans la rue* aux

---

ni même désirée par les couches de la population qui y étaient le
plus intéressées, mai 1968 représente un de ces tournants qui con-
cluent une évolution et en amorcent une autre » (« Le Monde »,
13 juin 1968, art. de R. Caillois).

plus spectaculaires des happenings auxquels il nous ait été donné de *participer* : nous n'assistons plus à un happening (comme à une pièce de théâtre classique), nous y participons. Les termes « assister » et « voir » (de l'extérieur) font partie de l'ancien registre, d'un code périmé, qui tournerait désormais à vide, d'un langage révolu, dépassé, caduc, qui ne porterait que très peu de signification possible de décryptage.

Désormais, on n'ira plus au théâtre pour « voir » une pièce, on ira participer à la chose théâtrale. Le théâtre redevient ce qu'il a pu être originairement : *une fête*. Mais une fête d'un type particulier, une fête adaptée au style de vie de cette seconde moitié du XXe siècle : une fête de *contestation* (au sens de « remise en question », et toute remise en question est négentropique : elle bouleverse l'entropie sociale et politique).

Le théâtre redevenu « fête » sera un forum, l'agora : Ionesco et Beckett sont, d'une certaine manière, les précurseurs du phénomène « happening ». Ils ont dénoncé dans leurs pièces et écrits — parfois avec violence — les us et coutumes du théâtre psychologique dit « bourgeois ». Les contradictions inhérentes à notre type de civilisation annihilante, faisant de l'homme un pur objet parmi d'autres, le réifiant dans un étau serré d'où il pouvait à peine respirer (et ceci est également sensible au niveau de son langage [1]), en un mot : l'aliénant à un degré encore jamais vu dans l'histoire — et ceci, paradoxalement, au fur et à mesure qu'il a la possibilité d'acquérir, de posséder des biens de consommation, car il s'agit là d'une aliénation *mentale,* ces contra-

---

(1) Pour Lévi-Strauss, la réalité sous-jacente d'un système a beaucoup plus de chance de se trouver dans les structures mentales inconscientes, qu'on peut atteindre à travers les institutions, mais aussi dans le *langage* d'un peuple ou d'une société. On sait sans doute que pour Lévi-Strauss, les cultures sont des systèmes codés : parmi les systèmes qui définissent une culture, le *langage* constitue un code

dictions que Ionesco, Beckett, Robbe-Grillet entre autres, ont contribué à mettre à nu et à dévoiler, chacun dans son registre propre, ont eu pour conséquence de faire « éclater » littéralement le phénomène théâtral, littéraire, cinématographique. Et à les faire éclater dans la rue : le happening est effectivement un « théâtre éclaté », un théâtre de rue, dans son principe (qu'on pense aux ennuis du Living Theatre à Avignon). C'est un théâtre de contestation, libérant certes les instincts de tous ordres que notre civilisation judéo-chrétienne a réfoulés au cours des siècles, mais désaliénant aussi l'homme pris dans sa quotidienneté vécue, d'un nombre considérable de tabous de toutes sortes qui sont venus s'incruster dans son psychisme et jusque dans ses structures mentales, sa façon d'agir, de se comporter vis-à-vis d'autrui, d'*être* enfin, tabous que le surmoi social est venu apposer croûte par croûte sur les forces du « moi » (nous renvoyons le lecteur à la typologie freudienne).

On débouche ainsi sur un théâtre authentiquement « vivant » : ce n'est certainement pas un hasard si la troupe théâtrale américaine jugée la plus révolutionnaire (mais elle aussi est en voie d'intégration par un système tout-puissant, dont la malignité va jusqu'à intégrer dans son sein les formes les plus originales de la contestation) est appelée justement : « Living Theatre ».

Partis des personnages du théâtre Dada et surréaliste, en passant par ceux, pétrifiés, muets, de Beckett, des carcasses

privilégié d'accès aux autres codes de cette culture. L'étude de la grammaire et de la syntaxe d'une culture donnée (comme représentant un système symbolique d'expression propre à une société) ouvre ainsi la voie à l'intelligibilité du « procès » sous-jacent (c'est-à-dire : à la « parole », au « message », ou au « vécu ») à ce code langagier. En d'autres termes, l'analyse de l'ordre de la structure *ouvre* la lecture de l'ordre de l'événement.

désarticulées de « La cantatrice chauve » et des « Chaises »
de Ionesco, nous voici parvenus, au terme de nos analyses,
et grâce au « Living Theatre » non-intégré, au « happening »
et succédanés, à un théâtre de l'espoir, ou tout au moins de
l'espérance. Espérance de briser les chaînes aliénantes du
confort abêtissant, du sexe emballé sous cellophane et vendu
en pochette plastique sur le marché, ou servi après dîner,
espérance de libre créativité et surtout, de l'*autogestion* de
cette créativité par les producteurs eux-mêmes.

Partis des loques dépeintes par Ionesco et Beckett, dernières traces mi-mortes mi végétantes d'une humanité en voie
de décomposition, sinon défunte (le monde technocratique
robotisé des hommes-objets de « La cantatrice chauve » et de
« Comédie »), nous débouchons soudain et quasi ex-abrupto,
mais ceci est sociologiquement explicable, sur une aube nouvelle. Il nous appartient de faire en sorte que le soleil brille.
C'est dans ce sens qu'il faut interpréter, en dernière instance,
le titre du tome deuxième de notre travail : « Théâtre et
Contestation ».